Hans Jochen Boecker

Recht und Gesetz im Alten Testament und im Alten Orient

Neukirchener Verlag

Neukirchener Studienbücher, Band 10

CIP-Kurztitelaufnahme der Deutschen Bibliothek

Boecker, Hans Jochen
Recht und Gesetz im Alten Testament und im Alten
Orient. – Neukirchen-Vluyn: Neukirchener Verlag,
1976.
(Neukirchener Studienbücher; Bd. 10)
ISBN 3-7887-0502-7

© 1976
Neukirchener Verlag des Erziehungsvereins GmbH Neukirchen-Vluyn
Alle Rechte, auch die des auszugsweisen Nachdrucks, der fotografischen
und akustomechanischen Wiedergabe und der Übersetzung, vorbehalten
Umschlaggestaltung unter Verwendung eines Fotos der »Gesetzesstele
des Hammurabi« (Musée du Louvre, Paris): Kurt Wolff, Düsseldorf
Gesamtherstellung: Breklumer Druckerei Manfred Siegel
Printed in Germany – ISBN 3-7887-0502-7

Hans Walter Wolff
in Dankbarkeit
zum 65. Geburtstag

Vorwort

Die Lektüre des vorliegenden Buches setzt keine juristischen oder theologischen Vorkenntnisse voraus. Wie es dem Konzept der Reihe entspricht, sind auch besondere Sprachkenntnisse nicht erforderlich. Der Leser soll nicht nur mit fertigen Ergebnissen und Meinungen konfrontiert werden, sondern es wird in diesem »Studienbuch« versucht, ihn zumindest andeutungsweise mit den Argumenten bekannt zu machen, die zu dieser oder jener Entscheidung führen, besonders dort, wo die Forschung im Fluß ist. Die verhältnismäßig umfangreichen Literaturangaben sollen die Weiterarbeit erleichtern. Vollständigkeit ist dabei nicht angestrebt. Kommentare zu alttestamentlichen Büchern sind in den Literaturlisten nicht aufgeführt. Soweit sie im Text herangezogen werden, sind sie ohne Schwierigkeiten bibliographisch auffindbar.

Ich möchte an dieser Stelle dem Neukirchener Verlag herzlich danken für sein Entgegenkommen und für die Sorgfalt, mit der er die Gestaltung des Buches durchgeführt hat. Darüber hinaus gilt mein besonderer Dank meinem Assistenten, Herrn *Christoph J. Dehn*. Seine kritischen Rückfragen und hilfreichen Anregungen sind dem Buch sehr zugute gekommen. Herr *Christoph J. Dehn* hat auch alle Korrekturen gelesen und die Register erstellt.

Ich widme dieses Buch meinem verehrten Lehrer *Hans Walter Wolff* zum 17. Dezember 1976. Ihm verdanke ich die entscheidenden Anregungen für meine alttestamentliche Arbeit.

Wuppertal-Barmen, im Juni 1976   Hans Jochen Boecker

Inhalt

Einleitung

Das Recht des Alten Testaments ist rechtshistorisch gesehen ein Teil des altorientalischen Rechts. Näheres Zusehen zeigt allerdings eine so stark ausgeprägte Besonderheit der Rechtsgestaltung im alttestamentlichen Bereich gegenüber der altorientalischen Umwelt, daß man von einer eigenen alttestamentlichen Rechtskultur innerhalb des großen altorientalischen Rahmens sprechen muß. Die Ursachen dafür liegen in den historischen, soziologischen und – das ist ein wesentlicher Punkt – den theologischen Gegebenheiten. Die Eigenständigkeit des alttestamentlichen Rechts innerhalb des altorientalischen Rechts wirft die Frage nach der Notwendigkeit und Möglichkeit einer Rechtsvergleichung auf. Damit ist ein schwieriges Sachproblem angesprochen. Lassen die unterschiedlichen Voraussetzungen der zu vergleichenden Rechtssysteme überhaupt einen sinnvollen Vergleich zu? Was kann Rechtsvergleichung leisten? *P. Koschaker*, der Altmeister der altorientalischen Rechtsforschung, hat sich zu diesen Fragen mehrfach geäußert, besonders nachdrücklich in seinem Aufsatz »Was vermag die vergleichende Rechtswissenschaft zur Indogermanenfrage beizusteuern?« (Festschr *H. Hirt* I, 1936). Dort billigt *Koschaker* der Rechtsvergleichung eine nur sehr bescheidene Rolle zu. Dies belegt seine Ansicht »Man kann nicht ohne weiteres gleiche oder ähnliche Rechtssätze und Rechtsinstitute miteinander in Beziehung setzen« (149) wie auch seine lapidare Feststellung »Schlechte Rechtsvergleichung ist schlimmer als keine« (150).

Schlechte Rechtsvergleichung liegt sicherlich dann vor, wenn sie mit Wertungen einhergeht und sich zudem noch zweifelhafter Kriterien bedient. *H.-D. Bracker* und seinem Buch »Das Gesetz Israels verglichen mit den altorientalischen Gesetzen der Babylonier, der Hethiter und der Assyrer« (1962) wird man einen Vorwurf in dieser Richtung kaum ersparen können. So verdienstvoll die von *Bracker* dargebotene Materialsammlung sein mag, so sind doch die immer wieder vorgetragenen Schlußfolgerungen höchst bedenklich, wie beispielsweise folgender Satz aus dem Nachwort zeigt: »Das Ergebnis war, wie nicht anders erwartet, daß das Gesetz Israels die drei anderen durch seinen ethisch reinen und humanen Charakter weit überragte« (174).

So mag man fragen, ob man nicht besser auf jede Rechtsvergleichung verzichtet, ja, ob es angesichts drohender Mißverständnisse nicht angebracht wäre, das alttestamentliche Recht ohne Bezugnahme auf die altorientalische Rechtskultur in den Blick zu nehmen. Dies wäre aber zweifellos eine kurzsichtige und falsche Entscheidung, denn damit würde man sich grundlegender Verstehenshilfen berauben. Das alttestamentliche Recht gehört nun einmal in den großen Zusammenhang des altorientalischen Rechts. Es muß schon in diesem Zusammenhang gesehen werden, damit wir aus so großer historischer und sachlicher Entfernung seines Wesens und seiner Besonderheit ansichtig werden können. Wie aber entgeht man den oben aufgezeigten Gefahren einer schlechten Rechtsvergleichung? C. *Westermann* hat im Zusammenhang entsprechender Überlegungen einen Grundsatz formuliert, der m. E. weiterhelfen kann: »Ein dem Verstehen biblischer Texte dienendes Vergleichen muß von phänomenologisch faßbaren Ganzheiten herkommen und auf sie zielen« (Sinn und Grenze religionsgeschichtlicher Parallelen, ThB 55, 1974, 85). In der Erläuterung dieses Satzes warnt er vor »nur punktuellem Vergleichen«, womit sich der Theologe *Westermann* durchaus auf der Linie des Rechtshistorikers *Koschaker* bewegt.

Aufbau und Durchführung der hier vorgelegten Arbeit versuchen, dem genannten methodischen Grundsatz zu entsprechen. Alttestamentliches wie altorientalisches Recht werden als eigene Größen für sich gesehen und auch eigenständig dargestellt. Innerhalb der gesonderten Darstellungen aber werden Querverbindungen gezogen, vor allem vom altorientalischen Recht und von der altorientalischen Gesetzesformulierung hin zum alttestamentlichen Recht und Gesetz. Solche Querverbindungen, die aus der Gesamtdarstellung einer Rechtsgröße zu einer anderen hin hergestellt werden, stehen weniger in der Gefahr, als »punktuelle Vergleiche« mißverstanden zu werden; sie können aber, wenn sie vorsichtig angelegt sind, das gegenseitige Verständnis nicht unwesentlich fördern.

Das bisher Gesagte verbietet es, das alttestamentliche Recht dem altorientalischen Recht thesenartig gegenüberzustellen. Ebenso ist in diesem Buch darauf verzichtet worden, das alttestamentliche Recht selbst in einigen Formeln oder Thesen zusammenzufassen; der Gefahr sachfremder Systematisierung wäre nur schwer zu entgehen, wie manche Beispiele zeigen. In diesem Zusammenhang ist auch zu bedenken, was der englische Rechtshistoriker B. S. *Jackson* in seinem umfassenden methodologischen Aufsatz »Reflections on Biblical Criminal Law« (1973) ausgeführt hat, in dem er mit Recht davor warnt, das alttestamentliche Recht als Ausfluß bestimmter Rechtsprinzipien zu verstehen. Es spricht für sich selbst in der Konkretheit seiner Formen und Aussagen.

Um das deutlich zu machen, wird im vorliegenden Buch Wert darauf gelegt, die Texte selbst ausführlich zu Wort kommen zu lassen. Dem entspricht auch der Aufbau des Buches, der nicht nach rechtssystematischen Gesichtspunkten gestaltet ist; es wird vielmehr von Texten ausgegangen. In den Mittelpunkt des alttestamentlichen Teils ist das Bundesbuch gestellt.

Für den altorientalischen Bereich war die Entscheidung für ein bestimmtes Rechtsdokument nicht so leicht zu treffen, da zunächst eine Eingrenzung des Stoffes erfolgen mußte. Der Alte Orient ist ein sowohl räumlich wie zeitlich so weit ausgedehntes Gebiet, und das Recht des Alten Orient ist nach heutigem Wissensstand ebenfalls ein derartig umfangreiches, für einen Einzelnen kaum noch überschaubares Phänomen, daß es wenig sinnvoll sein konnte, auch nur den Versuch zu machen, auf alles einzugehen, was zum Recht des Alten Orient gehört. Auf jeden Fall mußte eine Stoffauswahl vorgenommen werden. Sie sei hier kurz begründet. Zwei Gebiete, die kulturgeographisch als Randgebiete bezeichnet werden können, bleiben grundsätzlich unberücksichtigt: Ägypten und die kleinasiatischen Hethiterreiche. Das ist deshalb gerechtfertigt, weil die altorientalische Rechtskultur vor allem von Ägypten, aber auch von den Hethitern verhältnismäßig wenig beeinflußt worden ist. Es handelt sich in beiden Fällen um Rechtskulturen, die nicht nur lokal gesehen am Rande liegen. Aber auch nach Ausschluß des ägyptischen und des hethitischen Rechts bleibt ein riesiger Komplex verschiedener Rechte verschiedener Völker übrig, die zu verschiedenen Zeiten Geltung hatten. Es geht um Babylonien und Assyrien, Syrien und Palästina und die an diese Gebiete östlich und nördlich angrenzenden Bergländer, also etwa um das Gebiet, das man seit einiger Zeit gern mit dem Stichwort *fertile crescent,* »fruchtbarer Halbmond«, bezeichnet. Es geht um einen Zeitraum, der von der Mitte des 3. Jahrtausends v.Chr. bis zum Ende des neubabylonischen Reiches 539 v.Chr. reicht. Soweit es sich dabei um das sogenannte Keilschriftrecht handelt, vermittelt die einzige Gesamtdarstellung, die bis heute über diesen Komplex vorgelegt worden ist, einen guten Eindruck des immensen Materials, vgl. *Korošec,* Keilschriftrecht. In diesem Buch kann aus der Fülle des Stoffes nur beispielhaft einiges ausgewählt werden.

Wir werden in den Mittelpunkt der Darstellung das wichtigste Dokument des altorientalischen Rechts stellen. Es handelt sich um die mit dem Namen des altbabylonischen Königs Hammurabi bezeichnete Rechtssammlung, den sogenannten Codex Hammurabi. Hammurabis Gesetzeswerk steht in einer Rechtstradition, es hat Vorgänger, die in der Darstellung nicht übersehen werden dürfen.

Hinzu kommt, daß das altorientalische Rechtsleben nicht nur durch die sogenannten Codices repräsentiert wird. Eine große Anzahl von Rechtsurkunden verschiedenster Art und Bedeutung liegt vor. Sie dürfen nicht unberücksichtigt bleiben. Im Rahmen unserer Darstellung kann allerdings nur beispielhaft auf dieses vielfältige Material zurückgegriffen werden.

Ein besonderes Problem stellt die Rechtsterminologie dar. Es ist kaum möglich, sich bei der Darstellung eines antiken Rechts nicht gelegentlich moderner Rechtstermini zu bedienen. Das geschieht auch in dieser Arbeit. Man muß sich dabei der Tatsache bewußt sein – und auch der Leser sollte sich darüber Rechenschaft ablegen –, daß die Verwendung moderner Rechtsterminologie für das altorientalische und das alttestamentliche Recht nur höchst selten im heute vorliegenden Sinn dieser Terminologie geschieht. Denn der moderne Jurist – und nicht nur er – verbindet ja mit bestimmten Termini ganz bestimmte Rechtsvorstellungen, die in aller Regel nicht den altorientalischen Gegebenheiten entsprechen. Auf die hier bestehenden Schwierigkeiten ist oft hingewiesen worden. Besonders nachdrücklich hat *M. David* in seiner Schrift »Der Rechtshistoriker und seine Aufgabe« (1937) dies getan, indem er ein scheinbar unverfängliches Beispiel einer Gleichsetzung von Rechtsbegrifflichkeit benennt, dem doch eine nicht unbedeutende Problematik innewohnt. Zur Illustration seien *Davids* Ausführungen zu dieser Sache hier zitiert: »Schon die einfachste Gleichsetzung könnte zu Irrtümern führen, so z. B. wenn wir in jedem Rechte, das uns begegnet, unserer eigenen Auffassung gemäß unter ›Witwe‹ die Ehefrau eines Verstorbenen sehen wollten. Im assyrischen Recht, um dieses nur zu erwähnen, sodann im Rechte des Alten Testaments gehört der Begriff der Witwe nicht allein der Sphäre des Familienlebens an. Vielmehr besitzt er auch einen Einschlag ins Soziale. Denn nicht jede Frau eines Verstorbenen ist nach der Auffassung der Bibel eine Witwe. Kehrt sie in das elterliche Haus und in die väterliche Macht zurück, so ist sie keine Witwe. Nur dann ist sie es, wenn sie losgelöst von jedem Familienverband ist, und dadurch wohl in der Regel keinen Anteil am Grundbesitz nimmt. Daher die Sorge für Witwen, der wir immer wieder in den sozialen Bestimmungen des Alten Testaments begegnen« (21).

Kapitel I

Das altorientalische Gerichtsverfahren

Lit.: A. *Falkenstein*, Die neusumerischen Gerichtsurkunden, I (1956), II (1956), III (1957); A. *Gamper*, Gott als Richter in Mesopotamien und im Alten Testament (1966); *Haase*, Einführung, bes. 119–127; J. G. *Lautner*, Die richterliche Entscheidung und die Streitbeendigung im altbabylonischen Prozeßrechte (1922); *Korošec*, Keilschriftrecht; A. *Walther*, Das altbabylonische Gerichtswesen (1917).

In der Forschung besteht über den hier zu verhandelnden Gegenstand keine allgemein anerkannte Vorstellung. Eins ist sicher: Wir haben in dem großen Zeitraum, den es zu überblicken gilt, mit einer Entwicklung in der Gestaltung des Rechtsverfahrens zu rechnen. Schwierig und entsprechend umstritten sind vor allem die Anfänge. Wir müssen uns hier auf einen summarischen Überblick beschränken.

Wie ist es überhaupt zur Existenz geordneter Gerichtsverfahren gekommen? Diese Frage rührt an rechtsphilosophische Überlegungen. Zwei grundsätzlich verschiedene Hypothesen sind hier zu nennen. Die eine geht von der Überlegung aus, daß am Anfang die ungeordnete und unkontrollierte Selbsthilfe stand. Das Recht des Stärkeren triumphierte. Diese Form der Selbstjustiz, so ist die Meinung, ist dann durch die kontrollierte Selbsthilfe und schließlich das geordnete Verfahren abgelöst und überwunden worden.

Für den altorientalischen Bereich hat die nun zu nennende zweite These mehr Gewicht. Sie besagt, daß sich das Gerichtsverfahren aus dem Schiedsgerichtsverfahren entwickelt hat. Wie hat man sich das vorzustellen? Bestanden zwischen zwei Parteien Streitpunkte, so unterzogen sie sich einem Schiedsgerichtsverfahren. Das in einem solchen Verfahren gesprochene »Urteil« besaß keine Rechtskraft. Es hatte vielmehr den Charakter eines Streitbeendigungsvorschlags, der von beiden Parteien angenommen werden mußte, damit der Streitfall wirklich aus der Welt geschafft war. Die Entwicklung ging dann immer stärker auf ein mit richterlicher Zwangsgewalt ausgestattetes Verfahren. Es handelt sich um einen im Grunde natürlichen Vorgang. Daß nur Personen, die Autorität besaßen, als Schiedsrichter fungieren konnten, versteht sich von selbst. Je öfter sie dieses Amt ausübten, um so mehr wuchs ihre Autorität, je höher ihre Stellung in der Sozialstruktur der Gesellschaft war, um so größer war von vornherein das Gewicht ihres »Urteils«. So wird schließlich ein vom König ausgesprochener Streitbeendigungsvorschlag kaum noch als ein solcher empfunden worden sein, man wird ihn vielmehr als Urteil verstanden haben, das die Parteien ohne Möglichkeit des Widerspruchs band.

Nun ist es aber nicht so, daß sich eine gradlinige Entwicklung vom Urteil als Streitbeendigungsvorschlag bis zum Urteil, das mit rechtsbindender Kraft ausgestattet war, aufzeigen ließe. Die altorientalische Rechtsgeschichte durchläuft verschiedene Stadien, erlebt Brüche und Neuansätze, die sich manchmal ohne erkennbare Logik vollziehen. Das gilt auch für das Verständnis des Urteils. Für die neusumerische Zeit (etwa 2050–1955 v.Chr.) scheint das bindende Urteil bereits vorausgesetzt werden zu können, während die spätere altbabylonische Zeit (etwa 1830–1530 v.Chr.) in mancherlei Hinsicht noch das schiedsrichterliche Urteil kennt. In jedem Fall aber sind wir bei dieser Frage auf Rückschlüsse angewiesen, denn grundsätzliche Erwägungen über derartige Probleme gibt es in alter Zeit verständlicherweise noch nicht.

Wie ging das nun praktisch vor sich in der Zeit, die für uns durch Quellen erschließbar ist? Die Initiative für das Zustandekommen des Gerichtsverfahrens wurde von den Rechtspartnern getroffen. Eine öffentliche Strafverfolgung fand nicht statt. Nur wenn königliche Interessen direkt berührt waren, kam es zur Prozeßeröffnung durch den König bzw. durch seine Beamten. Aber in einem solchen Fall war der König eben Partei. Vor dem Verfahren hatte die Ladung des Rechtsgegners ihren Platz, von der uns eine ganze Reihe von Ladungsprotokollen ein anschauliches Bild vermitteln. Danach bestand die Ladung in einer vor Zeugen ausgesprochenen Aufforderung des Ladenden und einer Antwort des Geladenen. Obwohl diese Ladung als Privatladung zu bezeichnen ist, stellt sie doch den Geladenen unter einen Zwang, was auch die Terminologie noch erkennen läßt. Der in diesem Zusammenhang immer wieder vorkommende juristische Fachausdruck heißt wörtlich übersetzt »packen«, »ergreifen«. Der Geladene mußte auf die öffentlich ausgesprochene Ladung reagieren. Er konnte es so tun, daß er den Anspruch des Ladenden anerkannte und befriedigte. In diesem Fall wurde durch gütliche Einigung der Kontrahenten eine Gerichtsverhandlung vermieden. Anderenfalls kam es zum Prozeß, und zwar nicht selten auf die Weise, daß der Geladene, d. h. der in irgendeiner Weise Beschuldigte, nun den Spieß herumdrehte und selbst zum Kläger wurde. Man kann bei einer altorientalischen Gerichtsverhandlung nicht immer genau sagen, wer denn nun der Kläger und wer der Angeklagte ist. Wer einer Ladung vor Gericht nicht Folge leistete, riskierte es, daß der anstehende Prozeß infolge seines Ausbleibens zu seinen Ungunsten entschieden wurde. Das zeigt z. B. ein Text, den *A. Falkenstein* innerhalb der von ihm herausgegebenen neusumerischen Gerichtsurkunden mitgeteilt hat. Es geht um einen Prozeß, der das Eigentumsrecht auf einen Garten klären sollte. Dort findet sich die folgende Anweisung:

»Unter Eid beim König! Wenn du in sieben Tagen zum Prozeß um den Garten nicht erscheinst (und) die Tafel darüber, daß du den Garten von Dudum gekauft hast, nicht beibringst, wirst du in diesem Garten nicht bleiben« (NGU II, 180).

Die erste Amtshandlung des Gerichtsforums bestand darin, daß es offiziell seine Zuständigkeit und seine Bereitschaft erklärte, sich mit der anhängigen Rechtssache zu befassen. Die Prozeßgewährung wurde stets gegenüber beiden Parteien ausgesprochen. Auch in diesem Brauch wirkt der Vorgang des Schiedsgerichtsverfahrens noch nach.
Zur Durchführung des Verfahrens nahmen die Richter am Verhandlungsort Platz, vgl. CH § 5. Man muß wohl annehmen, daß die Rechtskontrahenten stehend der Verhandlung beiwohnten. Aufgabe des Verfahrens war es, den vorliegenden strittigen Fall zu klären und zu einem Urteils- bzw. Schiedsspruch zu kommen. Da die beiden Rechtskontrahenten in der Regel Vorstellungen von dem Streitfall hatten, die voneinander abwichen, war das Gerichtsforum auf die Berücksichtigung von Beweismitteln angewiesen. In der alten Zeit stand die mündlich vorgetragene Zeugenaussage an erster Stelle. Daneben spielte der Urkundenbeweis eine Rolle. Er trat aber hinter dem Zeugenbeweis zurück und wurde im Zweifelsfall nicht so hoch eingeschätzt wie die vor dem Gerichtsforum erstattete Zeugenaussage. Auch aus dem altorientalischen Verfahren ist der Eid nicht wegzudenken. Fast immer waren es die Zeugen, die ihre Aussage durch einen Eid bekräftigten. Dabei konnte der Eid eines einzigen Zeugen als ausreichend angesehen werden. Nur ganz selten ist der Parteieneid belegt. In den neusumerischen Gerichtsurkunden ist ein derartiger Fall aktenkundig gemacht. Die Zeugen waren verstorben; so blieb keine andere Wahl, als vom Rechtskontrahenten selbst eine Eidesleistung zu verlangen. Der entsprechende Text lautet:

»Einen Sklaven hat für 4 Sekel Silber Lugalemahe gekauft. Die Zeugen sind verstorben. Deshalb wird, wenn Lugalemahe den Eid dafür schwört, er den Sklaven an sich nehmen« (NGU II, 373).

Bei bestimmten Prozeßgegenständen wurde der lokale Augenschein als Beweismittel eingesetzt, so bei Rechtsauseinandersetzungen über Grundstückskäufe.
Auffallend selten wird für das altorientalische Gerichtsverfahren das Ordalverfahren erwähnt. Im CH wird es im Zusammenhang eines Rechtsverfahren in § 2 angeordnet, vgl. dazu unten S. 69 f. Die andere Belegstelle ist § 132. Eine des Ehebruchs verdächtige Frau konnte durch ein Ordal ihre Schuldlosigkeit nachweisen. Eine direkte Beziehung zum Rechtsverfahren liegt hier allerdings nicht vor.
Wenn die vorgebrachten Beweismittel ausreichen, um einen Rechtsfall zur Entscheidung zu bringen, konnten die Richter – meist agierten mehrere – das Urteil formulieren. Wir haben bereits auf die unterschiedliche

Wertung, die das Urteil innerhalb der altorientalischen Rechtsgeschichte gehabt hat, hingewiesen. Sofern das Urteil Rechtskraft besaß, markiert es den Verfahrensabschluß. Der schiedsrichterliche Urteilsvorschlag mußte dagegen von den Parteien erst akzeptiert werden, um rechtswirksam zu sein. In diesem Fall bildete die Annahme des Urteils durch die Parteien den Verfahrensabschluß. Im altbabylonischen Urkundenmaterial finden sich zahlreiche Hinweise darauf. Sie sind erstmals systematisch von *J. G. Lautner* zusammengestellt und entsprechend kommentiert worden. Nicht selten aber brauchte das Verfahren gar nicht bis zum Urteil bzw. bis zur Parteienvereinbarung durchgeführt zu werden. In jedem Stadium des Prozesses war der Vergleich der Parteien möglich, und von dieser Möglichkeit hat man nach Ausweis der altbabylonischen Urkunden häufig Gebrauch gemacht, manchmal sogar vor der förmlichen Prozeßeröffnung. Nicht zuletzt mögen dabei die drohenden Gerichtskosten die Bereitschaft zu einem Vergleich gefördert haben.

Ein geregeltes Rechtsmittelverfahren war im altorientalischen Recht nicht vorgesehen. Die Appellation von einer Gerichtsbehörde an eine höhere ist nicht belegt. Unter bestimmten Bedingungen war allerdings die Wiederaufnahme einer Klage möglich, wodurch es dann zu einem zweiten Prozeß in derselben Sache kommen konnte. Um einen Mißbrauch dieser Möglichkeit auszuschließen, stand am Ende des Verfahrens in den meisten Fällen der Klageverzicht der Parteien.

Werfen wir noch einen Blick auf die altorientalische Gerichtsorganisation. Wieder ist zu bedenken, daß unser Überblick nicht nur einem großen Zeitraum, sondern auch einem lokal weitgespannten Bereich gilt. Drei Formen des Gerichtswesens lassen sich unterscheiden. Sie haben keineswegs überall und immer das gleiche Gewicht gehabt: 1) das Königsgericht, 2) das Tempelgericht und 3) das Ältestengericht.

Die größte Bedeutung kam zweifellos dem Königsgericht zu. Es war bereits in neusumerischer Zeit die bei weitem wichtigste Gerichtsform. *Falkenstein* sagt dazu: »Die neusumerische Gerichtsorganisation ist durch die überragende Bedeutung der Gerichtsbarkeit des Königs bestimmt« (NGU I, 147). Der König war sowohl Gesetzgeber – von den Gesetzen des neusumerischen Königs Ur-Nammu wird noch zu reden sein – als auch Richter. Natürlich ist nicht nur dort von königlicher Rechtsprechung zu reden, wo der König selbst aktiv beteiligt war, sondern auch dort, wo die Rechtsprechung im Namen des Königs erfolgte, ausgeführt von königlichen Beamten. In den neusumerischen Gerichtsurkunden erscheinen die »Stadtfürsten« in wichtiger Funktion. Sie waren die obersten Vertreter des Königs, die in seinem Namen und Auftrag in den Provinzen die entscheidende Rolle bei der Rechtsprechung spielten. An der überragenden Bedeutung des Königsgerichtes hat sich in altbabylonischer Zeit nichts geändert. Es ist sogar vermutet worden, daß das altbabylonische Königsamt wesentlich als Richteramt zu verstehen ist. *F. R. Kraus* äußert dazu die folgende Meinung: »Vielleicht war der

König in seinem Lande überhaupt im Prinzip der Richter schlechthin und die Amtsgewalt der sonstigen Richter ihnen ursprünglich vom Könige delegiert« (Genava NS 8, 287). Auch während der altbabylonischen Zeit hat es natürlich mehr mittelbare als unmittelbare königliche Gerichtsbarkeit gegeben. Der König übertrug seine Rechtsbefugnisse an seine Beamten, die in seinem Auftrag tätig wurden. In wichtigen Städten war ein Oberrichter eingesetzt, der auch für andere obrigkeitliche Belange zuständig war.

Anders als das Königsgericht hat das Tempelgericht für das altorientalische Gerichtswesen nicht immer eine gleichwertige Rolle gespielt. Für die neusumerische Zeit verlautet von einer Tempelgerichtsbarkeit praktisch nichts. Zeigt sich hier der übermächtige Einfluß des Königtums, das keinen Konkurrenten neben sich duldete? Man weiß es nicht, aber historisch unwahrscheinlich wäre eine derartige Annahme nicht. Später haben sich die Tempel wieder kräftiger ins Geschäft gebracht. In altbabylonischer Zeit waren sie ein wichtiger Bestandteil der Rechtspflege, und zwar nicht nur dadurch, daß es eine eigene Tempelgerichtsbarkeit gab. Ihr großer Einfluß auf die Rechtsprechung ergab sich auch durch die Tatsache, daß die feierliche eidliche Aussage wohl nur im Tempelbereich möglich war; und der Eid war, wie wir gesehen haben, das entscheidende prozessuale Beweismittel.

Schließlich ist das Ältestengericht zu erwähnen. Ganz allgemein gesprochen dürfte das Ältestengericht auf eine Entwicklungsstufe zurückgehen, die vor dem Königsgericht liegt. Aber es ist durch das Königsgericht keineswegs völlig zurückgedrängt worden. Das Verhältnis des Ältestengerichts zum Königsgericht zu bestimmen, ist nicht leicht, und das um so mehr, als das Quellenmaterial hier sehr dürftig ist. Ältestengerichte werden vornehmlich in den kleineren Städten tätig geworden sein. Die Annahme, daß das lokale Ältestengericht für geringfügigere Angelegenheiten, das königliche Gericht aber für die wichtigeren und schwierigeren Fälle in Anspruch genommen wurde, liegt so sehr in der Natur der Sache, daß sie nicht völlig falsch sein dürfte. Daß das Königsgericht dem Ältestengericht nicht als Berufungsinstanz vorgeordnet war, wurde schon gesagt.

Praktisch nichts erfahren wir über die Durchführung der Urteilssprüche, vor allem die Vollstreckung der Strafurteile. Ob es staatliche Exekutivorgane gegeben hat, bleibt unsicher. Für die ältere Zeit ist die Existenz derartiger Exekutivorgane ganz unwahrscheinlich, und auch später bleibt sie ungewiß. Wir hören davon nichts. Sicher ist jedenfalls, daß die Ausführung des Urteils nicht Sache des Richters war; möglich ist, daß der Richter die Durchführung des Strafurteils überwachte.

Kapitel II

Das alttestamentliche Gerichtsverfahren

1. Allgemeine Charakterisierung des Gerichtsverfahrens

Lit.: *H. J. Boecker*, Redeformen des Rechtslebens im Alten Testament (²1970); *A. Gamper*, Gott als Richter in Mesopotamien und im Alten Testament (1966) bes. 172–202; *F. Horst*, Recht und Religion im Bereich des Alten Testaments (1956) = Horst, GR, 260–291; *L. Köhler*, Die hebräische Rechtsgemeinde (1931) = Der hebräische Mensch (1953) 143–171; *G. Liedke*, Gestalt und Bezeichnung alttestamentlicher Rechtssätze (1971); *D. A. McKenzie*, Judicial Procedure at the Town Gate: VT 14 (1964) 100–104; *A. Phillips*, Some Aspects of Family Law in Pre-exilic Israel: VT 23 (1973) 349–361; *I. L. Seeligmann*, Zur Terminologie für das Gerichtsverfahren im Wortschatz des biblischen Hebräisch: Festschr W. Baumgartner, VTSuppl 16 (1967) 251–278.

Über die große Bedeutung, die das Rechtsleben für das alte Israel gehabt hat, besteht in der Forschung kein Zweifel und auch kein Streit. Das Rechtsleben prägte in einem erstaunlich hohen Maße das Leben und Denken des alttestamentlichen Menschen. Das hat zur Folge, daß z. B. auch die theologische Begrifflichkeit des Alten Testaments wesentlich vom israelischen Rechtsdenken her geformt ist. *G. Quell* hat das in seinem Wörterbuchartikel »Der Rechtsgedanke im AT« so ausgedrückt: »Man darf sagen, daß das Recht die Grundlage der Gottesanschauung im AT bildet, soweit sie theologisch ausgeprägt ist, und daß rückwirkend die religiöse Sinngebung der Rechtsbegriffe zur Ethisierung des Rechts beitrug« (ThW II, 176). Im einzelnen haben sich viele Spezialarbeiten mit diesen Gegebenheiten beschäftigt, worauf in unserem Zusammenhang nicht näher einzugehen ist. Hier geht es um die Frage nach den konkreten Vorgängen des Rechtslebens. Wie ging es dabei zu? Welche Personen spielen eine Rolle? Was sind Ziel und Intention des Gerichtsverfahrens?

Das zusammenzutragen, was das Alte Testament über den Vorgang des Rechtsverfahrens sagt, ist schwieriger, als es zunächst erscheinen mag. Eine alttestamentliche »Prozeßordnung« gibt es nicht. Vor allem ist zu bedenken, daß das Alte Testament von seiner Grundthematik her natürlich nicht daran interessiert ist, ein Bild der Rechtsverhältnisse im alten Israel zu vermitteln. Das Alte Testament hat ein anderes Thema. Sein Thema ist es, von Gottes Handeln an und mit Israel zu berichten und die Antwort Israels auf dieses Handeln zu bekunden. Das geschieht in vielfältiger Weise, und dabei kommt dann auch mancherlei über das Rechtsleben ins Blickfeld, aber es geschieht unsystematisch und zufällig. Das macht die Sache so schwierig.

Das Alte Testament überblickt einen Zeitraum von etwa tausend Jahren. Das allein ist schon ein Problem, denn innerhalb eines derartigen Zeitraums muß man in jedem Fall mit erheblichen Änderungen auf jedem Gebiet des Lebens rechnen. Das alles ist in unserem Fall noch besonders gravierend, denn im Laufe dieser tausend Jahre hat Israels Sozialstruktur tiefgreifende Umbrüche erlebt, die sich auch auf das Rechtsleben ausgewirkt haben. Mit Recht sagt *F. Horst:* »Israelitische Rechtsbildung ist von nicht unerheblichen wirtschaftlichen, soziologischen und kulturellen Strukturveränderungen beeinflußt worden, die sich in entscheidungsvollen Jahrhunderten ergeben haben« (GR, 204). Auf Einzelheiten dieser Entwicklung braucht hier nicht eingegangen zu werden. Es geht um die Grundlinien.

Die späteren Israeliten sind im wesentlichen aus den östlichen bzw. südöstlichen und südlichen Steppenbereichen kommend in das palästinische Kulturland eingedrungen. Sie waren ursprünglich keine Kulturlandbewohner; sie waren Nomaden und hatten die für Nomaden typischen Rechtseinrichtungen. Wie sahen sie aus? Die Nomadenkultur wird durch die Familie bestimmt. Das gilt auch für die nomadische Rechtskultur. Die Rechtshistoriker sprechen von einem gentilen Rechtskreis. Allerdings wird häufig nicht genug beachtet, daß der gentile Rechtskreis doch eine gewisse Gliederung aufweist (vgl. dazu und zum folgenden *G. Liedke* 39 f.). Da ist auf der einen Seite die Familie oder das »Haus« (hebr. *bajit*), auf der anderen Seite die Sippe. Die Familie umfaßt die Angehörigen von drei bis vier Generationen. Es handelt sich also nicht um eine Familie im heutigen Sinn, sondern um eine Großfamilie. An ihrer Spitze steht der Familienvater, der *pater familias* (hebr. ʾ *āb*). Er hatte in alten Zeiten eine unumschränkte Rechtsvollmacht. Rechtsstreitigkeiten innerhalb der Familie, die natürlich immer auftreten können, wurden vom Familienvater autoritär und absolut entschieden. Das ist in vergleichbaren Rechtsgestaltungen bis heute so geblieben, vgl. *E. Gräf*, Das Rechtswesen der heutigen Beduinen, 42: »Der Vater verfügt uneingeschränkt und ohne jemandem Rechenschaft schuldig zu sein, wie über das Familienvermögen so auch über das Leben der Familienmitglieder«. Man hat diese Rechtsform geradezu als »Vaterrecht« bezeichnet und so charakterisiert: »Der Familienvater war der einzige Herr im Hause. Sein Wille, seine Person, sein Leben galten als Urrecht, da alles Leben aus ihm kommt . . . Der Vater gibt einen Teil seiner Persönlichkeit an die Seinigen, er gibt ihnen Lebenskraft und Recht. Recht bekommen heißt, dem Vater näherkommen und stärker an die Abstammungslinie gebunden werden« (*E. Possoz*, Die Begründung des Rechtes im Klan, 1952, 21).

Das Alte Testament gibt in seinen erzählenden Partien nur noch wenige

Hinweise auf diese Form der Gerichtsbarkeit. Eine deutliche Belegstelle findet sich in Gen 16, 5–6 (vgl. dazu *H. J. Boecker*, 59–61). Wir befinden uns im Zusammenhang der Hagargeschichte. In V. 5 appelliert Sara an den *pater familias*, der der Wahrer der Rechtsinteressen der Familienmitglieder ist, mit den Worten »das Unrecht, das mir angetan ist, liegt dir auf«. (Die Übersetzung der Lutherbibel und der Zürcher Bibel »das Unrecht, das mir geschieht, komme über dich« ist nicht zutreffend.) Das heißt, du bist dafür verantwortlich, du hast als *pater familias* dafür zu sorgen, daß derartiges nicht geschieht, und hast das Unrecht zu beseitigen und das Recht wieder herzustellen. Genau das tut Abraham. Er fällt seine Entscheidung und bedarf dazu keiner Verhandlung und keiner Rückfragen: »Deine Magd ist in deiner Hand« (V. 6).

Ein weiteres Beispiel für die absolute Rechtsbefugnis des *pater familias* enthält die Erzählung von Juda und Thamar in Gen 38. Mag auch die exakte rechtsgeschichtliche Deutung der im Laufe der Erzählung geschilderten Gerichtsverhandlung (V. 24–26) einige Schwierigkeiten machen, so ist doch so viel zweifelsfrei erkennbar: Juda übt als Familienoberhaupt autoritär die Gerichtsgewalt über die zu seinem Familienverband gehörende Frau aus. Bei ihm wird Anklage erhoben (»Thamar, deine Schwiegertochter hat gehurt, ja sie ist sogar durch Hurerei schwanger geworden«, V. 24a), und er verfügt die Rechtsfolge (»Führt sie hinaus; sie soll verbrannt werden«, V. 24 b).

Die absolute Rechtsbefugnis des *pater familias* über die Familienangehörigen hat sich nicht erhalten. Darauf gibt das Alte Testament z. B. in Dt 21,18–21 einen eindeutigen Hinweis:

> »Wenn ein Mann einen störrischen und widerspenstigen Sohn hat, der weder auf seinen Vater noch auf seine Mutter hört, und sie weisen ihn zurecht und er hört doch nicht auf sie, so sollen ihn sein Vater und seine Mutter ergreifen und ihn zu den Ältesten seiner Stadt zum Tor seines Ortes hinausführen. Und sie sollen zu den Ältesten seiner Stadt sagen: Dieser unser Sohn ist störrisch und widerspenstig. Er hört nicht auf uns, er ist ein Verschwender und Säufer. Dann sollen ihn alle Männer seiner Stadt zu Tode steinigen.«

Dieser Text zeigt, daß die Familiengerichtsbarkeit, bei der der *pater familias* über absolute Rechtsvollmachten gegenüber den Familienangehörigen verfügte, im Deuteronomium überwunden ist. Obwohl es sich um einen Rechtsfall handelt, der nur den Familienbereich zu berühren scheint, ist die Rechtsbefugnis des Vaters an eine andere Rechtsinstitution übergegangen. Andererseits kann nicht übersehen werden, daß er für bestimmte Bereiche des Rechtsgeschehens innerhalb der Familie weitgehende Rechtsbefugnisse behält. Dazu gehört allerdings nicht mehr die Vollmacht zur Verhängung eines Todesurteils, vgl. dazu unten S. 40 und den Aufsatz von *A. Phillips*, der unter diesem Aspekt das Scheidungsrecht, das Sklavenrecht und die Adoption behandelt. Im gentilen Rechtskreis ist sodann die Sippe (hebr. *mišpāḥā*) die übergeordnete Größe. Mehrere blutsmäßig verwandte Großfamilien bilden eine Sippe. Dabei kann es sich durchaus um recht umfangreiche Gebilde handeln. Natürlich muß man bei der Bestimmung der Größenordnung mit erheblichen Schwankungen rechnen, als Regelfall mag man aber von etwa zwanzig Großfamilien ausgehen, die zu einer Sippe gehörten (vgl. *Wolff*, Anthropologie, 310). Die Sippe als Rechtsgröße wird repräsentiert durch die Sippenältesten (hebr. z^eqēnīm). Die naheliegende Vermutung, daß die Familienoberhäupter der zu einer Sippe zusammengefaßten Familien als Sippenälteste fungiert haben, dürfte grundsätzlich das Richtige treffen. Das Kollegium der Sippenältesten leitet die Angelegenheiten der Sippe, und das heißt vor allem, es ist für die Behandlung von Rechtsstreitigkeiten zuständig. Damit ist der gentile Rechtskreis der Nomadenzeit skizziert. Der Übergang zur Seßhaftigkeit bringt nun eine wichtige Weiterentwicklung der Rechtsstruktur. Die nomadische Familien- bzw. Sippengerichtsbarkeit entwickelt sich zur Ortsgerichtsbarkeit der nunmehr fest ansässigen Kulturlandbewohner. Es entsteht die berühmte »hebräische Rechtsgemeinde«, für die aus dem Bereich des Alten Orient bisher keine wirklich zutreffende Parallele bekanntgeworden ist. Da die Sippen in Ortsverbänden zusammen siedelten, können wir mit einem langsamen, sich organisch vollziehenden Übergang von der einen Rechtsstruktur zur anderen rechnen.

Begünstigt wurde die neu sich entwickelnde Gerichtsorganisation durch die geographischen Gegebenheiten der Landschaft. Palästina ist ein Bergland. Es wird von zahlreichen Tälern zerschnitten, die abgesehen vom Jordangraben fast alle in ost-westlicher oder west-östlicher Richtung verlaufen. Auf diese Weise entsteht eine große Anzahl natürlicher Landschaftsbezirke. Man hat sie mit mehr als vierzig angegeben (*L. Köhler*, 143). Diese Landschaftsbezirke bilden jeweils einen überschaubaren natürlichen Lebensraum, in den die seßhaft werdenden Nomaden hineinwuchsen. So sind die nomadische Herkunft der israelitischen Sippen und die geographischen Gegebenheiten des Kulturlandes die beiden Voraussetzungen für die Entstehung der »hebräischen Rechtsgemeinde«, die als die bedeutendste Rechtsinstitution des alten Israel angesehen werden muß. Von ihr wird das alttestamentliche Rechtsleben wesentlich geprägt. Dieser Rechtsinstitution wenden wir uns nunmehr zu.

Wie vollzog sich im Rahmen der Rechtsgemeinde die Rechtsfindung? Man kann sich das alles kaum lebendig und unbürokratisch genug vorstellen. Es gab keine festen Gerichtszeiten, auch keine besonderen Örtlichkeiten, die den Vorgängen der Rechtspflege vorbehalten waren. Rechtsfindung war ein Teil, ein wichtiger Teil des Lebens. Als Ort der Rechtsvorgänge wird im Alten Testament häufig das »Tor« genannt (Dt 21,19; 25,7; Am 5,10; Rt 4,1.11). Dabei ist an den freien Raum gedacht, der sich unmittelbar hinter dem Tor befand, aber auch an die Innenräume des Tordurchgangs, wo sich zum Teil Sitzgelegenheiten befanden. In der vorhellenistischen Zeit war das innerhalb der sehr eng gebauten palästinischen Kleinstädte der einzige größere freie Raum, der für Zusammenkünfte der Stadtbevölkerung zur Verfügung stand (vgl. *Noth*, WAT, 138). Aber das war kein besonders forensisch qualifizierter Ort. Es war einfach der Versammlungsort der Kleinstädte. Es war zugleich der Ort, wo man morgens hindurchmußte, um zur Feldarbeit zu gehen, und wo man abends wieder in die Stadt hineinkam. »Der Herr behüte deinen Ausgang und Eingang«, sagt Ps 121,8. Die uns seltsam anmutende Reihenfolge Ausgang und Eingang findet im Tagesrhythmus des hebräischen Bauern ihre Erklärung. Im Tor spielte sich das gesellige Leben ab. Das Tor war sozusagen der Freizeitraum der palästinischen Kleinstadt. Hier wurde auch Markt gehalten (2. Kön 7,1). Hier traf und besprach man sich, hier empfing man Durchreisende und vernahm von den Geschehnissen der weiten Welt. Und hier verhandelte man über die fälligen Rechtsgeschäfte.

Die Ortsgerichtsbarkeit brachte eine Ausweitung der Rechtsbefugnisse gegenüber der Sippengerichtsbarkeit mit sich. Innerhalb der Ortsgerichtsbarkeit waren alle Vollbürger des jeweiligen Ortes und nicht nur die Sippenältesten berechtigt, an der Verhandlung und an der Entscheidung aktiv teilzunehmen. Alle Vollbürger waren also rechtsfähig, was natürlich nicht heißt, daß alle potentiellen Rechtssassen an einem bestimmten Rechtsfall auch aktiv beteiligt sein mußten. Schon aus praktischen Erwägungen wird man zu einer Auswahl gekommen sein. Die Beteiligung an derartigen Verhandlungen wurde nicht als ein lästiger Zwang empfunden, sondern galt als Vorrecht. In Thr 5,14 steht die Klage »Die Alten halten sich fern vom Tor, die Jungen lassen das Saitenspiel liegen«. Thr 5 ist ein Klagelied, das die schrecklichen Zustände beschreibt, wie sie einige Zeit nach der Eroberung und Zerstörung Jerusalems im Jahre 587 v.Chr. in der Stadt und ihrer Umgebung geherrscht haben. Alles, was einst Freude gemacht hat, das ist zu Ende. Es ist bezeichnend, daß in diesem Zusammenhang im Blick auf die Alten die Zusammenkünfte im Tor genannt werden. *L. Köhler* hat die soziale Bedeutung der Beteiligung am Rechtsgeschäft so beschrieben: »Das Recht der Rechte, in dem Stolz und Würde des gesunden, mündigen, hablichen, von Seinesgleichen anerkannten Mannes beruhen, ist das Recht auf Teilnahme und Mitsprache in der Rechtsgemeinde. Sie ist die Vereinigung derer, welche gelten« (147). Es gehört zu den bedrückenden Benachteiligungen des Fremdlings (hebr. *gēr*), dieses Vorrecht nicht zu haben, wie auch Frauen und Kinder und natürlich Sklaven von der aktiven Beteiligung am Rechtsgeschäft ausgeschlossen waren. Deshalb betonen die alttestamentlichen Rechtsmahnungen immer wieder, gerade diesen Personen ihr Recht nicht vorzuenthalten. Beispielhaft sei ein Text zitiert:

»Du sollst nicht das Recht des Fremdlings oder der Waise beugen, und das Kleid der Witwe sollst du nicht zum Pfand nehmen« (Dt 24,17).

...n anschauliches Bild davon, wie es zur Konstituierung e.
forums im Tor kam, vermittelt Rt 4,1—2:

> »Boas aber war zum Tor hinaufgegangen und hatte sich dort hingesetzt. Da kam ge..
> Löser vorbei, von dem Boas gesprochen hatte. Und er rief: ›Du, Soundso, komm une
> dich her!‹ Und er kam und setzte sich. Dann holte er zehn Männer von den Ältesten d.
> Stadt und sprach: ›Setzt euch hierher!‹ und sie setzten sich.«

Der Rechtsfall von Rt 4 ist hier nicht von Interesse. Es geht um den allgemeinen Vorgang, und den läßt die Schilderung sehr gut erkennen. Um
ein Gerichtsforum zusammenzubringen, setzt man sich im Tor hin und
ruft die Vorübergehenden an. Man fordert sie auf, im Tor Platz zu nehmen. Einer derartigen Aufforderung wird sich ohne Not kein Hebräer
entziehen. An der zitierten Stelle ist von zehn Ältesten die Rede, die
Boas herbeiruft. Es ist die einzige alttestamentliche Stelle, die in diesem
Zusammenhang die Zahl zehn nennt. Man wird ihr keine zu große Bedeutung beimessen dürfen. Häufig werden es mehr, gelegentlich vielleicht auch einmal weniger Älteste gewesen sein. Daß die Richter während des Verfahrens sitzen, wird auch an vielen anderen alttestamentlichen Belegstellen gesagt (z. B. Ex 18,13 ; Ps 122,5 ; Prv 20,8 ; Dan 7,9 f.)
Demgegenüber nehmen die Parteien an der Verhandlung stehend teil
(Ex 18,13; 1. Kön 3,16; Sach 3,1).

Bei dem in Rt 4 zur Verhandlung stehenden Rechtsfall kommt es ohne
besondere Schwierigkeiten sowohl zur Konstituierung des Gerichtsforums wie zur schließlichen Rechtsentscheidung. Bei der Verhandlung
anderer Fälle ging es wesentlich lebhafter zu. Das tägliche Leben kann
eine Fülle von Konflikten hervorbringen, die oft nicht anders als durch
einen ordentlichen Gerichtsspruch bereinigt werden können. Da entsteht z. B. zwischen zwei Personen oder Parteien ein Streit. Der eine erhebt Eigentumsansprüche auf etwas, was auch ein anderer als sein Eigentum bezeichnet. Für die Behandlung eines derartigen Konflikts ist
der allgemeine Versammlungsplatz, das Tor, der gegebene Ort. Dieser
Streit spielt zunächst in der Sphäre persönlicher Auseinandersetzung,
privater Beschuldigung. Es braucht sich aus den lebhaft vorgetragenen
Meinungsverschiedenheiten kein offizielles Gerichtsverfahren zu ent-
wickeln, aber es ist doch andererseits nur ein kleiner Schritt dazu nötig,
aus der privaten Auseinandersetzung ein förmliches Verfahren werden
zu lassen. Wie eng vorgerichtliche Situation und Gerichtssituation zu-
sammengehören, das zeigt die weitgehende Übereinstimmung der jeweils verwendeten Redeweisen. Die vorgerichtliche Auseinandersetzung wird rhetorisch nicht viel anders durchgeführt als die Auseinandersetzung nach der Konstituierung des Gerichtsverfahrens (vgl. *Boecker*,
25 ff.).

Aber schließlich kommt der Punkt, wo einer der Kontrahenten es nicht
bei der unverbindlichen Auseinandersetzung belassen will. Er will, daß

...or dem Forum eines Gerichts entschieden wird. Dann a[...]
...n richterliche Entscheidung. Die Appellation kann ebenso
...n Beschuldiger wie von einem Beschuldigten ausgehen. Die be-
...e Bedeutung der Appellation im Verfahren der hebräischen
...ngerichtsbarkeit beruht darauf, daß nicht an einen fertig organisier-
...n Gerichtshof appelliert wird. Der Gerichtshof wird vielmehr erst
durch die Appellation konstituiert. Durch das Aussprechen der Appellation werden diejenigen, die bis dahin allenfalls interessierte Zuhörer waren, zu verantwortlichen Rechtssassen.

Ein Beispiel mag den Vorgang verdeutlichen. In Gen 31,25–42 wird die
Auseinandersetzung zwischen Jakob und Laban geschildert, die in ihrem
komplizierten Ablauf nach Art einer Rechtsauseinandersetzung dargestellt wird (dazu *Boecker*, 41–45). Laban hat Jakob beschuldigt, seinen
Hausgott gestohlen und mitgenommen zu haben. Jakob, der sich unschuldig weiß, setzt sich zur Wehr. Alles läuft zu auf den V. 37, der lautet: »Du hast meine ganzen Sachen durchsucht, und was hast du gefunden von den Sachen deines Hauses? Lege es doch hier vor meine und
deine Brüder!« Und dann kommt der entscheidende Satz: »Sie (d. h.
meine und deine Brüder) sollen zwischen uns beiden die Rechtsentscheidung treffen.« Damit ist eine Appellation ausgesprochen. Nun wird sich
ein Gerichtsforum konstituieren, und der Streitfall kann von höherer
Warte aus behandelt und entschieden werden.

Die Konstituierung des Gerichtsforums wurde vollzogen, ohne daß es
dazu noch besonderer weiterer Akte bedurfte. Die Vermutung von *F.
Horst* (GR, 297), daß die Rechtsparteien beim Verfahrensbeginn die Anerkennung der Rechtsentscheidung eidlich zusicherten, ist textlich doch
zu wenig begründbar. *Horst* verweist auf Jer 42,5. Dort sichert man dem
Propheten eidlich die Bereitschaft zu, sich dem Gotteswort zu unterwer-
fen, wie es auch ausfalle: »Jahwe soll wahrer und wahrhaftiger Zeuge
gegen uns sein, wenn wir nicht ganz genau nach dem Bescheid handeln,
mit dem Jahwe, dein Gott, dich zu uns schicken wird.« Dieser Text ist im
Zusammenhang gut verständlich auch ohne die Annahme, daß es sich
um die Übertragung einer sonst nicht belegten Rechtssitte handelt. Daß
die Rechtsentscheidung eines ordnungsgemäß zusammengetretenen
Gerichtsforums akzeptiert wird, braucht vorher nicht eigens festgestellt
zu werden, das versteht sich von selbst.

Im Verfahren sind alle anwesenden Vollbürger rede- und stimmberech-
tigt, sie sind es in durchaus wechselnder Funktion. Damit berühren wir
eine Gegebenheit, die uns zunächst höchst seltsam anmutet. Wir können es uns nur schwer anders vorstellen, als daß die Funktionen der einzelnen am Verfahren beteiligten Personen klar umrissen und gewiß
nicht miteinander vertauschbar sind. Im hebräischen Verfahren war das
aber anders. Auf diese Besonderheit des hebräischen Verfahrens ist oft
hingewiesen worden (vgl. *Boecker*, 80–81, 86–89 und dort angegebene
Literatur und Belegstellen). Zeugen und Richter müssen hier zum Bei-

spiel keine verschiedenen Personen sein. Oder anders ausgedrückt, wer als Zeuge in einem Verfahren eine Aussage gemacht hat, der kann durchaus am Ende des Verfahrens als Richter seine Stimme abgeben. Dasselbe gilt aber auch, und das ist noch auffallender, vom Ankläger und Richter. Es ist möglich, daß auch der Ankläger schließlich als Richter den Urteilsspruch mit verantwortet. Hier ist also gar nichts festgelegt, hier ist vielmehr alles offen, und diese Offenheit verleiht der hebräischen Rechtsgemeinde ihre Lebendigkeit und Farbe, ihren – wenn man es einmal modern sagen will – demokratischen Charakter. Es entspricht dem Charakter dieses Verfahrens, daß es grundsätzlich ein mündlich geführtes Verfahren ist. Nur an einer Stelle wird im Alten Testament eine Anspielung auf eine schriftliche Verfahrensform gemacht (Hi 31,35), aber diese Stelle erweist sich deutlich als abhängig von ägyptischer Rechtssitte und kann deshalb für das alttestamentliche Rechtsverfahren nicht herangezogen werden.

Nicht jeder Rechtsfall ist mit rationalen Beweismitteln, d. h. mit Hilfe von Zeugen oder Urkunden, entscheidbar. Gegebenenfalls müssen nicht-rationale Beweisverfahren herangezogen werden. In Frage kommen Eid oder Ordal (Gottesurteil).
Den Eid gibt es im hebräischen Verfahren nur in der Form des Beklagteneides. Der Zeugeneid ist unbekannt. (Zum Eid vgl. F. Horst, Der Eid im Alten Testament, GR, 292–314.) Ein Angeschuldigter kann sich in bestimmten Fällen durch einen Eid von der auf ihm lastenden Anschuldigung befreien. Der Eid ist also Reinigungseid und erfolgt meist in der Form einer bedingten Selbstverfluchung des Angeklagten. Er hat dezisorischen Charakter, d. h. er entscheidet den Prozeß. Beispiele für die Verwendung des Eides im Verlauf eines Rechtsverfahrens finden sich in Ex 22,7 und 22,10 (vgl. auch Lev 5,21–26). Es geht in Ex 22,6–12 um anvertrautes Gut, das jemandem zur Aufbewahrung übergeben worden, dann aber abhanden gekommen oder beschädigt worden ist. Wenn der, dem die Dinge übergeben und anvertraut sind, seine von ihm behauptete Schuldlosigkeit nicht nachweisen kann, kann er sich durch einen Eid vom Verdacht der Unterschlagung befreien. Auch der Codex Hammurabi kennt eine ausgedehnte Verwendungsmöglichkeit des Eides innerhalb der Rechtsprechung, und auch hier handelt es sich in den meisten Fällen um die Form des Reinigungseides (§§ 20.103.131.206.227.249. 266), in anderen Fällen geht es um eidliche Feststellungen »vor dem Gotte«, meist im Zusammenhang von Vermögensstreitigkeiten (§§ 23.106.107.120.126.240).
Beim Eid wird die Gottheit in den Gang der Rechtsfindung eingeschaltet. Das geschieht auch beim Ordal (der Terminus ist abgeleitet vom angelsächsischen *ordeal* = Urteil im Sinn von Gottesurteil). Durch ein Ordal, das im Alten Testament in verschiedenen Formen belegt ist, wird Schuld

oder Unschuld eines Angeklagten festgestellt, oder es wird auf diese
Weise der Täter einer geschehenen Tat ermittelt. In Dt 17,8–13 werden
Tötungsdelikte, schwere Körperverletzungen und Eigentumsanfechtungen als Prozeßgegenstände genannt, für die ein Ordalverfahren in
Frage kommen konnte. Bei dieser Aufzählung handelt es sich gewiß nur
um Beispiele. Man vermißt den Ehebruch, denn dieses Delikt gehörte
zweifellos zu den Vergehen, bei denen besonders häufig das Ordal in Anspruch genommen wurde. Das zeigt nicht nur die ausführlichste Schilderung eines Ordalverfahrens im Alten Testament, Num 5,12–28, das läßt
auch der Codex Hammurabi erkennen. In dieser Rechtsgestaltung ist das
Ordalverfahren allerdings wesentlich weniger belegt als im Alten Testament, vgl. dazu oben S. 17.
Das Ordal wurde nicht von der Ortsgerichtsbarkeit selbst durchgeführt
und verantwortet. Dafür waren die Priester am Heiligtum zuständig.
Deshalb wird im Deuteronomium im Zusammenhang der Zentralisationsgesetze über das Ordalverfahren gehandelt. Daß Priester das Ordal
durchführen, bedeutet allerdings nicht, daß das Rechtsverfahren selbst
damit in einen anderen Bereich hineinkäme und zum kultischen Verfahren würde. Die Priester sind in diesem Fall Rechtshilfeinstanz der Ortsgerichtsbarkeit, in deren Kompetenz das Verfahren nach wie vor bleibt.

Die hier vorgelegte Darstellung muß noch um einen bisher nicht genannten Punkt ergänzt werden. Ein wichtiges Rechtsinstitut hat die
Ortsgerichtsbarkeit offenbar nicht liquidieren, bzw. ihrer Rechtskompetenz eingliedern können, die Blutrache, vgl. dazu *E. Merz*, Die Blutrache
bei den Israeliten (1916); *Koch*, Vergeltung, 447–456. Nicht nur wird in
der erzählenden Literatur des Alten Testaments recht häufig auf die faktisch funktionierende Blutrache hingewiesen, auch in den gesetzlichen
Formulierungen wird die Blutrache erwähnt und die Bestrafung eines
Mörders ausdrücklich der Ortsgerichtsbarkeit entnommen und dem
Bluträcher zugewiesen (Num 35,19; Dt 19,12). Theoretisch ist bis in die
nachexilische Zeit an der Blutrache festgehalten worden, praktisch blieb
sie auf jeden Fall bis in die Königszeit hinein in Geltung. Die Blutrache
entstammt einem Rechtsdenken, das völlig an der Gruppe orientiert ist.
Wird durch die Tötung eines Gruppenmitglieds die eine Gruppe geschwächt, so soll durch den Vollzug der Blutrache eine entsprechende
Schädigung der anderen Gruppe erreicht werden, um damit das zwischen den Gruppen bestehende Gleichgewicht wiederherzustellen. *H. v.
Hentig* sagt zur Blutrache: »In der Rache gleicht der Clan oder die Familiengruppe einen Kraftverlust aus. Kollektiva stehen sich gegenüber, die
als Einheiten leiden und handeln. Gruppen werden verantwortlich gemacht und übernehmen bedenkenlos die Verantwortung . . . Bei einem
Totschlag sagen die Menschen eines arabischen Stammes nicht: ›Das
Blut dieses oder jenes ist vergossen worden‹ – ›*unser* Blut wurde vergos-

sen«« (Die Strafe I. Frühformen und kulturgeschichtliche Zusammenhänge, 1954,110). Um Mißverständnissen vorzubeugen, sei ausdrücklich betont, daß es sich bei der Blutrache um ein *Rechts*geschehen handelt, daß dabei keineswegs reine Willkür am Werke ist. Aber diese Feststellung allein genügt nicht, um die Blutrache für uns verständlicher zu machen. Mit Recht schreibt *K. Koch*: »Eine Institution wie die Blutrache mit ihren furchtbaren Implikationen wirkt geradezu grauenerregend; mit Schauder sieht der Abendländer auf eine solche Einrichtung herab und die Menschen, welche sie praktizierten. Freilich wird dieser Abscheu bei besonnener historischer Überlegung verschwinden, war die Blutrache doch dort, wo ein wohlorganisierter, staatlich gelenkter Strafvollzug fehlte, der wirksamste Schutz menschlichen Lebens« (454 f.). Im Deuteronomium findet sich ein erster alttestamentlicher Hinweis auf eine Zurückdämmung der Blutrache. Wenn es in Dt 24,16 heißt:

»Es sollen nicht Väter für die Söhne und nicht Söhne für die Väter getötet werden. Jeder soll für seine eigene Verfehlung getötet werden«,

so ist diese nicht leicht deutbare Bestimmung doch wohl am besten im Sinne einer Abkehr von der Blutrache zu verstehen.

Wir kehren zur Ortsgerichtsbarkeit zurück. Was ist die Intention der Rechtsgemeinde? Was will sie mit ihrem Verfahren erreichen? Sagen wir es zunächst negativ: Es geht nicht darum, einer abstrakten Vorstellung von Gerechtigkeit Genüge zu tun. Nach weit verbreiteter Ansicht ist das die Intention des Rechts, wie sie vom römischen Rechtsdenken entwickelt wurde und auch das deutsche Recht beeinflußt hat. Der bekannte Satz »*fiat iustitia, pereat mundus*« bringt dieses Rechtsverständnis auf eine klassische Formel. Anschaulich gemacht wird es durch die Darstellung der unparteiisch richtenden Göttin Justitia, die mit verbundenen Augen, die Waage in der einen, das Schwert in der anderen Hand, ihre Aufgabe erfüllt. Nun ist es keineswegs ausgemacht, daß diese so weit verbreitete Ansicht dem römischen Begriff der *iustitia* wie dem deutschen Begriff der Gerechtigkeit wirklich voll gerecht wird. *H. H. Schmid* hat dagegen einige beachtenswerte Bedenken geäußert (Gerechtigkeit als Weltordnung, 1968, 181 f.). Dieses Problem mag hier auf sich beruhen. Auf jeden Fall liegen derartige Vorstellungen der hebräischen Rechtsgemeinde so fern wie nur möglich. Sie zielt auf etwas anderes ab. Es geht ihr bei ihrem Verfahren darum, entstandenen Streit unter ihren Gliedern zu schlichten, um ein gedeihliches Miteinanderleben zu ermöglichen. Eindrucksvoll sagt *L. Köhler* (150): Die Rechtsgemeinde »ist das Institut der Friedlichlegung. Sie erwächst aus einem praktischen Anliegen. Sie geht weder in ihrem Handeln noch in ihren Gesichtspunkten darüber hinaus. Sie greift ein, wenn sie muß, sie greift nicht weiter ein, als sie muß. Sie hat kein juristisch-systematisches Begehren. Sie handelt auch nicht nach juristisch-systematischen Gesichtspunkten, sondern ihr einziges Bestreben ist, Streitigkeiten zu schlichten und das Wohl der Gemeinschaft zu wahren. Richten heißt für sie schlichten.« Von daher ist es auch zu verstehen, daß es keinen öffentlichen Ankläger im Bereich der hebräischen Rechtsgemeinde gibt, daß vielmehr der Geschädigte selbst seine Sache dem Gerichtsforum vorlegt, bzw. der Zeuge einer Untat zum Ankläger wird. Als Zeuge ist er dazu verpflichtet, ein geschehenes Verbrechen anzuzeigen, vgl. in diesem Zusammenhang Lev 5,1 und Prv 29,24. Das hebräische Wort für Zeuge ($^c\bar{e}d$) bedeutet deshalb oft soviel wie Ankläger, vgl. dazu *I. L. Seeligmann*, 261 ff.

Damit ist die These zurückgewiesen, die *H. Graf Reventlow* in seinem Aufsatz, Das Amt des Mazkir: ThZ 15 (1959) aufgestellt hat. Im Amt des Mazkir, das aus den Beamtenlisten Davids und Salomos (2. Sam 8,16–18; 20,23–26; 1. Kön 4,1–6) bekannt ist, glaubt *Graf Reventlow* das entscheidende Amt der israelischen Rechtsverfassung sehen zu können, ein Amt, »das sich in seiner Bedeutung durchaus mit den anderen israelitischen Ämtern des Königs, Hohenpriesters und Heerbannführers messen kann« (175). Seine Funktion wird in einer ersten Definition so beschrieben: »Der Mazkir ist der oberste Beamte im Lande, der für das Rechts- und Gerichtswesen zuständig ist . . . Er ist der öffentliche Anklagevertreter, mit einer modernen Amtsbezeichnung könnten wir sagen, der Generalstaatsanwalt« (171). Im weiteren Verlauf der Darlegungen wird das Amt des Mazkir als ein amphiktyonisches Amt charakterisiert und der Mazkir wird von Graf Reventlow schließlich als »Bundesstaatsanwalt« (175) bezeichnet. Diese These hat sich nicht durchsetzen können, vgl. die Kritik bei *H. J. Boecker*, Erwägungen zum Amt des Mazkir: ThZ 17 (1961); *J. Halbe*, Das Privilegrecht Jahwes (1975) 372; *I. L. Seeligmann*, 260 ff.

Aus der genannten Intention des Verfahrens ergibt sich die Funktion des Urteils, mit dem das Verfahren abgeschlossen wird. Lassen wir einmal familien- und vermögensrechtliche Verfahren außer Betracht, bei denen dem Urteil eine andere Aufgabe zukommt, so ist die erste und wichtigste Aufgabe des Gerichtsforums, den Angeklagten für schuldig oder für unschuldig zu erklären. Das hat Dt 25,1 im Blick, wenn als Aufgabe des Gerichtshofes festgestellt wird, er habe den Gerechten ($\underline{s}add\bar{\imath}q$) öffentlich ins Recht zu setzen und den Schuldigen ($r\bar{a}\underline{s}a^c$) öffentlich für schuldig zu erklären:

»Wenn zwischen Männern eine Streitsache anhängig ist, dann sollen sie zum Gerichtshof gehen, und man soll ihnen Recht sprechen: Man soll den Gerechten ins Recht setzen und den Schuldigen für schuldig erklären.«

An einer Stelle des Alten Testaments ist ein derartiges Urteil wörtlich zitiert, nämlich in Prv 24,24 (vgl. darüber hinaus Gen 38,26; 1. Sam 24,18 und *Boecker*, 123–132). Der Spruch wendet sich gegen einen Richter, der jemanden, der Unrecht getan hat, fälschlich für unschuldig erklärt, indem er zu ihm sagt »du bist gerecht«. Dieses Urteil hat die Form des Zuspruchs. Es redet den Angeklagten direkt an. Mit diesem Urteilszuspruch wird der Angeklagte in aller Form vor aller Augen und Ohren von dem Makel der auf ihm lastenden Anklage befreit, und das hat im Rahmen der antiken Gesellschaftsordnung eine sehr viel größere Bedeutung als ein entsprechender Vorgang innerhalb moderner Verhältnisse. Lautet das Urteil auf »schuldig«, so ist vom Gerichtsforum noch eine weitere Aufgabe zu erfüllen. Es muß die rechtlichen Konsequenzen festlegen, die sich aus dem Schuldspruch ergeben. Eine wirksame Schlichtung zwischen den Parteien verlangte es, daß der durch den Schuldigen angerichtete Schaden ausgeglichen wurde. Das konnte je nach der Art des Rechtsfalls durch Wiedergutmachung (Schadensausgleich im engeren Sinn) oder durch Bestrafung an Leib und Leben (Sanktion) geschehen. Auch dafür war der Gerichtshof zuständig. Durch die Festlegung der »Rechtsfolgebestimmung« wurde diese Aufgabe vom Gerichtsforum wahrgenommen. Die Strafbestimmungen der alttestamentlichen Gesetze gehen auf derartige Rechtsfolgebestimmungen zurück.

An dieser Stelle soll ein kurzer Hinweis auf die wichtigsten Strafen eingeschaltet werden, die in der alttestamentlichen Rechtspraxis verhängt wurden. Die Todesstrafe, die im alttestamentlichen Recht verhältnismäßig selten gefordert wird, wurde in aller Regel durch die Steinigung vollstreckt. Daneben wird innerhalb der Gesetzesformulierungen an zwei Stellen für besondere Fälle Verbrennung vorgesehen. Diese Strafe trifft nach Lev 21,9 eine Priesterstochter, die sich kultischer (?) Prostitution hingibt und wird nach Lev 20,14 demjenigen angedroht, der mit einer Frau und ihrer Mutter geschlechtlich verkehrt. In den Erzählungen des Alten Testament ist dann noch häufiger von der Verbrennungsstrafe die Rede, z. B. Gen 38,24; Jos 7,25. Es handelt sich um eine alte Strafart, die auch im altorientalischen Recht häufig belegt ist. Die Kreuzigung ist dem Alten Testament unbekannt. Sie wird zum ersten Mal in hellenistischer Zeit für den palästinischen Raum erwähnt und ist dann vor allem von den Römern praktiziert worden. Gefängnisstrafen sind im Alten Testament ebenfalls nicht vorgesehen, vgl.dazu unten S. 115. Dasselbe gilt von Geld- bzw. Vermögensstrafen. Zwar werden in den alttestamentlichen Gesetzesbestimmungen nicht selten Geld- bzw. Sachleistungen erwähnt, aber sie sind in jedem Fall an den Geschädigten und nicht an die Gemeinschaft oder den Staat zu leisten und sind deshalb nicht eigentlich als Strafen zu bezeichnen. Verstümmelungsstrafen, die im Codex Hammurabi sehr häufig gefordert werden, kennt das Alte Testament abgesehen von einer etwas eigenartigen Einzelbestimmung, Dt 25,11 f., nicht. Die Prügelstrafe ist in Dt 25,1–3 erwähnt, aber eigentlich nur, um ihre Begrenzung zu normieren; eine Beziehung zu einem bestimmten Rechtsfall ist nicht erkennbar, doch vgl. Dt 22,13–18; siehe auch Jer 20,2.

Die für das alttestamentliche Recht charakteristische Todesstrafe ist die Steinigung. Sie wird in den Rechtsbestimmungen und auch in den Erzählungen häufig erwähnt und ist auch an all den Stellen zu postulieren, wo die Todesstrafe nicht genauer definiert wird. Die Steinigungsstrafe ist Gemeinschaftsstrafe. Wie die Gemeinschaft als ganze an der Rechtsfindung beteiligt war, wirkte sie durch die Steinigung bei der Strafvollstreckung mit, vgl. Lev 24,14; Num 15,35 f.; Dt 21,21; 22,21. Die Steinigung wurde außerhalb der Ortschaft vollzogen, vgl. Lev 24,14; Num 15,35 f.; 1. Kön 21,13. Kam eine Verurteilung aufgrund von Zeugenaussagen zustande, so hatten die Zeugen mit der Exekution zu beginnen (Dt 17,7). Diese Anordnung soll leichtfertiges Gerichtszeugnis verhindern. Die Steinigungsstrafe ist aber nicht nur als Gemeinschaftsstrafe für das alttestamentliche Recht charakteristisch, sie hatte zugleich exkommunikative Wirkung. Der Gesteinigte erhielt kein Grab innerhalb der Begräbnisstätte seiner Familie, er war auch und gerade als Toter aus der Gemeinschaft ausgeschlossen. Für das Verständnis der Steinigung als Fluchstrafe gibt es ein reichhaltiges rechts- und religionsgeschichtliches Vergleichsmaterial, vgl. dazu *H. v. Hentig*, Die Strafe I (1954) 355-369. An dem Verbrecher haftete nach antikem Verständnis eine Schuldrealität, die für die Gemeinschaft gefährlich war. Indem der Täter außerhalb der Ortschaft mit Steinen zugedeckt wurde, wurde das Unheil, das von ihm ausgehen konnte, gebannt.

Es gab keine Gerichtsinstanz, die der örtlichen Rechtsgemeinde vor- oder übergeordnet gewesen wäre. Die Möglichkeit der Appellation an ein höheres Gericht war also nicht gegeben. Das Gerichtsforum der Ortsgerichtsbarkeit entschied einen Rechtsfall endgültig.

2. Die Funktionen des Königs im Gerichtsverfahren

Lit.: *R. Knierim*, Exodus 18 und die Neuordnung der mosaischen Gerichtsbarkeit: ZAW 73 (1961) 146–171; *G. Ch. Macholz*, Die Stellung des Königs in der israelitischen Gerichtsverfassung: ZAW 84 (1972) 157–182; *ders.*, Zur Geschichte der Justizorganisation in Juda: ZAW 84 (1972) 314–340; *R. de Vaux*, Das Alte Testament und seine Lebensordnungen I (1960) 241–250.

Mit den oben gemachten Ausführungen scheint sich nun allerdings die Tatsache nicht zu vertragen, daß an vielen Stellen des Alten Testaments von einer Rechtsbefugnis des Königs die Rede ist. Damit stehen wir vor einer höchst kontroversen Thematik. In der exegetischen Literatur wird die Frage nach der Gerichtskompetenz des Königs verschieden, ja man muß sagen z. T. extrem gegensätzlich beantwortet. Auf der einen Seite wird dem König die entscheidende Gerichtskompetenz schlechthin zugeschrieben, auf der anderen Seite wird sie ihm weitgehend abgesprochen. Dafür seien hier einige Beispiele zitiert. *I. Benzinger* spricht in seiner Hebräischen Archäologie (³1927) vom »Übergang der Gerichtsbarkeit auf den König«, und er kommt sogar zu der Feststellung »Der König war der oberste Richter schlechtweg. Seine Regierungstätigkeit bestand im wesentlichen im Richten« (263 bzw. 278). In ähnlicher Weise bezeichnet *A. Bertholet* das Königtum als eine neue Instanz, »welche die Gerichtsbarkeit für sich in Anspruch nimmt«, Kulturgeschichte Israels (1919) 195. Auch für *R. de Vaux* »scheint die Verwaltung der Justiz in den Händen des Herrschers gelegen zu haben« (244). Auf der anderen Seite stehen Feststellungen wie die von *A. Alt*: »Vielmehr zeigen sich die israelitischen Staaten als solche bis weit in die Königszeit hinein so wenig mit der Rechtspflege in ihrem Bereich befaßt, daß man ihnen auch kaum einen wesentlichen Anteil an der Gestaltung des Rechts wird zuschreiben dürfen« (Grundfragen, 224).

Wie kann es zu einer derartig unterschiedlichen Beurteilung kommen? Es hat den Anschein, als ob von den Autoren jeweils verschiedene Aspekte der Sache für sich betrachtet und absolut gesetzt werden, ohne daß andere ebenfalls zur Sache gehörende Gesichtspunkte für die Beurteilung herangezogen werden. In dieser Situation ist mit pauschalen Thesen nicht weiterzukommen, weiterhelfen kann hier lediglich eine Untersuchung aller alttestamentlichen Belegstellen, die in irgendeiner Weise mit der königlichen Gerichtskompetenz zu tun haben. Dieser Aufgabe hat sich *G. Ch. Macholz* in den beiden zitierten Aufsätzen unterzogen. Das braucht hier nicht im einzelnen wiederholt zu werden. Auf die präzisen Ausführungen von *Macholz* sei deshalb nachdrücklich hingewiesen. In vielen, allerdings nicht in allen Punkten befindet sich die folgende Darstellung in Übereinstimmung mit den von *Macholz* vorgetragenen Thesen.

Man wird bei der Behandlung dieses Problems von einer grundsätzlichen Feststellung ausgehen können. Es ist die allbekannte Tatsache in Erinnerung zu rufen, daß im Alten Testament von einer Gesetzgebung durch den König nirgendwo die Rede ist. Die alttestamentlichen Gesetze sind nicht Königs- und damit auch nicht Staatsgesetze. Das alttestamentliche Recht ist Gottesrecht. Jahwe, der Gott Israels, allein ist Gesetzgeber. Hier liegt ein wesentlicher Unterschied zur altorientalischen Umwelt vor, wo etwa ein Hammurabi zwar unter göttlicher Beauftragung handelt, aber eben doch als babylonischer König sein Gesetzeswerk verfaßt und sich ausdrücklich als Gesetzgeber bezeichnet. Es gibt lediglich eine alttestamentliche Stelle, an der so etwas wie eine königliche Rechtssetzung erwähnt wird. Es handelt sich um eine Einzelbestimmung, die in einem ganz bestimmten Sachzusammenhang steht. Bei einem der Kriegszüge Davids hatte sich das Problem der Aufteilung der Kriegsbeute gestellt. Sollten nur die direkt am Kampfgeschehen Beteiligten oder auch die Mitglieder der Troßwache Anteil an der Kriegsbeute haben? David entschied, daß allen ein gleichgroßer Anteil der Beute zuzuweisen ist (1. Sam 30,24) und der Text fährt fort: »So ist es von jenen Tagen an in der Folgezeit geblieben. Er machte das zu Satzung und Rechtsbrauch in Israel bis zum heutigen Tag« (V. 25). Die Rechtsentscheidung Davids ist also als Präzedenzentscheidung rechtswirksam geblieben. Es handelt sich dabei um eine Rechtsentscheidung aus dem Bereich des Kriegsrechts. David handelt nicht als König, er ist es zur Zeit des genannten Ereignisses noch gar nicht, er handelt als oberster Kriegsherr. Als solcher hat er über die ihm Unterstellten eine weitgehende Rechtsbefugnis.

Damit ist nun ein Rechtsbereich genannt, in dem der König in Israel von Anfang an auch als Gerichtsherr aktiv gewesen ist. Als Führer des Heerbanns verfügte bereits Saul über die Gerichtshoheit über die Heerbannangehörigen. Erwähnt sei in diesem Zusammenhang 1. Sam 22,6–19 (vgl. dazu *Boecker*, Redeformen, 87–89; weiteres Material bei *Ma-*

cholz). Der König begab sich damit nicht in Konkurrenz zur Gerichtskompetenz der Ortsgemeinde, denn seine Gerichtshoheit war zeitlich
begrenzt und auf bestimmte Personen beschränkt. Sie erlosch, wenn sich
der Heerbann auflöste und seine Mitglieder wieder in ihren normalen
Lebensbereich zurückkehrten.
Die Könige Israels haben aber nicht nur als Heerbannführer die Nachfolge der vorstaatlichen Heerführer angetreten, sie haben sich darüber
hinaus ein stehendes Heer geschaffen und gingen damit über das Bestehende weit hinaus. Das Berufsheer mag bei Saul noch ein verhältnismäßig kleines Gebilde gewesen sein (vgl. dazu 1. Sam 14,52), bei David
wurde die Söldnertruppe (»der König und seine Männer«, 2. Sam 5,6)
zum entscheidenden militärpolitischen Machtfaktor. Es besteht kein
Zweifel daran, daß der König über seine Söldner eine umfassende Gerichtskompetenz besaß. Aber auch damit geriet er nicht in Konflikt mit
der weiterhin bestehenden Ortsgerichtsbarkeit, denn diese war für die
neu entstehende Größe in keiner Weise zuständig, konnte es nicht sein.
Das Söldnerwesen war ja seinem Wesen nach eine unisraelitische Einrichtung. Sie wurde aus der Welt der kanaanäischen Stadtkönige übernommen, wo mit einer sehr weitgehenden Rechtskompetenz des Königs
zu rechnen ist. Die für Israel neue Institution erforderte auch eine neue
Rechtsordnung.
Ähnliches gilt für eine weitere Institution, die ebenfalls mit dem Königtum neu ins Leben trat. Darauf hat *Macholz* mit Recht hingewiesen. Es
ist der königliche Hof im weitesten Sinn, d. h. die Angehörigen der königlichen Familie und die Beamten des königlichen Verwaltungsappara-
tes. Man kann sich schlecht vorstellen, daß die Mitglieder des Hofes der
Rechtskompetenz einer Ortsgerichtsbarkeit unterworfen waren, und in
der Tat gibt es besonders aus der Regierungszeit Davids und Salomos
zahlreiche Belege für ein direktes richterliches Handeln des Königs gegenüber den Angehörigen seines Hofes (vgl. 2. Sam 19,16–24; 1. Kön
2,13–15.16–17.28–34). Rechtsgeschichtlich gesehen fungiert der König
im Blick auf die Familienangehörigen als *pater familias*, er knüpft in diesem Fall also an die Traditionen der Sippengerichtsbarkeit an. Im Falle
der königlichen Beamten dürfte es sich um eine Übernahme von Rechtstraditionen der Umwelt handeln; man kann an kanaanäischen, aber auch
an ägyptischen Einfluß denken.
Schließlich ist ein dritter Bereich zu nennen, innerhalb dessen der König
über weitgehende Rechtsbefugnisse verfügte. Er ist lokal zu definieren.
Als David durch die ihm allein unterstellte Söldnertruppe die jebusiti-
sche Königsstadt Jerusalem erobern ließ (2. Sam 5,6–10), da macht er Jerusalem zu seiner Stadt. Er selbst trat in die Rechtsbefugnisse seiner kanaanäischen Vorgänger ein. Ähnliches gilt für Samaria. Die Gründung
der Stadt durch Omri auf einem vom König erworbenen Grund und Boden (1. Kön 16,24) hat auch für die Hauptstadt des Nordreichs einen
rechtlichen Sonderstatus zur Folge (vgl. dazu *A. Alt*, Der Stadtstaat Sa-

maria, 1954 = Kleine Schriften III, 258–302, bes. 262 ff.). In Jerusalem war fortan der judäische König der oberste Gerichtsherr, der die Gerichtsbarkeit dann auch zunehmend in die Hände von Amtspersonen gelegt hat; in Samaria wird der israelitische König entsprechende Rechtsbefugnisse besessen haben.

Damit sind die drei Zuständigkeitsbereiche namhaft gemacht, innerhalb derer sich eine königliche Gerichtsbarkeit im israelitischen Raum entwickelt hat. Die alttestamentlichen Belegstellen, an denen eine königliche Gerichtsbarkeit ins Blickfeld tritt, lassen sich mehr oder weniger deutlich in dieses Schema einfügen. Überdies ist damit zu rechnen, daß die innere Stärkung des Königtums im Laufe der Jahre und Jahrhunderte auch zu einer Verstärkung des königlichen Einflusses auf das Gerichtswesen geführt hat. Zu einer grundsätzlichen Neuorganisation des Rechtswesens durch das Königtum ist es aber, abgesehen von einer speziellen Ausnahme (dazu unten S. 40), nicht gekommen. *Macholz* ist zuzustimmen, wenn er schreibt: »Die königliche Gerichtsbarkeit greift in keinem der überlieferten konkreten Fälle in Kompetenzen ein, die bisher bei der Lokalgerichtsbarkeit lagen. Sie etabliert sich auch nicht als Oberinstanz, bei welcher gegen Entscheidungen der Torgerichte Berufung eingelegt werden kann« (177). Im folgenden soll an Hand einiger besonders charakteristischer Belegstellen die oben entwickelte These bewährt werden.

Beginnen wir mit einigen Beispielen, die die königliche Gerichtsbarkeit im Stadtstaat Jerusalem bzw. Samaria belegen. In diesem Zusammenhang ist die berühmte Geschichte vom salomonischen Urteil zu sehen (1. Kön 3,16–27), wobei die Frage der Historizität dieses Geschehens für unseren Zusammenhang nicht relevant ist. Daß man eine derartige Erzählung von einem König in Jerusalem überhaupt erzählen konnte, hat seinen Sachgrund in der dort bestehenden königlichen Rechtskompetenz (vgl. im übrigen die rechtsgeschichtliche Analyse der Erzählung bei *Boecker*, Redeformen, 73 f. 96.150).

Ebenfalls in diesem Zusammenhang zu nennen ist der Bericht vom Prozeß gegen den Propheten Jeremia, Jer 26,1–19. Dieser Text und sein literarischer Kontext ist in letzter Zeit auffallend häufig zum Gegenstand verschiedenartigster Untersuchungen gemacht worden. Erwähnt seien die Arbeiten von *H. Graf Reventlow*, ZAW 81 (1969) 315–352, *H. Schulz*, Das Todesrecht im Alten Testament (1969) bes. 118–123 und zuletzt *F.-L. Hossfeld* und *I. Meyer*, ZAW 86 (1974) 30–50. In diesem Text haben wir die ausführlichste Schilderung eines Gerichtsverfahrens vor uns, die im Alten Testament dargeboten wird. Deshalb kann Jer 26 im Zusammenhang rechtsgeschichtlicher Überlegungen ein besonderes Interesse beanspruchen. Das gilt auch für den Fall, daß die Historizität des Jeremiaprozesses mit *Hossfeld-Meyer* aufgegeben werden müßte, was aber doch unwahrscheinlich ist. Es geht bei diesem Verfahren, in dessen Schilderung vorgerichtliche Beschuldigungsfrage (V. 9), Anklagerede

(V. 11), Verteidigungsrede (12–15), Streitbeendigungsvorschlag (V. 13) und Urteilsformulierung (V. 16) deutlich erkennbar sind, um den Rechtsfall der Gotteslästerung, begangen in Jerusalem und bezogen auf den königlichen Reichstempel. Dementsprechend wird hier das königliche Gericht, repräsentiert durch die »Beamten Judas« aktiv, vgl. V. 10:

»Als aber die Beamten Judas von diesen Vorgängen hörten, stiegen sie vom Königspalast zum Haus Jahwes hinauf und setzten sich am Eingang des neuen Tempeltores nieder.«

Auffallend ist die Bezeichnung »Beamte Judas«, im weiteren Verlauf der Darstellung fehlt der Zusatz »Juda«. Daß es sich um königliche Beamte handelt, ist eindeutig. Nach V. 10 haben sie ihre normale Wirkungsstätte im Königspalast. Aus demselben Vers geht auch hervor, daß die genannten Beamten keineswegs ausschließlich mit der Rechtspflege befaßt waren. Zur Abwicklung des Gerichtsverfahrens begeben sie sich an die entsprechende Örtlichkeit. So mag die Annahme nicht ganz unwahrscheinlich sein, daß königliche Beamte im Bedarfsfall als Richter des königlichen Gerichtes fungierten. Das königliche Gericht aber war keineswegs allumfassend. Es hatte seine genau bestimmbare Zuständigkeit. Von derartigen Beamten ist auch sonst im Alten Testament die Rede, wobei verschiedene Bezeichnungen benutzt werden, vgl. Jes 1,23.26; 3,1–3; Hos 5,1; Mi 3,9–11; 7,3. Man wird damit rechnen können, daß sich ihre Zuständigkeit im Laufe der Zeit dann auch über den engen Bereich des Stadtstaates hinaus ausgedehnt hat.

Die beiden zuletzt besprochenen Texte führen nach Jerusalem. Belegstellen für eine entsprechende Rechtskompetenz des Königs in der Hauptstadt des Nordreichs, Samaria, sind seltener. Ganz fehlen sie aber nicht. Die in 2. Kön 6,26–30 aufgezeichnete Erzählung gehört in diesen Bereich. Die Erzählung führt uns in die Situation der Belagerung Samarias. In der Stadt herrschte eine katastrophale Hungersnot, so daß sich das folgende Geschehen abspielen konnte.

»Als der König von Israel einmal auf der Mauer einherging, schrie ihn eine Frau an: ›Hilf doch, mein Herr und König!‹ Er antwortete: ›Hilft Jahwe dir nicht, womit soll ich dir helfen, etwa von der Tenne oder der Kelter?‹ Und dann fragte sie der König: ›Was fehlt dir?‹ Sie sagte: ›Diese Frau sagte zu mir, gib mir deinen Sohn, damit wir ihn heute essen. Morgen wollen wir dann meinen Sohn essen. Wir kochten meinen Sohn und aßen ihn. Am anderen Tag sagte ich zu ihr: Gib nun deinen Sohn her, damit wir auch ihn essen. Aber sie hat ihren Sohn versteckt‹. Als der König diese Worte der Frau hörte, zerriß er seine Kleider, und als er auf der Mauer einherging, da sah das Volk, daß er auf dem bloßen Leib das Trauergewand trug« (2. Kön 6,26–30).

Eine makabre Geschichte! Ob sich ein derartiger Notkannibalismus wirklich ereignet hat, kann man natürlich fragen. Immerhin wird in den Threni ähnliches auch für die Zeit der Belagerung Jerusalems angedeutet (Thr 4,10). Wie dem auch sei, es ist kaum ein Vorgang denkbar, der drastischer die Schrecken des Hungers in einer belagerten Stadt schildern könnte, und deshalb wird er berichtet. In unserem Zusammenhang sind jetzt aber nur die rechtsgeschichtlichen Aspekte zu berücksichtigen. Zunächst ist festzustellen, daß die Frau sich an den König mit der Bitte um eine Rechtsentscheidung wendet; sie tut es in der Form des Zeterrufs (vgl. dazu unten Exkurs 1, S. 40 ff.). Sie tritt als Klägerin auf. Die andere Frau hat den zwischen ihnen vereinbarten Vertrag nicht eingehalten. Der König soll sie durch einen Gerichtsbeschluß zur Erfüllung des Vertrages zwingen. Warum wendet sie sich mit ihrem Fall an den König? Das ist die Frage, die in unserem Zusammenhang zu stellen ist. Die Antwort ist nicht eindeutig (so auch *Macholz*, 174). Am wahrscheinlichsten ist es, daß die Frau sich in der Königsstadt Samaria an den hier für jeden Fall zuständigen Gerichtsherren wendet. Erwähnt sei aber auch eine andere Erklärungsmöglichkeit. Sie geht von der spezifischen Situation dieses Geschehens aus. Wir befinden uns ja in einer Kriegssituation, der Vorgang ereignet sich in einer von Feinden belagerten Stadt. In dieser Situation herrscht Kriegsrecht. Der Oberkommandierende ist zugleich der oberste Gerichtsherr; auch als solcher könnte der König von der Frau angesprochen sein.

Unter den Texten, die bei der Behandlung der Frage nach den Rechtskompetenzen des Königs immer herangezogen werden, ist vor allem 2. Sam 15,1–6 zu nennen. Die in diesen Versen berichtete Begebenheit gehört in den Zusammenhang der Ereignisse um die Empörung Absaloms gegen seinen Vater David. Hier wird geschildert, wie Absalom seinen Staatsstreich psychologisch vorbereitete.

»Danach legte sich Absalom Wagen und Rosse zu, sowie 50 Mann, die vor ihm herliefen. Und morgens in der Frühe stellte sich Absalom neben den Weg zum Tor hin. Und jeden, der eine Streitsache hatte, so daß er zum König kam, um sich Recht sprechen zu lassen, den rief Absalom zu sich und fragte: ›Aus welcher Stadt bist du?‹ Wenn der dann antwortete: ›Dein Knecht kommt aus einem der Stämme Israels‹, dann sagte Absalom zu ihm: ›Siehe, deine Sache ist ja gut und recht, aber beim König hast du keinen, der dich anhört‹. Und Absalom sagte: ›Würde man mich doch zum Richter im Lande einsetzen, so daß zu mir jeder kommen könnte, der eine Streitsache hat und einen Rechtsentscheid braucht, dann würde ich ihm zu seinem Recht verhelfen‹. Wenn dann einer herzutrat, um vor ihm niederzufallen, dann streckte er seine Hand aus, zog ihn an sich und küßte ihn. So machte es Absalom mit allen Israeliten, die in einer Rechtsangelegenheit zum König kamen. Und Absalom stahl das Herz der Männer Israels« (2.Sam 15,1–6).

Für diejenigen Exegeten, die eine entscheidende Rechtsvollmacht des Königs annehmen, ist diese Geschichte eine wichtige Belegstelle. Charakteristisch sind etwa die folgenden Sätze von *H. W. Hertzberg*: »Offenbar hielt der König regelmäßige Gerichtstage, vielleicht besonders für die Nordstämme, ab . . . Der König ist oberste Instanz« (ATD 10, 1956, 272). Aber so eindeutig, wie es hier dargestellt wird, ist die Sachlage nicht. Dieser Abschnitt gehört vielmehr zu den rechtsgeschichtlich be-

sonders schwierigen Texten. Man muß sich die geschilderte Situation
möglichst klar vor Augen führen, um nicht zu falschen Schlußfolgerungen verleitet zu werden.

Eine Erklärung kann von vornherein ausgeschaltet werden. Wenn hier
das königliche Gericht aufgesucht wird, dann geschieht das nicht im
Rahmen der Jerusalemer Gerichtskompetenz Davids. Ausdrücklich
heißt es, daß die Rechtsuchenden aus den Stämmen Israels kamen. Sie
kommen an den Königshof, um eine strittige Angelegenheit beim König
entscheiden zu lassen. Aber von welcher Art sind die Streitsachen, um
die es hier geht? Das wird nicht gesagt und ist für das Verständnis doch
entscheidend wichtig. Daß es sich um bestimmte Sachgegenstände handelt und nicht eine Allzuständigkeit des Königs vorauszusetzen ist,
dürfte feststehen. *Macholz* übersetzt deshalb in V. 2 den Text leicht paraphrasierend so: »einen Rechtsstreit der Art, daß man damit zum König
zum Entscheid kam« (169). A. *Alt* hat bereits früher eine Vermutung
darüber geäußert, an welche Sachbereiche hier gedacht sein könnte. Er
nennt »Heerbannfolge, Fron- und Abgabenpflicht« (Grundfragen, 224).
Der Text würde damit in den Bereich der militärischen Gerichtszustän-
digkeit des Königs gehören. In diesem Zusammenhang kann mit *Alt*
auch 2. Kön 4,13 genannt werden.

Der Text von 2. Sam 15,1–6 enthält für die Annahme *Alts* keinen direkten Hinweis. Trotzdem kann man noch eine Überlegung anstellen, die in
dieselbe Richtung weist. Wenn man sich den erzählten Vorgang verge-
genwärtigt, fällt auf, daß nichts davon gesagt ist, daß jeweils zwei
Rechtskontrahenten auf dem Weg zum königlichen Gericht sind, die
dann von Absalom in der geschilderten Weise empfangen würden. Das
ginge auch nicht, denn beiden zugleich könnte der Demagoge Absalom ja
nicht so begegnen, wie es hier geschildert ist. Nun ist es aber schlechterdings unmöglich und undenkbar, daß ein normaler Rechtsfall, der zwischen zwei Vollbürgern strittig ist, entschieden werden könnte, ohne
daß der eine eine Möglichkeit hätte, sich zu äußern. Wenn hier nur jeweils einer erscheint, dann kann es sich nicht um einen normalen
Rechtsfall handeln, wohl aber um eine Angelegenheit der Art, wie sie
angedeutet wurde. In einem solchen Fall ist ja der König selbst Partei,
und der Streitfall muß zwischen ihm und dem Israeliten, der sich unge-
recht behandelt fühlt, ausgehandelt werden. In einem derartigen Fall
kann Absalom seine demagogische Zusage, dem Rechtsuchenden auf alle
Fälle zum Rechtssieg zu verhelfen, immerhin machen, ohne von vornherein unglaubwürdig zu erscheinen.

Abschließend soll noch auf zwei Texte hingewiesen werden, die von *Macholz* intensiv behandelt worden sind, 2. Chron 19,5–11 und Dt
17,8–12. 2. Chron 19 führt in die Zeit des judäischen Königs Josaphat. In
den genannten Versen werden bestimmte Maßnahmen einer »Justizre-
form« Josaphats geschildert. Man hat diesen Text früher in der Regel als
chronistische Konstruktion angesehen ohne historischen Hintergrund,

rechnet aber heute zunehmend mit der Aufnahme älteren Überlieferungsgutes durch den Chronisten, so daß dem Text doch einige historisch verwertbare Angaben zu entnehmen sind. Es werden zwei voneinander unabhängige Feststellungen gemacht. Die erste steht in V. 5:

>»Und er (Josaphat) setzte Richter ein im Lande, in allen befestigten Städten Judas, von Stadt zu Stadt.«

Die rechtshistorische Auswertung dieser Notiz bereitet keine Schwierigkeiten. Die Maßnahme Josaphats bezieht sich auf die »befestigten Städte«. Die von Josaphat eingesetzten Richter haben ihre Zuständigkeit demnach im Bereich des Heerwesens, wo der König immer schon die Gerichtshoheit ausgeübt hatte. Schwieriger ist die zweite Angabe zu deuten. Sie steht in V. 8–10 und lautet auf die wesentlichen Aussagen verkürzt so:

>»Auch in Jerusalem setzte Josaphat einige von den (Leviten und den) Priestern und den Familienhäuptern ein für Israel zur Behandlung der Rechtsangelegenheiten Jahwes und der Streitsachen und sie ›residierten‹ in Jerusalem. Und er gab ihnen folgende Anweisung: Bei jeder Streitsache, die von euren Brüdern, die in ihren Städten wohnen, vor euch kommt – handle es sich um Blutsachen, um Weisung und Gebot, Gesetze und Rechtssprüche – sollt ihr sie belehren (vgl. zu dieser Übersetzung *Macholz*, 328). Siehe, der Oberpriester Amarjahu ist euer Vorgesetzter für alle Angelegenheiten Jahwes, und Sebadjahu, der Sohn des Jischmael, der Fürst für das Haus Juda, ist euer Vorgesetzter für alle Angelegenheiten des Königs.«

Bei diesen Angaben fällt vor allem ins Auge, daß das hier beschriebene Jerusalemer Richterkollegium einen doppelten Vorsitz hat und mit zwei doch wohl grundsätzlich unterschiedenen Rechtsangelegenheiten befaßt wird, mit den Angelegenheiten Jahwes und mit den Angelegenheiten des Königs. Diese Rechtsangelegenheiten werden von den Gerichtsorganen der Städte nach Jerusalem überwiesen, was sicher nicht bedeutet, daß sie damit an die höhere Instanz abgegeben werden. Vielmehr wird es so sein, daß das Verfahren letztverantwortlich in der Zuständigkeit der örtlichen Gerichtsbarkeit verbleibt, das Richterkollegium der Hauptstadt aber als Rechtshilfeinstanz in das örtliche Verfahren eingeschaltet wird. Das ist sogleich einsichtig für die »Angelegenheiten Jahwes«. Damit dürften z. B. Ordalverfahren gemeint sein, die ja schon immer von Priestern durchgeführt wurden. Problematischer sind die »Angelegenheiten des Königs«. Man sollte auch hierbei an einen parallelen Vorgang denken; die Formulierung (Weisung und Gebot, Gesetze und Rechtssprüche) gibt dazu durchaus die Möglichkeit. Nach *Macholz* handelt es sich um Rechtsfälle, bei denen die Anwendung bestimmter Rechtsbestimmungen unklar und zweifelhaft war. Hier sollte das vom König eingesetzte Jerusalemer Richterkollegium für die örtliche Instanz eine Art Amtshilfe leisten. Die Zuständigkeit der örtlichen Instanz wurde nicht angetastet. Nur ein Wort des Textes fügt sich dieser Überlegung nicht ein. Es ist das Wort »Blutsachen«, die nach V. 10 ebenfalls dem Jerusalemer Kollegium vorgelegt werden sollten. Hier wird nun doch ein entscheidender Eingriff des Königs von Jerusalem in die Institution der Ortsgerichtsbarkeit erkennbar, indem für Kapitalverbrechen eine neue Zuständigkeit des Jerusalemer Kollegiums angeordnet wird. Es ist sicher nicht zufällig, daß derartiges aus dem Südreich mit seinem in jeder Beziehung stärkeren Königtum zu vermelden ist; aus dem Nordreich ist entsprechendes nicht bekannt, und es wäre dort auch wohl kaum denkbar.

Bezeichnenderweise unternimmt dann später das Deuteronomium den Versuch, diese vom judäischen König entworfene Gerichtskonstruktion z. T. wieder rückgängig zu machen. In Dt 17,8–12 wird ebenfalls und in manchem parallel zu 2. Chron 19 von der Jerusalemer Gerichtsbehörde gesprochen. Dabei geht das Deuteronomium unmißverständlich davon aus, daß die Oberbehörde lediglich als Rechtshilfeinstanz des lokalen Gerichts wirksam wird. Das gilt auch für Kapitalverbrechen.

»Wenn dir ein Rechtsfall zu schwierig ist . . ., dann sollst du dich aufmachen und zu dem Ort hinaufziehen, den Jahwe, dein Gott, erwählen wird. Du sollst verfahren nach dem Bescheid, den sie dir von jenem Ort aus erteilen werden . . .« (Dt 17,8.10).

Schließlich ist noch Dt 16,18 zu nennen, wo von der Einsetzung von Richtern und Beamten die Rede ist, die »dem Volk Recht sprechen sollen«. Dabei wird mit keinem Wort der König erwähnt, das Volk selbst ist das Subjekt der Amtseinsetzung. An beiden Stellen zeigt sich, wie die deuteronomische Reform die vorliegenden Gegebenheiten zwar aufgreift, sie aber im Sinne altisraelitischer Vorstellungen umgestaltet. Die königliche Gerichtskompetenz wird auf diese Weise völlig aufgehoben.

Exkurs 1
Zum alttestamentlichen Zetergeschrei

Lit.: H. J. *Boecker*, Redeformen des Rechtslebens im Alten Testament (²1970) bes. 61–66; I. L. *Seeligmann*, Zur Terminologie für das Gerichtsverfahren im Wortschatz des biblischen Hebräisch: Festschr W. *Baumgartner*, VTSuppl 16 (1967) 251–278, bes. 257–260.

Rechtsgeschehen gibt es nicht nur im Zusammenhang geordneter Gerichtsverfahren. Rechtsgeschehen vollzieht sich auch unabhängig von einem ordentlichen Verfahren. Als Beispiel sei hier auf die Institution des Zetergeschreis hingewiesen. Man kann in diesem Fall durchaus von einer Rechtsinstitution sprechen, durch die in einer Notsituation Unrecht abgewendet werden soll. Der Grundgedanke des Zetergeschreis ist dieser: Wenn jemand in eine akute Notsituation gekommen ist, hat er die Möglichkeit, ein Zetergeschrei auszustoßen und damit jeden zu sofortiger Hilfeleistung zu verpflichten, der diesen Notschrei hört. Dieses Rechtsinstitut ist in fast allen Rechtskulturen belegt, seine Nachwirkungen sind auch im heutigen deutschen Recht noch spürbar. Einen besonders intensiven Gebrauch des Zetergeschreis hat es im deutschen Mittelalter gegeben, woher auch der Terminus *zeter* stammt, vgl. *F. Kluge –* *A. Götze*, Etymologisches Wörterbuch der deutschen Sprache ([16]1953) zum Wort *zeter*: »Bei Überfall, Mord, Raub oder Notzucht verpflichtete der Gefährdete durch den Schrei die Mitbürger zu sofortiger Hilfe.« Dabei werden für die verschiedenen Notsituationen spezielle Notrufe gebraucht. Die bekanntesten sind: diebio, feurio, mordio, waffenio. Auch im Alten Testament gibt es zahlreiche Hinweise auf das Zetergeschrei. Besonders instruktiv ist ein Rechtstext aus dem Deuteronomium. Es geht dabei um ein Zetergeschrei bei Notzucht. Das ist ein Delikt, das seiner Natur nach besonders häufig zum Anlaß für ein Zetergeschrei werden konnte.

»Gesetzt es ist eine junge Frau, die einem Mann verlobt ist – und ein Mann trifft sie in der Stadt und legt sich zu ihr, (24) so sollt ihr die beiden zum Tor jener Stadt hinausführen und sie zu Tode steinigen – die junge Frau, weil sie in der Stadt nicht um Hilfe geschrien hat (zᵉ ḳ), den Mann aber, weil er die Frau seines Nächsten gedemütigt hat. So sollst du das Böse aus deiner Mitte wegschaffen. (25) Wenn aber der Mann die verlobte junge Frau auf dem Felde trifft und sich zu ihr legt, dann soll allein der Mann, der sich zu ihr gelegt hat, sterben, denn wie wenn einer gegen seinen Nächsten aufsteht und ihn ermordet, so verhält sich dieser Fall. (26) Der jungen Frau sollst du nichts antun, sie hat keine Todesschuld, (27) denn er traf sie auf dem freien Feld. Die verlobte Frau könnte um Hilfe geschrien haben (zᵉ ḳ). Es war keiner da, der helfend eingriff« (Dt 22, 23–27).

Der Text, bei dem die Textanordnung innerhalb der Verse 25 und 26 leicht verändert worden ist (dazu *I. L. Seeligmann*, 260), ist in sich klar verständlich. In diesem besonderen Fall war das Ausstoßen des Zetergeschreis sogar eine Rechtspflicht, wie auf der anderen Seite in jedem Fall das helfende Eingreifen zugunsten des in Not Geratenen eine Rechtspflicht war. Die Gesetzesbestimmung geht davon aus, daß innerhalb einer Ortschaft für die genotzüchtigte Frau die Möglichkeit bestanden hatte, einen Hilferuf auszustoßen. Wenn sie es nicht getan hat, läßt das darauf schließen, daß sie nicht einfach vergewaltigt worden ist, sondern mehr oder weniger aktiv an dem Geschehen beteiligt war. Anders liegt der Fall, wenn sich der Vorgang auf dem freien Feld ereignete. Dann geht die Rechtsbestimmung davon aus, daß die Frau um Hilfe geschrien hat. Aber ihr Hilferuf wurde von niemandem gehört, und deshalb trifft sie keine Schuld. Dieser Text belegt mit hinreichender Deutlichkeit die rechtstechnische Bedeutung des hebräischen Wortes zᵉ ḳ, ṣᵉ ḳ »das Zetergeschrei ausstoßen«, »um Hilfe schreien«. Die rechtstechnische Verwendung von zᵉ ḳ läßt sich an zahlreichen weite-

ren alttestamentlichen Texten beobachten, wobei teilweise eine charakteristische Weiterentwicklung des Zetergeschreis festzustellen ist. Das
ist z. B. in 2. Kön 8,1–6 der Fall. Es handelt sich um eine Erzählung aus
dem Zusammenhang der Elisageschichten:

»Elisa hatte einst zu der Frau gesagt, deren Sohn er zum Leben erweckt hatte: ›Mache dich
auf und ziehe mit deinen Angehörigen fort und halte dich irgendwo in der Fremde auf,
denn Jahwe hat eine Hungersnot verhängt, die über das Land kommen wird, sieben Jahre
lang‹. (2) Da hatte die Frau sich auf den Weg gemacht und hatte getan, wie ihr der Gottes-
mann gesagt hatte. Sie war mit ihren Angehörigen fortgegangen und hatte sich im Philisterland sieben Jahre lang aufgehalten. (3) Nach Ablauf von sieben Jahren war die Frau zu-
rückgekehrt aus dem Philisterland und hatte sich auf den Weg gemacht, um den König wegen ihres Hauses und ihres Feldes um Hilfe anzurufen (ṣʿḳ). (4) Der König aber sprach gerade mit Gehasi, dem Diener des Gottesmannes und sagte: ›Erzähl mir doch all die Großta-
ten, die Elisa vollbracht hat!‹ (5) Während er nun gerade dem König erzählte, wie er den
Toten zum Leben erweckt hatte, erschien die Frau, deren Sohn er zum Leben erweckt hatte,
und rief den König wegen ihres Hauses und ihres Feldes um Hilfe an (ṣʿḳ). Da sagte Gehasi:
›Mein Herr und König, das ist die Frau, und das ist ihr Sohn, den Elisa zum Leben erweckt
hat‹. (6) Der König fragte die Frau aus, und sie erzählte es ihm. Da stellte ihr der König einen Hofbeamten mit dem Auftrag: ›Besorge ihr alles wieder, was ihr gehört, auch den gesamten Ertrag des Feldes von der Zeit an, als sie ihr Land verließ bis heute!‹«

Die Notsituation, in der sich die Frau befindet, wird deutlich geschildert.
Nach einem siebenjährigen Auslandsaufenthalt findet sie ihr Land in
fremden Händen. Sie hat damit für sich und ihre Familie ihre Lebens-
grundlage verloren. Sie wendet sich hilfesuchend an den König und tut
es in der Form eines Zeterrufs, obwohl ihre Notlage nicht in dem Sinn
akut ist, daß nur eine sofortige Hilfsaktion sie daraus befreien könnte.
Der Zeterruf, wie er hier begegnet, hat sich aus seiner ursprünglichen
Situation gelöst, er hat eine weitere Bedeutung angenommen: Er ist zum
Ruf um Rechtshilfe geworden. Man kann deshalb erwägen, das auch
terminologisch auszudrücken und in diesem Zusammenhang nicht von
Zetergeschrei, sondern von Zeterruf zu sprechen. Die Herkunft vom Zetergeschrei bleibt in bestimmter Hinsicht auch für den Zeterruf bestimmend. Es ist zu beobachten, daß es nach den alttestamentlichen Belegen
vor allem Personen minderen Rechts sind, die sich des Zeterrufs als einer
Möglichkeit, zu ihrem Recht zu kommen, bedienen. Es sind nach den
alttestamentlichen Belegstellen vornehmlich Frauen, und zwar meistens
Witwen, die einen Zeterruf erheben.

Für 2. Kön 8,1–6 bleibt die Frage, warum die Frau ihren Zeterruf ausgerechnet vor dem
König erhebt. Verschiedene Antworten sind auf diese Frage möglich. Man kann daran denken, daß der König nicht als König, sondern als einflußreiche Persönlichkeit, auf diese
Weise von der Witwe angesprochen wird, wie das auch sonst belegt ist. Wahrscheinlicher
aber ist die Annahme, daß der König in der Zwischenzeit in den Besitz des herrenlosen Bodens gekommen ist, daß er also der von der Angelegenheit direkt betroffene ist (vgl. dazu
Alt, Grundfragen, 383; *G. Ch. Macholz*, ZAW 84, 1972, 174 f.).

Einen weiteren Beleg für einen von einer Witwe erhobenen Zeterruf liefert 2. Kön 4,1; von 2. Kön 6,26–30 war oben bereits die Rede.

»Eine von den Frauen der Prophetenjünger rief Elisa um Hilfe an: ›Dein Knecht, mein Mann, ist gestorben, und du weißt doch, daß dein Knecht stets Jahwe gefürchtet hat; und nun kommt der Gläubiger, um sich meine beiden Kinder als Schuldsklaven zu holen« (2. Kön 4,1).

Nach dem Tod ihres Mannes sieht sich die Frau so sehr von ihrem Gläubiger bedrängt, daß sie keinen anderen Ausweg mehr sieht, als sich mit einem Zeterruf an den Propheten Elisa zu wenden. Sie tut es, weil Elisa für die Prophetenjünger, zu denen ihr Mann gehörte, eine besondere Verantwortung trägt. Hinzukommen mag für die Frau der Gedanke, daß Elisa als bekannte und einflußreiche Persönlichkeit am ehesten die Möglichkeit hat, ihr in ihrer Notlage zu helfen.
Das Zetergeschrei als elementarer Aufschrei nach Recht und Hilfe im Munde der Rechtlosen, Bedrohten und Vergewaltigten ist im Alten Testament als besondere Ausdrucksform auch außerhalb von Erzählungen in zahlreichen Zusammenhängen zu finden. Darauf ist hier nicht im einzelnen einzugehen. Erwähnt seien lediglich die Stellen Gen 4,10, wo der Satz

»Das Blut deines Bruders schreit zu mir von der Erde«

von den Gegebenheiten des Zetergeschreis her zu verstehen ist, und Hi 16,18, ein Aufschrei Hiobs, der ebenfalls die Institution des Zetergeschreis als Hintergrund hat:

»O Erde, nicht sollst du mein Blut bedecken,
und für meinen Hilfeschrei gebe es keine Ruhe!«

Weitere Belegstellen sind bei *H. J. Boecker* und *I. L. Seeligmann* notiert.

Kapitel III

Das altorientalische Recht vor Hammurabi

Lit.: *Haase*, Einführung, 16–22; *J. Klíma – H. Petschow – G. Cardascia – V. Korošec*, Artikel Gesetze: RLA III, 243–297, bes. 246–255; Korošec, Keilschriftrecht, 56–94.

Die ältesten Rechtsdokumente aus dem altorientalischen Bereich, die wir bis heute kennen und deuten können, stammen aus der Mitte des 3. Jahrtausends v.Chr. von den Sumerern. Sie sind in Keilschrift geschrieben, jener Schrift, die von den Sumerern entwickelt wurde und die dann zu *der* Schrift der altorientalischen Welt geworden ist. Die verhältnismäßig wenigen erhaltenen Quellen geben uns einen Einblick in die Staats- und Rechtsstruktur der zahlreichen sumerischen Stadtstaaten. Bezeichnend ist für sie der alles beherrschende Einfluß der an den Tempeln tätigen Priester. Die Tempel sind die eigentlichen, vielleicht sogar die einzigen Grundbesitzer. Die Tempel hatten deshalb neben ihren religiösen Funktionen entscheidende wirtschaftliche Bedeutung. Man hat aus diesem Grund die staatsrechtliche Ordnung der altsumerischen Zeit als »religiösen Staatssozialismus« bezeichnen können. Mißstände blieben nicht aus. Es kam zu Verquickungen der weltlichen und geistlichen Gewalt, zu persönlichen Bereicherungen aus dem Tempelvermögen, zu unrechtmäßiger Unterdrückung der sozial Schwachen. So wurde der Boden bereitet für das Auftreten des ersten sozialen Reformers, von dem die Weltgeschichte weiß, Urukagina von Lagasch (Regierungsantritt um 2370 v.Chr.). Urukagina hat sich nach seinem eigenen Zeugnis, und nur aus dieser Quelle wissen wir etwas von seinen Reformen, in vielfältiger Weise für die kleinen Leute eingesetzt, etwa dadurch, daß er den Verkauf von Häusern, Gärten oder Eseln (der Esel war das wichtigste Arbeitstier) erschwerte oder dadurch, daß er die wucherisch hohen Gebühren, die die Priester für Begräbnisse zu liquidieren pflegten, auf ein erträgliches Maß senkte. Urukagina sagt von seinen Maßnahmen, daß er »die Leute von Lagasch von Dürre, Diebstahl und Mord befreit« habe. Bei dem allen verstand sich Urukagina nicht als Revolutionär. Im Gegenteil, er wollte die alten gottgewollten Ordnungen wiederherstellen, die von seinen Vorgängern mißachtet worden waren. *A. Moortgat* charakterisiert Urukaginas Lebenswerk deshalb so: »Es ist der letzte Versuch eines konservativen Geistes, durch eine soziale Reform die ursprüngliche sumerische Gesellschaftsform, die Theokratie, zu retten« (Geschichte Vorderasiens bis zum Hellenismus, 243).

Urukaginas Reform hat nicht lange Bestand gehabt – nur sieben Jahre lang hat er sich an der Herrschaft halten können –, aber es wird hier doch eine bestimmte Richtung des Rechtsdenkens erkennbar, die sich in der altorientalischen Gesetzgebung und Rechtspflege, wenigstens was den Anspruch betrifft, immer wieder beobachten läßt. Es ist der soziale Zug, der in vielen orientalischen Rechtsgestaltungen spürbar ist. Vor allem in den Prologen und Epilogen der altorientalischen Gesetzeswerke wird immer wieder betont, daß die Gottheit den jeweiligen Herrscher dazu beauftragt hat, für das Recht der Unterdrückten und Benachteiligten zu sorgen. Urukagina hat diese Ausrichtung seiner Reform am deutlichsten am Schluß einer seiner Inschriften in die Worte zusammengefaßt:

»Daß der Waise und der Witwe der Mächtige nichts antue, hat mit Ningirsu Urukagina einen entsprechenden Vertrag geschlossen.«

Noch ein anderer Text mag belegen, welche Bedeutung im Alten Orient dem gerechten Gerichtswesen zugemessen wurde. Im großen Hymnus an den Gott Schamasch, der immer wieder als der Wahrer des Rechts gefeiert wurde, heißt es in einem Text, der aus dem Ende des 2. Jahrtausends stammt:

»Den ungerechten Richter läßt du das Gefängnis sehen, den, der Bestechung annimmt, nicht recht handelt, die Strafe tragen.
Wer keine Bestechung annimmt, für den Schwachen Fürsprache einlegt,
der gefällt Schamasch wohl (und) gewinnt ein längeres Leben. Der überlegte Richter, der ein gerechtes Urteil fällt, wird (sogar) einen Palast fertigstellen; ein Fürstenhof ist seine Wohnung«
(zitiert nach *A. Falkenstein – W. v. Soden,* Sumerische und Akkadische Hymnen und Gebete, 1953, 243).

Fragt man weiter nach besonderen Einflüssen, die von der altsumerischen Zeit ausgehend für die nachfolgende altorientalische Rechtsgeschichte wirksam geworden sind, so muß noch auf etwas anderes hingewiesen werden. Es handelt sich um die Gepflogenheit, bestimmte Rechtsgeschäfte mit Hilfe von Urkunden rechtskräftig zu machen. Schon in der sumerischen Zeit werden für die verschiedenen Vertragstypen feste Schemata entwickelt, die sich dann in erstaunlicher Weise bis in die neubabylonische Zeit hinein im wesentlichen konstant erhalten haben. Aus dem Gesamtbereich der altorientalischen Rechtsgeschichte sind eine Unzahl derartiger Urkunden erhalten geblieben. Sie gehören mit zu den Quellen, die für eine Darstellung des altorientalischen Rechts von wesentlicher Bedeutung sind. Im Rahmen dieser Darstellung kann allerdings nur ausnahmsweise auf derartige Urkunden hingewiesen werden.
Aus der sumerischen, genauer gesagt der neusumerischen Zeit sind die ersten Gesetzescodices erhalten. Es ist notwendig, bereits an dieser Stelle

Mißverständnisse aus dem Wege zu räumen, die für den modernen Leser durch das Wort »Codex« oder »Gesetz« fast notwendig entstehen. Es handelt sich bei einem altorientalischen Codex nicht um einen »Codex« im modernen, spezifisch juristischen Sinn des Wortes. Man spricht von einem »Codex«, wenn ein Gesetzeswerk darauf abgestellt ist, die Gesamtheit des Rechts oder einen bestimmten mehr oder weniger umfangreichen Teilbereich des Rechts nach einer durchgehenden Rechtsanschauung umfassend und bindend zu ordnen. Hinter einem derartigen Gesetzeswerk steht die Autorität des Staates, der die Einhaltung der von ihm erlassenen Vorschriften in jedem Fall erzwingt. Anders der altorientalische »Codex« – und hierzu gehören auch die alttestamentlichen Beispiele. Er erhebt in keinem Fall den Anspruch, das gesamte Rechtsleben umfassend und total ordnen zu wollen. Ein altorientalischer Codex ist für unser modernes Empfinden in jedem Fall unvollständig und lückenhaft. Dieser Eindruck würde auch dann bestehen bleiben, wenn ein solcher Codex vollständig und unversehrt erhalten geblieben wäre, was leider nicht der Fall ist. Auffallend ist, daß sich die kodifizierten Bestimmungen vornehmlich mit außergewöhnlichen Rechtsfällen befassen, das Alltägliche und Allgemeine dagegen weitgehend unberücksichtigt lassen. So werden wir in den altorientalischen Rechtssammlungen über Ehe und Ehescheidung, über Erbrecht und Eigentum oder das normale Prozeßverfahren nur minimal und lediglich durch Behandlung von Sonderfällen unterrichtet. Das kann nur so erklärt werden, daß in den Gesetzen im wesentlichen nur das aufgezeichnet wurde, was strittig oder reformbedürftig erschien. Daneben wird man allerdings auch mit der Möglichkeit rechnen müssen, daß ein Codex in der Auswahl und Darbietung des Rechtsmaterials durch Vorgänger beeinflußt wurde, so daß es zweifellos kurzschlüssig wäre, wollte man annehmen, daß alles, was in einen Codex aufgenommen wurde, z. Z. seiner Abfassung umstritten war. Der hier angedeutete Charakter der altorientalischen Gesetzestexte hat gelegentlich dazu geführt, für diesen Sachbereich die Bezeichnungen Codex oder Gesetzbuch überhaupt zu vermeiden und statt dessen lieber den unverbindlichen Ausdruck »Rechtssammlung« zu gebrauchen. Aufs Ganze gesehen hat sich das aber nicht durchgesetzt, und so soll auch hier an den üblich gewordenen Bezeichnungen ohne strenge Differenzierung festgehalten werden.

Mit der genannten Eigenart aller altorientalischen Gesetzeskodifizierungen hängt direkt noch etwas anderes zusammen, die Frage nach der tatsächlichen praktischen Bedeutung eines derartigen Codex und der in ihm niedergelegten Rechtsbestimmungen. Wir pflegen ja ganz selbstverständlich von der Vorstellung auszugehen, daß ein Gesetzestext vom Tage seiner Promulgation an unbedingte Gültigkeit besitzt, daß alle Rechtsentscheidungen nunmehr im Rahmen der neu erlassenen Gesetze zu fällen sind und ein Gerichtsforum sich bei all seinen Entscheidungen auf den Text des staatlich autorisierten Gesetzes stützen und berufen wird. Dies alles ist bei den altorientalischen Gesetzen durchaus nicht selbstverständlich. Da, wie gesagt, die Fülle der alltäglichen Rechtsprobleme in ihnen gar nicht behandelt wird, fehlt für ein Gerichtsforum in den meisten Fällen überhaupt die Möglichkeit auf ein kodifiziertes Gesetz zurückzugreifen, und in den anderen Fällen ist es auch die Frage, ob die Autorität des Gesetzesgebers ausreicht, um sich gegenüber vorhandenen Rechtstraditionen durchzusetzen. Mehr noch: Es gibt unter der Unzahl der erhaltenen Geschäfts- oder Prozeßurkunden keinen einzigen Beleg dafür, daß man sich bei einem Rechtsentscheid auf eine Bestimmung der uns bekannten Rechtsbücher bezogen hätte. Der altorientalische Richter war für seine Rechtsfindung offensichtlich nicht an den Wortlaut eines ihm vorliegenden Gesetzes gebunden. In dieselbe Richtung weist die Beobachtung, daß die altbabylonische Sprache gar kein Äquivalent für unser Wort »Gesetz« besitzt und Ausdrücke wie »die Gesetze beobachten« oder »verurteilt nach § x des Gesetzes y« nicht kennt, vgl. *B. Landsberger*, Die babylonischen termini für Gesetz und Recht: Festschr *P. Koschaker* (1939) 220. Das alles heißt: Der mit dem deutschen Wort »Gesetz« in seiner modernen juristischen Funktion gemeinte Sachverhalt entspricht nicht den altorientalischen Gegebenheiten. »Gesetz«, »Gesetzbuch«, »Gesetzgeber«, aber auch »Codex« oder »Kodifikation«, all diese Wörter müßten streng genommen in Anführungszeichen gesetzt werden, wenn man sie im Blick auf altorientalische Verhältnisse gebraucht. Wir werden die angedeuteten Fragen bei der Charakterisierung des Codex Hammurabi noch einmal für diesen speziellen Fall aufgreifen und wenden uns nunmehr dem ältesten erhaltenen altorientalischen Gesetzbuch zu.

Es handelt sich um das Gesetzbuch des sumerischen Königs Ur-Nammu (2064–2046 v.Chr.), das nur in Bruchstücken erhalten ist.

Lit.: *J. J. Finkelstein*, The Laws of Ur-Nammu: JCS 22 (1968/69) 66–82; *Haase*, Einführung, 18–20; *S. N. Kramer – A. Falkenstein*, Ur-Nammu Law Code: Or NS 23 (1954) 40–51.
Übersetzungen: ANET, 523–525 (*J. J. Finkelstein*); *Haase*, Rechtssammlungen, 1.

Der Text des in sumerischer Sprache geschriebenen Codex ist durch eine Abschrift aus der Zeit Hammurabis bekanntgeworden. Höchstwahrscheinlich handelt es sich dabei um eine Übungstafel, denn es ist kaum vorstellbar, daß Ur-Nammus Gesetzeswerk in der Zeit Hammurabis noch praktische Bedeutung gehabt hat. Nachdem *S. N. Kramer* die Erstveröffentlichung des fragmentarisch erhaltenen Textes vorgelegt hat, ist eine gewisse Anschauung dieser Rechtsgestaltung möglich geworden. *J. J. Finkelstein* hat dann später versucht, eine zusammenhängende Textform aus einer Kombination der beiden vorhandenen Teiltexte herzustellen. Der Codex wird mit einem ausgedehnten Prolog eingeleitet, der nach *Kramer* aus drei Teilen besteht, einem theologischen, einem historischen und einem ethischen. Wir wollen hier lediglich die soziale Gesinnung beachten, die den sumerischen König nach seinen eigenen Worten geleitet hat. Er stellt fest:

»Die Waise ist dem Reichen nicht überlassen worden, die Witwe ist dem Mächtigen nicht ausgeliefert worden, der ›Mann eines Schekels‹ ist dem ›Mann einer Mine‹ nicht übergeben worden.«

(Schekel und Mine sind Gewichts- bzw. Münzeinheiten. Der Wert wechselte stark. Für die ältere Zeit kann man davon ausgehen, daß 60 Schekel eine Mine ergeben. Ein Schekel entspricht etwa 8 Gramm.)

Vom Codex selbst, der mindestens 22 Bestimmungen enthielt, sind nur wenige so weit erhalten, daß sich ihr Sinn zweifelsfrei feststellen läßt, aber auch diese sind nicht völlig unversehrt auf uns gekommen. Hingewiesen sei auf § 10, in dem es darum geht, daß jemand der Zauberei beschuldigt wird. Der Beschuldigte muß sich einem Wasserordal unterziehen, das seine Schuld oder Unschuld erweist. Wir werden demselben Rechtsfall in CH § 2 wieder begegnen. Dort wird auch geregelt, was zu geschehen hat, wenn die Beschuldigung sich als haltlos erweist (vgl. unten S. 69 f.). Da CU § 10 am Ende eine Lücke aufweist, ist nicht zu sagen ob hier ebenfalls eine entsprechende Strafe vorgesehen war. Es ist aber anzunehmen. Es sei ausdrücklich darauf hingewiesen, daß die hier vorgetragene, von *Kramer* entwickelte Deutung inzwischen von *Finkelstein* durch eine neue Textkombination in Frage gestellt worden ist, vgl. JCS 22, 68 und 74; ANET, 524.

Einige der erhaltenen Rechtsbestimmungen befassen sich mit Körperverletzungen. Ein Beispiel:

»Wenn ein Mann mit einer Keule den Knochen eines anderen zertrümmert hat, so soll er eine Mine Silber zahlen« (§ 17).

Hier wird für eine Körperverletzung eine Geldzahlung als Buße festgesetzt. Auffallenderweise verfährt der CU also nicht nach dem Talionsprinzip, was in dem wesentlich jüngeren Codex Hammurabi in vergleichbaren Fällen ganz massiv geschieht. Man hat darin oft einen rechtshistorischen Rückschritt des Codex Hammurabi gesehen, der vielleicht mit der besonderen Abzweckung des Codex Hammurabi erklärt werden kann, doch vgl. dazu auch unten S. 114 f.

In dem zitierten Text begegnet uns zum ersten Mal die für das altorientalische Recht charakteristische Formung der Rechtssätze. In ihrer ganz überwiegenden Mehrzahl sind altorientalische Gesetze, so wie es dieses frühe Beispiel zeigt, konditional formuliert. Der Wenn-Stil ist ein typisches Merkmal. In sumerischen Texten werden demgemäß die einzelnen

Rechtssätze durch *tukumbi* (wenn) eingeleitet, in den späteren akkadischen Texten erfüllt das Wort *šumma* dieselbe Funktion. Der Bedingungssatz enthält mit seiner Darstellung des Rechtsfalls die Tatbestandsdefinition, der anschließende Hauptsatz ordnet ihr eine bestimmte Rechtsfolge zu (Rechtsfolgebestimmung). *A. Alt* hat die so aufgebauten Rechtsbestimmungen »kasuistisch formuliertes Recht« genannt, vgl. dazu unten S. 129 ff.

Obwohl der Codex des Königs Ur-Nammu nur in Fragmenten erhalten ist, kann er als eine beachtliche Leistung altorientalischer Gesetzgebung angesehen werden, hinter der bereits eine Rechtstradition zu vermuten ist. Neue Funde mögen erweisen, daß CU keineswegs der älteste Codex war.

Knapp zwei Jahrhunderte jünger ist der Codex des Königs Lipit-Ischtar von Isin (etwa 1875–1864 v.Chr.).

Lit.: *A. Falkenstein – M. San Nicolò*, Das Gesetzbuch Lipit-Ištars von Isin: Or NS 19 (1950) 103–118; *Haase*, Einführung, 20–21; *V. Korošec*, Über die Bedeutung der Gesetzbücher von Ešnunna und von Isin für die Rechtsentwicklung in Mesopotamien und Kleinasien: Proceedings of the 22nd Congress of Orientalists, Istanbul 15.–22. 9. 1951 (1953) 83–91; *F. R. Steele*, The Code of Lipit-Ishtar: AJA 52 (1948) 425–450; *E. Szlechter*, Le code de Lipit-Ištar (I): RA 51 (1957) 57–82 (Transkription und Übersetzung); *ders.*, Le code de Lipit-Ištar (II): RA 51 (1957) 177–196 (Kommentar).
Übersetzungen: ANET, 159–161 (*S. N. Kramer*); *Haase*, Rechtssammlungen, 17–20.

Wie der CU ist der CL in sumerischer Sprache abgefaßt. Das macht seine Übersetzung und Deutung wesentlich schwieriger als es bei den späteren in akkadischer Sprache geschriebenen Gesetzeswerken der Fall ist. Der Codex besitzt einen ausführlichen Prolog und Epilog. Im Prolog nennt sich Lipit-Ischtar einen weisen, an anderer Stelle einen demütigen Hirten, dessen Absicht es ist, Mißstände zu beseitigen und Sumerern wie Akkadern ein glückliches Leben zu ermöglichen. Der Codex selbst, von dem höchstens ein Fünftel erhalten ist, beschäftigt sich mit den verschiedensten Rechtsgebieten. Im Vordergrund stehen personen- und vermögensrechtliche Bestimmungen. Die §§ 20–27. 31–33 behandeln das Erbrecht, dazwischen stehen einige Bestimmungen zum Eherecht, §§ 28–30. Andere Abschnitte befassen sich mit Gartenbau und Gartenfrevel, §§ 7–10.

Drei Paragraphen behandeln Fälle des Sklavenrechts. Im gesamten altorientalischen Bereich ist die Regelung von Fragen, die sich aus der Existenz von Sklaven ergeben, ein wichtiges und vielverhandeltes Problem. Hier sei als Beispiel CL §§ 12–13 zitiert:

»Wenn eine Sklavin oder ein Sklave eines Mannes in das Herz der Stadt geflohen ist, und es ist festgestellt worden, daß er (oder sie) einen Monat lang im Hause eines (anderen) Mannes sich aufgehalten hat, dann gibt der (andere) Sklaven für Sklaven« (§ 12).

»Wenn er keinen Sklaven hat, gibt er 15 Schekel Silber« (§ 13).

Diese Bestimmungen schützen das Eigentum des Sklavenbesitzers und bedrohen denjenigen, der einem entlaufenen Sklaven Unterschlupf gewährt, mit dem Verlust eines eigenen Sklaven bzw. mit einer entsprechenden Geldzahlung. Eine andere Bestimmung aus diesem Sachbereich eröffnet dem Sklaven die Möglichkeit, sich freizukaufen. Er muß in diesem Fall den doppelten Sklavenkaufpreis an seinen Herrn bezahlen. Besonderes Interesse verdient schließlich noch eine Bestimmung, die sich mit fälschlich erhobener Anklage befaßt. Wenn auch die Übersetzung gerade dieses Passus (§ 17) noch unklar ist, so ist doch so viel deutlich, daß der falsche Ankläger mit eben der Strafe bedroht wird, die den Beschuldigten getroffen hätte.
Von den Bestimmungen des Eherechts sei eine zitiert. Auch sie ist noch nicht zweifelsfrei gedeutet. Sie belegt das Recht des Mannes, eine zweite Frau zu heiraten, ist aber zugleich eine Schutzbestimmung für die erste Frau.

»Wenn ein Mann das Gesicht von seiner ersten Frau abgewandt hat, . . . sie aber das Haus nicht verlassen hat, dann ist seine Frau, die er als Favoritin geheiratet hat, die zweite Frau, er wird seine erste Frau weiterhin unterhalten« (§ 28).

Abgesehen von den bereits genannten Strafsätzen sind im erhaltenen Textteil des Codex nur noch wenige Strafbestimmungen notiert. Verhältnismäßig milde wird Gartenfrevel geahndet, nämlich mit einer Geldbuße von 10 Schekeln Silber (§ 9). Die Strafsumme erhöht sich auf den dreifachen Betrag, wenn der Übeltäter in einem fremden Garten einen Baum umgehauen hat (§ 10, dieselbe Strafsumme wird in CH § 59 festgesetzt). Hingewiesen sei noch auf CL § 11, wo eine bemerkenswerte Schadenshaftung vorgesehen ist. Vorausgesetzt ist, daß ein Grundstückseigner sein Grundstück trotz entsprechender Aufforderung ungesichert liegen läßt und dadurch einen Einbruch in das Haus seines Nachbarn erleichtert. In diesem Fall muß der nachlässige Grundstückseigner den durch einen Einbruch im Haus des Nachbarn entstandenen Schaden voll ersetzen. Besitz bringt also auch Verantwortung mit sich. Man kann mit seinem Besitz nicht völlig beliebig verfahren, die Auswirkungen auf den Nachbarn sind zu berücksichtigen.

In unserem Überblick haben wir schließlich noch den Codex von Eschnunna zu erwähnen.

Lit.: A. *Goetze*, The Laws of Eshnunna: AASOR 31 (1956); *Haase*, Einführung, 22;

V. *Korošec*, Über die Bedeutung der Gesetzbücher von Ešnunna und von Isin für die Rechtsentwicklung in Mesopotamien und Kleinasien: Proceedings of the 22nd Congress of Orientalists, Istanbul 15.–22. 9. 1951 (1953) 83–91; *H. Petschow*, Zur »Systematik« in den Gesetzen von Eschnunna: Festschr *M. David* II (1968) 131–143; *M. San Nicolò*, Rechtsgeschichtliches zum Gesetz des Bilalama von Ešnunna: Or NS 18 (1949) 258–262; *W. v. Soden*, Kleine Beiträge zum Verständnis der Gesetze Hammurabis und Bilalamas: ArOr 17 (1949) 359–373; *R. Yaron*, The Laws of Eshnunna (1969).
Übersetzungen: ANET, 161–163 (*A. Goetze*); *Haase*, Rechtssammlungen, 9–16.

In den Jahren 1945 und 1947 wurden in Tell Ḥarmal, am Stadtrand von Bagdad gelegen, zwei Tontafeln mit dem Text des CE ausgegraben und alsbald veröffentlicht. Die beiden Tontafeln befinden sich heute im Iraq-Museum. Man hat diese Rechtssammlung eine Zeitlang mit dem König Bilalama von Eschnunna in Verbindung gebracht und käme damit etwa in die Zeit um 1920 v.Chr. Inzwischen hat sich herausgestellt, daß der CE jüngeren Datums ist und in die Nähe der Hammurabizeit gehört. Der Codex dürfte nur um wenige Jahre oder Jahrzehnte älter sein als der Codex Hammurabi. Es handelt sich um die erste Rechtssammlung, die in akkadischer Sprache geschrieben ist. Die andere Sprache bedeutet jedoch keineswegs einen Bruch mit der vorangehenden Rechtstradition, vielmehr sind die Verbindungslinien zum vorausgehenden sumerisch geschriebenen Recht unverkennbar.

Mehr noch als es bei den anderen altorientalischen Gesetzeswerken der Fall ist, hat man dem CE einen Mangel an Systematik und Vollständigkeit vorgeworfen. Aber so völlig ungeordnet bietet sich der CE dem Leser nun doch nicht dar, besonders wenn man darauf verzichtet, eine moderne Rechtssystematik zu erwarten und eine völlig anders geartete altorientalische Rechtssystematik anerkennt (*H. Petschow*). Schließlich ist Vollständigkeit beim CE so wenig intendiert wie bei den anderen vergleichbaren Gesetzeswerken. Die im Codex behandelte Rechtsmaterie ist jedenfalls bunt genug. Da geht es um Tarifbestimmungen und Löhne, um Familienrecht und Körperverletzungen, um Sklavenrecht, Obligationenrecht und anderes mehr. Hier kann nur auf einen kleinen Teil der insgesamt 60 Paragraphen des Gesetzeswerkes eingegangen werden. Es ist zu berücksichtigen, daß nicht alle dargebotenen Übersetzungen unangefochten sind.

Auffallenderweise stehen am Anfang des Codex eine Reihe von Preisregelungen und die Festsetzung bestimmter Mietpreise und Löhne. Ähnliche Sachverhalte werden auch im weiteren Verlauf des Textes noch mehrfach aufgegriffen. Die Belange des Wirtschaftslebens sind für diesen Codex also von besonderer Bedeutung. Die Zahlungen werden z. T. in Getreide, z. T. in Silber festgesetzt. *V. Korošec* hat deshalb vermutet, daß der CE aus einer Zeit stammt, in der sich »der Übergang von der Natural- zur Geldwirtschaft vollzog« (Keilschriftrecht, 87). Es ist aber zu beachten, daß der Codex eine im wesentlichen landwirtschaftlich tätige

Bevölkerung vor Augen hat, und in diesem Bereich ist das Nebeneinander von Natural- und Geldwirtschaft grundsätzlich nichts Außergewöhnliches, vgl. R. Yaron, 148. Für moderne Begriffe sind bei Darlehensaufnahme erstaunlich hohe Zinsen zu entrichten. Der Zinsfuß betrug bei Darlehen in Silber 20%, bei Darlehen in Getreide 33 1/3% im Jahr (§ 18A).

Acht Rechtsbestimmungen behandeln Fälle aus dem Eherecht. Die Rechtssätze setzen die Kaufehe voraus, die durch einen Ehevertrag besiegelt wird, ohne daß dieser alltägliche Rechtsvorgang im Codex ausdrücklich erwähnt würde. Die grundlegende Bedeutung des Ehevertrages, der zwischen den Eltern der Braut und dem Bräutigam abgeschlossen wird, belegt § 27. Ohne Ehevertrag wird eine Frau auch nach einjähriger Hausgemeinschaft nicht als Ehefrau betrachtet.

»Wenn ein Mann die Tochter eines anderen nimmt, ohne ihren Vater und ihre Mutter zu fragen, und er auch kein Hochzeitsmahl veranstaltet und keinen förmlichen Ehevertrag mit ihrem Vater und ihrer Mutter abgeschlossen hat, selbst wenn sie ein Jahr in seinem Hause gelebt hat, ist sie nicht seine (rechtmäßige) Ehefrau« (§ 27).

Für zwei Fälle wird innerhalb der eherechtlichen Bestimmungen des CE die Todesstrafe angedroht. Die bei einem Ehebruch ertappte Ehefrau erwartet die Todesstrafe (§ 28). Der andere Fall betrifft die Vergewaltigung eines verlobten Mädchens.

»Wenn ein Mann für die Tochter eines anderen den Brautpreis gezahlt hat, aber ein anderer – ohne ihren Vater und ihre Mutter zu fragen – sie gewaltsam ergriffen und sie defloriert hat, so ist das ein Kapitalverbrechen, und der Täter muß sterben« (§ 26).

Eine Rechtsbestimmung des CE befaßt sich mit der Ehescheidung. Es handelt sich um den viel besprochenen § 59, eine wahre *crux interpretum*, dessen Verständnis nicht zuletzt deshalb so unsicher ist, weil der lückenhafte Text von den Experten auf sehr verschiedene Weise rekonstruiert worden ist, vgl. die ausführliche Diskussion der Problematik bei Yaron, 137–145.

»Wenn ein Mann seine Frau verstößt, nachdem er sie Söhne hat gebären lassen, und eine andere Frau nimmt, so soll er aus seinem Hause und aus all seinem Vermögen vertrieben werden, und hinter der Frau, die er liebt, soll er fortgehen« (§ 59).

Wenn die vorgetragene Übersetzung im wesentlichen das Richtige trifft, dann haben wir hier eine höchst erstaunliche Rechtsbestimmung zugunsten der Frau vor uns. Vorausgesetzt ist dabei natürlich, daß sich die Frau nichts hat zuschulden kommen lassen; auch muß sie Kinder geboren haben.

Abgesehen von den beiden genannten Bestimmungen aus dem Bereich des Eherechts (§§ 26.28), wird noch an vier weiteren Stellen des CE die

Todesstrafe verfügt. Zwei behandeln bestimmte Vorgänge, die zum Tod eines Menschen führen (§§ 24.58), die beiden anderen schützen das Eigentum (§§ 12.13).

»Ein Mann, der auf dem Feld eines *muschkēnum* innerhalb der Einzäunung tagsüber ergriffen wird, gibt zehn Schekel Silber. Derjenige, welcher in der Nacht innerhalb der Einzäunung ergriffen wird, stirbt; er lebt nicht länger« (§ 12). (Zum Begriff *muschkēnum* siehe unten S. 66 f.)

»Ein Mann, der im Haus eines *muschkēnum* tagsüber ergriffen wird, gibt zehn Schekel Silber. Derjenige, welcher in der Stadt im Hause ergriffen wird, stirbt; er lebt nicht länger« (§ 13).

Bei diesen beiden Rechtssätzen hat die Strafformulierung besondere Beachtung gefunden. Dieselbe Wendung begegnet innerhalb des CE noch an einer dritten Stelle, in dem oben bereits erwähnten § 28. Es hat den Anschein, als ob bei diesen drei Fällen gar nicht an die Durchführung eines ordentlichen Gerichtsverfahrens gedacht ist, als ob vielmehr der Betroffene zu sofortiger Selbsthilfe und damit zur Selbstjustiz ermuntert und ermächtigt wird. In der englischen Übersetzung von A. *Goetze* ist diese Anschauung noch deutlicher zum Ausdruck gebracht: »he . . . shall die, he shall not get away alive« (ANET, 162). Die Art der Vergehen kommt dieser Deutung zweifellos entgegen, vgl. im übrigen die Diskussion dieser Frage bei *Yaron*, 173.

Die §§ 12 und 13 legen den Vergleich mit einem alttestamentlichen Rechtssatz nahe, bei dem ebenfalls unterschieden wird, ob eine Tat bei Tag oder bei Nacht erfolgt, wie auch in ganz anderen Rechtsgestaltungen die Nacht als Tatzeit eine besondere Bewertung hervorruft, vgl. dazu *Yaron*, 182.

»Falls der Dieb beim Einbruch angetroffen und geschlagen wird, so daß er stirbt, so entsteht für ihn (d. h. für den Totschläger) keine Blutschuld. Falls die Sonne über ihm aufgegangen ist, so entsteht für ihn Blutschuld« (Ex 22,1–2a).

Der Unterschied zu CE § 12 sollte aber nicht übersehen werden. Die alttestamentliche Bestimmung nimmt die Tötung als berechtigte Notwehr hin, während der Eschnunnatext direkt dazu aufzufordern scheint. Auch in anderer Hinsicht sind CE §§ 12 und 13 und Ex 22,1–2a voneinander unterschieden. Der alttestamentliche Text geht davon aus, daß es sich um einen wirklichen Einbruch handelt, der Einbrecher wird als Dieb bezeichnet, die mesopotamische Bestimmung hat zunächst nur das Eindringen in das fremde Eigentum im Auge, von Diebstahl ist noch gar keine Rede. So wird auch die generelle Straffestsetzung von zehn Schekeln verständlich, die im anderen Fall sicherlich nach dem Wert des gestohlenen Gutes differenziert wäre. Im Vergleich zum alttestamentlichen Rechtssatz wird man also sagen können, daß im CE der Schutz des

Eigentums wesentlich stärker vertreten wird. CE bereitet damit den späteren Codex Hammurabi geradlinig vor. Wie schon im CU werden auch im CE verschiedene Fälle von Körperverletzungen normiert. Es handelt sich um die §§ 42–47, von denen hier vier zitiert werden sollen.

»Wenn ein Mann die Nase eines anderen gebissen und abgerissen hat, so gibt er eine Mine; für ein Auge gibt er eine Mine; für einen Zahn gibt er eine halbe Mine; für ein Ohr gibt er eine halbe Mine; für eine Ohrfeige gibt er zehn Schekel Silber« (§ 42).

»Wenn ein Mann den Finger eines anderen abgerissen hat, gibt er eine zweidrittel Mine Silber« (§ 43).

»Wenn ein Mann einen anderen im Streit zu Boden geworfen hat und dessen Hand bricht, gibt er eine halbe Mine Silber« (§ 44).

»Wenn ein Mann einen anderen zufällig (?) verletzt, gibt er zehn Schekel Silber« (§ 47).

Allen zitierten Rechtsbestimmungen ist gemeinsam, daß sie sich auf Körperverletzungen beziehen, die sich zwischen gleichgestellten Vollbürgern ereignen. Bemerkenswert ist es, daß auch hier wie im CU für Körperverletzungen eine Geldbuße festgesetzt wird, während der CH in entsprechenden Fällen das Talionsprinzip anwendet, vgl. dazu unten S. 106 ff. und S. 114. In den §§ 42 und 43 wird auf nähere Umstände nicht eingegangen, unter denen es zu der Verletzung gekommen ist. § 44 nennt dagegen das sicher recht häufige Vorkommnis einer tätlichen Auseinandersetzung. § 47 läßt den Charakter der Verletzung völlig offen.

Beachtung. In CE § 48 wird festgesetzt, daß Rechtsfälle mit Strafsätzen zwischen 1/3 Mine und 1 Mine vor dem gewöhnlichen Gericht zu verhandeln sind, während Kapitalverbrechen vor das Königsgericht gehören. Eine derartige Zuständigkeitsvorschrift findet sich nicht noch ein zweites Mal innerhalb der keilschriftlichen Rechtsüberlieferung. Man wird aber annehmen können, daß grundsätzlich wohl überall in ähnlicher Weise verfahren wurde. Der CE selbst verfügt noch an einer anderen Stelle die Zuständigkeit des Königsgerichts.

»Wenn eine Mauer einzustürzen drohte und das ›Tor‹ den Eigentümer der Mauer es hat wissen lassen und wenn er trotzdem seine Mauer nicht verstärkt hat, die Mauer vielmehr einstürzt und den Tod eines freien Mannes verursacht, dann ist es ein Kapitalverbrechen, und die Sache fällt unter die Zuständigkeit des Königs« (§ 58).

Das hier und im folgenden mit »Tor« übersetzte akkadische Wort *bābtum* hat im Zusammenhang von Rechtstexten eine spezielle Bedeutung. Die Grundbedeutung »Tor« im Sinn von »Stadttor« ist in diesen Fällen erweitert. *bābtum* heißt dann soviel wie »Stadtbezirk« (in den englischen Übersetzungen steht »district«, »quarter« oder »ward«). Gemeint ist die organisierte Gemeinschaft der Bewohner eines Stadtbezirks, die zu einem bestimmten Tor gehört, und der bestimmte Rechtskompetenzen zukommen. In dieser Bedeutung wird *bāb-tum* auch dreimal im Codex Hammurabi gebraucht, vgl. §§ 126.142.251. Zur weiteren Information vgl. *Driver-Miles* I, 241–245.

Auch an dieser Bestimmung wird deutlich, daß für bestimmte Verfahren der König direkt zuständig war.

Kapitel IV

Der Codex Hammurabi

1. Hammurabi von Babylon und seine Zeit

Lit.: *D. O. Edzard*, Die »zweite Zwischenzeit« Babyloniens (1957); *F. M. Th. de Liagre Böhl*, King Hammurabi of Babylon in the Setting of his Time: Opera Minora (1953) 339–363; *A. Moortgat*, Geschichte Vorderasiens bis zum Hellenismus, in: *Scharff-Moortgat*, Ägypten und Vorderasien im Altertum (1950), bes. 290–317; *H. Schmökel*, Hammurabi von Babylon. Die Errichtung eines Reiches (1971); *W. v. Soden*, Herrscher im Alten Orient (1954), bes. 45–58.

Der Codex Hammurabi markiert den Höhepunkt der altorientalischen Rechtsgeschichte. Das gilt unbeschadet der Abstriche, die sich die erste enthusiastische Beurteilung dieses Werkes heute gefallen lassen muß. Der »älteste Gesetzgeber der Weltgeschichte«, wie man eine Zeitlang meinte, war Hammurabi nicht. Seine Bedeutung für das altorientalische Rechtsdenken und damit für die Rechtsgeschichte kann trotzdem kaum überschätzt werden. Der babylonische König Hammurabi gehört für alle Zeiten zu den großen Männern der Weltgeschichte.

Ein Werk wie der CH entsteht nicht zufällig. Es bedarf schon besonderer Vorbedingungen, damit es zustande kommen kann. Zwar ist der babylonische König einer breiten Öffentlichkeit fast ausschließlich im Zusammenhang mit dem nach ihm benannten Gesetzescodex bekannt, Hammurabi verdient es aber, auch als politische Figur der altorientalischen Geschichte gewürdigt zu werden. Da sein Gesetzeswerk nur im Zusammenhang der politischen Geschichte möglich war und zu verstehen ist, sei hier ein kurzer Blick auf die Geschichte des Königs Hammurabi und seine Zeit der Behandlung seines Gesetzeswerks vorangestellt; zur weiteren Information sei vor allem auf *H. Schmökels* Darstellung verwiesen. Der historischen Orientierung mag der folgende knappe Überblick über die wichtigsten Daten der altorientalischen Geschichte im Bereich des Zweistromlandes dienen. Die Zeittafel ist dem Buch von *Schmökel* entnommen (109).

Kurz vor 3000	Eindringen der Sumerer ins Zweistromland
3000 – 2800	Uruk Zeit
2800 / 2700	Djemdet Nasr-Zeit

2600	Mesilim-Zeit – Erste Semiteneinbrüche, erster lesbarer sumerischer Text
2500	1. Dynastie von Ur (Ur I-Zeit)
2350 – 2150	Die Akkad-Kaiser – Erstes semitisches Großreich
2150 – 2070	Gutäerzeit – Einfall eines barbarischen Volkes aus dem Norden
2050 – 1955	3. Dynastie von Ur (Ur III-Zeit)
1970 – 1729	Dynastie von Isin – Einrücken der »Westsemiten«
1960 – 1698	Dynastie von Larsa
1830 – 1530	1. Dynastie von Babylon
1728 – 1686	Hammurabi
1530 – 1200	Kassitenzeit – Einbruch eines Fremdvolkes aus dem Norden
1128 – 1105	Nebukadnezar I. von Babylon
1100 – 612	Assyrische Vorherrschaft
625 – 539	Neubabylonisches (chaldäisches) Reich – Einrücken der Aramäer
605 – 562	Nebukadnezar II.
555 – 539	Nabonid

12. Oktober 539 Eroberung Babylons durch den Perserkönig Cyrus.

Die absolute Chronologie der altorientalischen Geschichte ist für die ältere Zeit bis heute kontrovers. Darauf braucht hier nicht näher eingegangen zu werden. Hingewiesen sei aber darauf, daß die Ansetzung des babylonischen Königs Hammurabi ins 20. Jahrhundert (1955–1913 v.Chr.), wie sie von E. *Weidner* angenommen und in der älteren Literatur weitgehend vertreten worden ist, heute allgemein als überholt gilt. Die hier übernommene Fixierung Hammurabis auf die Jahre 1728–1686 v.Chr. stammt von W. F. *Albright*, BASOR 88 (1942) 28–36. Sie wird heute von vielen akzeptiert, unbestritten ist aber auch sie nicht.

Als Hammurabi im Jahre 1728 v.Chr. als Nachfolger seines Vaters Sinmuballit den Thron bestieg, wurde er König eines verhältnismäßig unbedeutenden Staates. Babylon war damals einer von den zahlreichen Kleinstaaten im mesopotamischen Raum. Hammurabi war der 6. Vertreter der sogenannten altbabylonischen Dynastie, die sich seit etwa 1830 v.Chr. in Babylon festgesetzt und im Laufe eines Jahrhunderts eine gewisse Konsolidierung des um die Königsstadt Babylon gelegenen Kleinstaates erreicht hatte. Es bedurfte schon des erheblichen diplomatischen und militärischen Geschicks Hammurabis, sich im Kreise der ähnlich starken, z. T. aber auch wesentlich stärkeren Staaten nicht nur zu behaupten, sondern schließlich die beherrschende Stellung in der damaligen altorientalischen Welt zu erringen. Und genau das ist ihm im Laufe seiner 43-jährigen Regierungszeit gelungen.
Die außenpolitische Situation in den ersten Jahren der Regierung Ham-

murabis war für den babylonischen König vor allem durch den Staat
Larsa im Süden – dort regierte der einflußreiche König Rimsin –
Eschnunna und das assyrische Reich im Norden bestimmt. Das sogenannte »altassyrische Reich« befand sich am Ende des 18. Jahrhunderts
v.Chr. unter dem fähigen König Schamschiadad auf dem Höhepunkt
seiner Machtentfaltung. In dieser Lage war für Hammurabi zunächst
äußerste außenpolitische Zurückhaltung geboten. Hammurabi, der
zweifellos ein ehrgeiziger und zielstrebiger Herrscher war, verstand es,
den richtigen Zeitpunkt für seine Maßnahmen abzuwarten. Er über-
stürzte nichts. Er besaß damit eine Tugend, die für den Politiker aller
Zeiten von entscheidender Bedeutung ist. Von militärischen Unternehmungen hören wir in den ersten Jahren seiner Regierungszeit nichts. Es
kam alles darauf an, sich durch eine geschickte Koalitionspolitik im Kreis
der etwa gleichstarken Königtümer zu behaupten und langsam nach
vorn zu schieben. Ein zeitgenössischer Text, den *D. O. Edzard* »den lo-
cus classicus für die Bedeutung des altbabylonischen Koalitionswesens«
genannt hat, macht die Situation sehr schön klar.

»Es gibt keinen König, der für sich mächtig wäre; hinter Hammurabi von Babylon folgen
10, 15 Könige, ebenso viele hinter Rimsin von Larsa, ebensoviele hinter Ibalpiel von
Eschnunna, ebenso viele hinter Amütpiel von Quatānum; hinter Jarimlim von Jamchad
folgen sogar 20 Könige« (zitiert nach *Edzard*, 183).

Die ersten Jahre Hammurabis haben im wesentlichen kultischen, wirtschaftlichen und sozialen Aktivitäten gegolten. Eine wichtige Quelle für
die altorientalische Geschichte sind die Jahresformeln, in denen die altorientalischen Könige ihre Regierungsjahre nach besonders erwähnens-
werten Ereignissen benennen. Die Jahresformel des 2. Regierungsjahres
Hammurabis lautet: »Er stellte das Recht im Lande her.« Diese Formel
bezieht sich mit Sicherheit nicht auf die Erstellung seines berühmten Gesetzeswerkes, sie belegt aber, daß sich Hammurabi von Beginn seiner
Regierung an um die innere Ordnung seines Staates gekümmert hat. Er
wußte, daß dauerhafte außenpolitische Erfolge nur auf der Grundlage
einer gesicherten Ordnung im Inneren errungen werden konnten, und
er hat sich – das bezeugen zahllose Urkunden – unermüdlich um die ver-
schiedenartigsten Vorgänge in seinem Herrschaftsbereich gekümmert.
»Nur ganz vereinzelte große Herrschergestalten, Karl der Große oder
Augustus, lassen sich in ihrer allumfassenden Arbeitskraft, in ihrem
sorgenden Verantwortungsgefühl mit ihm vergleichen«, schreibt
A. Moortgat, 295.
Die erste Andeutung über ein militärisches Ereignis findet sich in der
Jahresformel des 7. Regierungsjahres Hammurabis. Es spricht allerdings
manches dafür, daß sich die genannte Notiz nicht auf eine Konfrontation
mit einem Nachbarstaat bezieht, sondern eher eine Auseinandersetzung
mit Beduinenstämmen im Auge hat. Derartigen Auseinandersetzungen

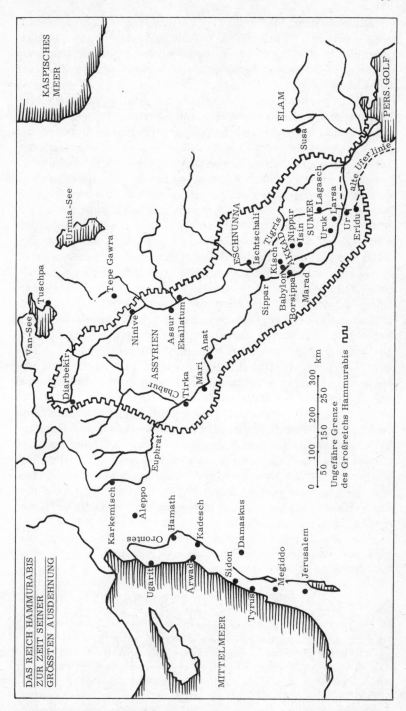

DAS REICH HAMMURABIS
ZUR ZEIT SEINER
GRÖSSTEN AUSDEHNUNG

Ungefähre Grenze
des Großreichs Hammurabis

km
0   50 100 150 200 250 300

KASPISCHES MEER

PERS. GOLF

ELAM

Susa

alte Uferlinie

ESCHNUNNA

Ischtschali

Tigris

SUMER

Lagasch

Uruk   Larsa

Ur   Eridu

Sippar   Kisch   AKKAD
Babylon   Nippur
Borsippa   Isin
Marad

Urmia-See

Tepe Gawra

Ninive   ASSYRIEN

Assur
Ekallatum

Van-See

Tuschpa

Diarbekir

Chabur   Tirka

Mari   Anat

Euphrat

Karkemisch

Aleppo

Hamath   Kadesch

Damaskus

Orontes

Ugarit

Arwad   Sidon

Tyrus   Megiddo

Jerusalem

MITTELMEER

waren damals mehr oder weniger alle Staaten des Zweistromlandes ausgesetzt. Sie gehören in den Zusammenhang der jahrhundertelang an-
dauernden Wanderungsbewegung der Westsemiten, die aus dem Raum
der nordarabischen Steppengebiete auf das mesopotamische Kulturland
vordrangen.

Zehn Jahre hat Hammurabi gewartet, ehe er sich in das politische Kräfte-
spiel der Staatenwelt Mesopotamiens einschaltete. Er tat es zu dem Zeitpunkt, als die assyrische Macht sich aufzulösen begann und verstärkte
sein Vorgehen, als diese Macht nach dem Tode Schamschiadads praktisch zu bestehen aufhörte. Von besonderer Bedeutung für die nächsten
Jahre war, daß es Hammurabi gelang, in dem König Zimrilim von Mari
einen gewichtigen Bundesgenossen zu gewinnen. Über zwanzig Jahre
lang hat die freundschaftliche Beziehung zu Zimrilim bestanden und
ermöglichte dem babylonischen König, sich in wechselvollen, aber aufs
ganze gesehen sehr zielgerichteten Unternehmungen zum Herrn über
den Süden und die Mitte des Zweistromlandes zu machen.

Die Königsstadt Mari hat seit einigen Jahrzehnten für die altorientalische Geschichtsforschung dadurch noch eine besondere Bedeutung er-
langt, daß wir ihr die wichtigsten Quellen der Geschichte Mesopotamiens für diesen Zeitraum verdanken. Seit man im Jahre 1933 begonnen
hat, den Königspalast von Mari auszugraben – Mari heißt heute Tell Ḥa-
riri und liegt etwa 400 km nordwestlich von Babylon am mittleren
Euphrat –, gewinnt die Geschichte des Zweistromlandes eine ganz neue
Farbe und Durchsichtigkeit. Ungezählte Königsbriefe, Diplomatenbe-
richte und andere Dokumente sind in den Archiven von Mari gesammelt
worden, vgl. ARM, 9 Bände (1946–1960). Einen einführenden Überblick über die Bedeutung dieses Materials gibt *W. von Soden*, Das altbabylonische Briefarchiv von Mari: WO 1 (1947–1952) 187–204. Wir
können auf diese Dinge hier nicht im einzelnen eingehen, wollen lediglich einen Eindruck davon vermitteln, wie detailliert die Berichterstat-
tung zwischen den Königsresidenzen damals schon war. Der zitierte
Text zeigt gleichzeitig, daß das diplomatische Prestigedenken bereits
eine uralte Sache ist.

Der Gesandte Zimrilims in Babylon schreibt an seinen Auftraggeber: » . . . Als wir uns
zum Gastmahl in den Hof des Palastes Hammurabis begaben, legte man uns – Zimriadad,
mir, Jarimadad und den Leuten von Jamchad – Festkleider an, die Diener meines Herrn, die
sikkum-Leute, aber bekleidete man nicht. Ich beschwerte mich bei Sinbēlaplim darüber,
daß man mit uns eine Ausnahme mache, als ob wir Räuber seien. Wessen Diener wir denn
wären? Die sikkum-Leute waren empört und verließen den Hof des Palastes, wonach man
den Vorgang Hammurabi meldete. Daraufhin hat man auch ihnen Festkleider angelegt . . . Hammurabi hat jedoch geäußert: ›Ich lasse mit Festgewändern bekleiden, wer mir
paßt, und werde den Gesandten, die zum Gastmahl erscheinen, überhaupt keine Festkleider mehr geben!‹ . . .« (ARM II, 76; zitiert nach *Schmökel*, 10).

Doch kehren wir zu Hammurabis außenpolitischen Maßnahmen zurück. Die Jahresformeln der Jahre 30–33 seiner Regierungszeit markieren den entscheidenden Durchbruch. Jetzt gelang es dem König von Babylon, alle Rivalen zu beseitigen und sich selbst zum unbestrittenen Herrn des Zweistromlandes emporzuschwingen. Dazu bedurfte es vor allem der Ausschaltung der Staaten Eschnunna im Norden und Larsa im Süden. Das 30. Jahr brachte eine erste Auseinandersetzung mit Eschnunna und seinen Verbündeten, die mit dem Sieg Hammurabis endete, allerdings noch nicht zur Liquidierung von Eschnunna führte. Bereits im nächsten Jahr wandte sich Hammurabi nach Süden, wo es ihm gelang, einen entscheidenden Sieg über Larsa zu erringen, die Hauptstadt einzunehmen und sich selbst zum Herrn über diesen einst so wichtigen südbabylonischen Staat zu machen. Damit war Hammurabi der unbestrittene Herr des südlichen Zweistromlandes geworden. Er selbst hat seinen Sieg in der Jahresformel seines 31. Regierungsjahres so beschrieben:

»Indem er im Vertrauen auf An und Enlil seinem Heere voranzog, bemächtigte sich Hammurabi mit Hilfe der hohen Kraft, die die großen Götter ihm verliehen hatten, des Landes Emūtbāl und seines Königs Rimsin, . . . und brachte Sumer und Akkad unter seine Botmäßigkeit« (Text nach *Edzard*, 182).

Emūtbāl ist ein anderer Name für Larsa. »Sumer und Akkad« ist die zeitgenössische Bezeichnung für Mesopotamien. Die Könige von Larsa nannten sich – die Realität ein gutes Stück überbietend – »Könige von Sumer und Akkad«.

Jetzt nahm die Entwicklung ein rasantes Tempo an. Im nächsten Jahr kam es zu einem weiteren militärischen Zusammenprall mit Eschnunna und seinen Hilfstruppen. Hammurabi gelang ein imponierender Sieg, durch den dieser wichtige Konkurrent im Norden endgültig ausgeschaltet werden konnte. Im folgenden Jahr griff Hammurabi in Richtung Norden noch weit über das Gebiet Eschnunnas hinaus, denn wir erfahren von einem Sieg Hammurabis über seinen bisherigen Bundesgenossen Zimrilim von Mari und gleichzeitig von erfolgreichen Aktionen gegen das assyrische Stammland. Wie es nach den langjährigen freundschaftlichen Beziehungen zwischen Hammurabi und Zimrilim zu dieser Situation gekommen ist, ist bis heute nicht geklärt. Wir wissen nicht, ob der Anstoß dazu von Zimrilim ausging, dem der Machtzuwachs seines Bundesgenossen im Süden möglicherweise doch so bedrohliche Formen annahm, daß er ihn zu stoppen versuchte, oder ob Hammurabi ohne Rücksicht auf einen bewährten Bündnispartner nunmehr seine gewonnene Macht skrupellos ausspielte, um auch das letzte Hindernis aus dem Weg zu räumen, das ihn von der unumschränkten Herrschaft ganz Mesopotamiens trennte. Wie dem auch sei, das Ergebnis war eindrucksvoll. Hammurabi hatte ein Großreich zusammengefügt, das vom Persischen Golf im Süden bis nach Kurdistan im Norden reichte und damit praktisch ganz Mesopotamien mit seinen Nachbarländern umfaßte. Jetzt konnte er sich mit vollem Recht »König von Sumer und Akkad« nennen. An die Stelle zahlreicher Kleinstaaten war ein Großreich getreten, von dem Hammurabi im Prolog seines Gesetzeswerkes sagt, daß es »innerhalb der Weltenden übermächtig« geworden ist.

Hammurabis Großreich hat nicht lange Bestand gehabt. Unter seinem Sohn und Nachfolger Samsuiluna begannen bereits Auflösung und Niedergang. Es waren innere Schwierigkeiten, mehr aber noch äußere Gegner, die das Großreich zerfallen ließen. Im 9. Jahr Samsuilunas werden zum ersten Mal die Kassiten erwähnt, ein aus dem Osten andringendes Volk, das für die Zukunft die Geschichte Mesopotamiens wesentlich bestimmen sollte. Die altbabylonische Dynastie hat nach Hammurabi noch fünf Könige aufzuweisen. Viel mehr als ihre Namen ist von ihnen nicht bekannt. An die Bedeutung Hammurabis reicht keiner von ihnen auch nur von fern heran.

Aber kehren wir noch einmal zu Hammurabi zurück! In den letzten Jahren seines Lebens hat Hammurabi seine Aufmerksamkeit der inneren und äußeren Konsolidierung seines Reiches gewidmet, das im einzelnen recht verschieden strukturiert war. Wir sahen schon, daß in Hammurabis Regierungstätigkeit von Anfang an die Belange der inneren Ordnung eine nicht unerhebliche Rolle spielten. Sie schieben sich gegen Ende seines Lebens immer stärker in den Vordergrund. In diesen Zusammenhang gehört auch die Erarbeitung seines dann später so berühmt gewordenen Codex. Das soll nicht heißen, daß die Arbeit an diesem Werk erst in diesen letzten Jahren in Angriff genommen wurde, sie wurde aber jetzt intensiviert und schließlich nicht lange vor Hammurabis Tod zum Abschluß gebracht. Wann das genau geschah, ist unbekannt, denn eigenartigerweise wird die Fertigstellung des Codex in keiner der Jahresformeln Hammurabis erwähnt. Der endgültige Text scheint aus den letzten Jahren des Königs zu stammen. Es ist aber anzunehmen, daß über viele Jahre hindurch an dem Gesetzeswerk gearbeitet worden ist, ja daß fast die gesamte Regierungszeit Hammurabis von dieser Arbeit begleitet wurde. Es ist selbstverständlich, daß der König die vielfältige Kleinarbeit, die mit der Erstellung eines derartigen Werkes verbunden war, nicht selbst geleistet hat, sondern daß er damit seine juristischen Fachleute beauftragte. Wir würden heute von einer »juristischen Kommission« sprechen. Daß der Codex das Werk einer Einzelperson ist, ist doch recht unwahrscheinlich, wenn es auch gelegentlich behauptet wird. Hammurabi wird aber die entscheidende Anregung erteilt haben. Man kann auch damit rechnen, daß er sich für den Fortgang der Arbeit laufend interessiert und sie nach Kräften gefördert hat. Schließlich hat er als König das abgeschlossene Werk veröffentlicht.

2. Bedeutung und Aufbau des Codex Hammurabi

Lit.: M. David, The Codex Hammurabi and its Relation to the Provisions of Law in Exodus: OTS 7 (1950) 149–178; G. R. Driver – J. C. Miles, The Babylonian Laws, Vol. I (1952), Vol. II (1955); Haase, Einführung, 22–27; A. Finet, Le code de Hammurapi. Introduction, traduction et annotation (1973); B. S. Jackson, Principles and Cases: The Theft Laws of Ḥammurabi (1972) = Essays in Jewish and Comparative Legal History (1975) 64–74; J. Klíma – H. Petschow – G. Cardascia – V. Korošec, Artikel Gesetze: RLA III (1957–1971) 243–297, bes. der von H. Petschow bearbeitete Teil 255–269; Korošec, Keilschriftrecht, bes. 94–118; P. Koschaker, Rechtsvergleichende Studien zur Gesetzgebung Hammurapis (1917); F. R. Kraus, Ein zentrales Problem des altmesopotamischen Rechts: Was ist der Codex Hammu-Rabi?: Genava NS 8 (1960) 283–296; D. H. von Müller, Die Gesetze Ḥammurabis und ihr Verhältnis zur mosaischen Gesetzgebung sowie zu den XII Tafeln (1903, Neudruck 1975); D. Nörr, Studien zum Strafrecht im Kodex Hammurabi, Diss München 1954; ders., Zum Schuldgedanken im altbabylonischen Strafrecht: ZSS 75 (1958) 1–31; H. Petschow, Zur Systematik und Gesetzestechnik im Codex Hammurabi: ZA NF 23 (1965) 146–172; M. San Nicolò, Beiträge zur Rechtsgeschichte der keilschriftlichen Rechtsquellen (1931); W. v. Soden, Kleine Beiträge zum Verständnis der Gesetze Hammurabis und Bilalamas: ArOr 17 (1949) 359–373; D. J. Wiseman, The Laws of Hammurabi again: JSS 7 (1962) 161–172.
Übersetzungen: ANET, 163–180 (Th. J. Meek); AOT, 380–410 (E. Ebeling); W. Eilers, Die Gesetzesstele Chammurabis: AO 31, Heft 3/4 (1932); Haase, Rechtssammlungen, 23–53.

Nachdem Hammurabis Gesetzeswerk über Jahrtausende hin in Vergessenheit geraten war, wurde es der Weltöffentlichkeit wieder bekannt durch die Stele, die im Winter 1901/02 durch eine französische Expedition in Susa ausgegraben wurde. Inzwischen sind einzelne Bestimmungen bzw. Abschnitte des Codex auch anderweitig entdeckt worden. Entscheidend ist aber nach wie vor die 2,25 m hohe Dioritstele von Susa. Dieses wertvolle antike Dokument befindet sich heute im Louvre in Paris. Zahlreiche Museen haben in ihren altorientalischen Abteilungen genaue Nachbildungen des Steins. Daß die Stele in Susa gefunden wurde, zeugt davon, daß sie schon in alter Zeit eine bewegte Geschichte gehabt hat. Susa war die Hauptstadt des elamitischen Reiches. Heute existiert an der geschichtsträchtigen Stelle nur noch ein unbedeutendes Dorf, aber der seit 1897 wissenschaftlich untersuchte Tell ist ein eindrucksvoller Zeuge für die große Geschichte der einst an dieser Stelle gelegenen Stadt. Wie war es nun möglich, daß die Basaltsäule an diesem etwa 300 km östlich von Babylon gelegenen Ort aufgefunden werden konnte? Schon V. Scheil, der Herausgeber und erste Übersetzer des Codex, hat die wohl richtige Vermutung geäußert, daß sie im Anfang des 12. Jahrhunderts v.Chr. durch den elamitischen König Schutruknachchunte zusammen mit anderem Beutegut von einem Kriegszug ins Gebiet des Zweistromlandes als Siegestrophäe in die eigene Hauptstadt gebracht worden ist. Mit der Stele des berühmten Codex glaubte der Plünderer offenbar, besonders eindrucksvoll sich selbst und seinen Siegeszug nach

Babylonien preisen zu können. Leider aber begnügte er sich nicht damit, das bekannte Dokument in seiner Hauptstadt aufzustellen, er beabsichtigte darüber hinaus, seine Siegestaten ausgerechnet auf der verschleppten Basaltsäule zu verherrlichen. Er ließ auf der Gesetzesstele sieben Kolumnen ausmeißeln, um dafür eine eigene Inschrift anbringen zu lassen. Dazu ist es dann aus unbekannten Gründen nicht gekommen. Dem CH aber fehlen seitdem 35–40 Rechtssätze. Ein Teil dieser Lücke konnte inzwischen durch verschiedene Tontafelfragmente rekonstruiert werden, ein anderer Teil ist bis heute verloren.

Der größte Teil der Gesetzessäule ist mit den Schriftzeichen des Gesetzestextes bzw. des Prologs und Epilogs bedeckt. Darüber hinaus ist sie auf dem oberen Teil der Vorderseite mit einem Relief ausgestattet, das den König Hammurabi darstellt, der von einer vor ihm sitzenden Götterfigur zu seiner Tätigkeit als Gesetzgeber beauftragt wird. Thematisch gehört dieses bekannte Bild in die Tradition der »Einführungsszenen«, die bereits mit der Stele des Ur-Nammu beginnt und auch auf Rollsiegeln häufig belegt ist. Es wird weitgehend angenommen, daß es sich bei der Gottheit um den Sonnengott Schamasch, den Wahrer und Ursprung des Rechts, handelt. Beachtung verdient jedoch eine neuere These, die besagt, daß das Bildwerk den Gott Marduk darstellt.

Wie die älteren altorientalischen Gesetzeswerke, so ist auch der CH mit einem Prolog und einem Epilog versehen. Besonders diesen Abschnitten rühmt man eine hohe dichterische Sprachgestaltung nach. Dieser Teil des Codex geht sicherlich nicht auf die babylonischen Juristen zurück, sondern dürfte das Werk von Hofpoeten sein. Im Prolog – im Urtext ein einziger Satz – erwähnt Hammurabi alle wichtigen Götter des Landes, die ihn zu seinem Tun bevollmächtigt haben. Dabei werden zwei Götter besonders hervorgehoben, Marduk, der Gott Babylons, der im Zuge der Erfolge Hammurabis zu einer bis dahin unbekannten Bedeutung gelangte, und Schamasch, der Wahrer des Rechts und Beschützer aller Unterdrückten. Die in den Rahmenstücken vorhandenen Anspielungen auf die Kriegstaten des Königs sind ein Indiz für die Datierung des Codex in die letzten Lebensjahre Hammurabis.

Unter den zahlreichen Bezeichnungen, mit denen der König auf sich selbst hinweist, fällt besonders die mehrfach gebrauchte Titulatur »der Hirte« auf, die im Alten Orient als Königsepitheton einen besonderen Klang hatte. Hammurabi sagt von sich, daß ihn die Götter dazu ausersehen haben,

»Gerechtigkeit im Lande sichtbar zu machen,
den Ruchlosen und Bösen zu vernichten,
damit der Starke den Schwachen nicht entrechte.«

Der Prolog schließt mit dem Satz:

»Als Marduk, um die Leute zu lenken,
um das Land zu regieren, mich einsetzte,
habe ich Recht und Gerechtigkeit in der Landessprache eingeführt
den Menschen zum Wohlgefallen.«

Der Epilog enthält kurze Segensworte für die Könige, die seine Rechtssätze in Geltung lassen und ausgedehnte Fluchsätze für diejenigen, die
Hammurabis Recht nicht beachten. Noch einmal weist er auf das Ziel
seiner gesetzgeberischen Bemühungen hin, wobei er auch den eigenen
Namen wirkungsvoll ins Licht zu rücken versteht.

»Für die Schwarzköpfigen (so werden die Bewohner Babyloniens bezeichnet)
die Enlil mir geschenkt,
deren Hirtenamt Marduk mir verliehen,
war ich nicht säumig
und legte meine Hände nicht in den Schoß.
Ich suchte ihnen friedliche Stätten,
gewaltige Schwierigkeiten löste ich . . .
Damit der Starke nicht den Schwachen entrechte,
Waise und Witwe ihr Recht bekämen,
habe ich meine kostbaren Worte auf meinen Denkstein geschrieben.
. . .
Der entrechtete Bürger,
der in einen Rechtshandel gerät,
trete vor mein Bildnis
als dem gesetzgebenden König,
und dann lese er meinen Schriftstein
und höre meine kostbaren Worte,
und mein Denkstein kläre seinen Rechtsfall,
sein Urteil soll er finden,
sein Herz soll aufatmen.«

Obwohl Hammurabi sich mit diesen Worten zum Wesen seines Gesetzeswerkes äußert, bleibt doch eine genaue Definition des Charakters seiner Gesetzgebung noch offen. Wir haben bereits oben auf die grundsätzlichen Schwierigkeiten hingewiesen, die die Verwendung des Begriffs
»Gesetz« für eine altorientalische Rechtsbestimmung mit sich bringt
(s.o. S. 46). Ein altorientalischer Codex regelt das Rechtswesen nicht
umfassend und systematisch, er enthält bestimmte Fälle, die man weitgehend als Konfliktfälle bezeichnen kann. Das gilt auch für die umfang-
reichste und juristisch bedeutendste altorientalische Gesetzessammlung, den CH. Damit sind wir genötigt, das Wesen dieser Rechtsbestimmungen noch etwas genauer zu bedenken. Eine Zusammenstellung
wichtiger Definitionen zum Charakter des CH findet sich bei *Haase*,
Einführung, 23. Besonders hingewiesen sei in diesem Zusammenhang
auf die zitierte neuere Arbeit von *F. R. Kraus. Kraus* kommt zu dem Ergebnis, daß hier nicht »Gesetze«, sondern »Urteilssprüche« vorliegen,

»Urteilssprüche« des königlichen Richters Hammurabi. Natürlich verfolgt die Sammlung dieser »Urteilssprüche« einen Zweck, und es wäre unsinnig, sie etwa mit den zahlreichen Urteilen, wie sie sonst ergangen sind, auf eine Stufe zu stellen. *Kraus* selbst schreibt: Hammurabis »sogenannte Gesetze sind Musterentscheidungen, Vorbilder guter Rechtsprechung« (291). Das heißt aber, sie wollen auf die künftige Rechtsprechung einwirken, sie wollen als Musterentscheidungen ernst genommen werden, die Richter sollen sich nach ihnen richten – man vergleiche den oben zitierten Text aus dem Epilog –, und damit kommen sie nun doch in eine gewisse Nähe zu dem, was wir »Gesetze« nennen. So kann man wohl doch bei der eingebürgerten Terminologie bleiben, muß sich dabei allerdings die altorientalischen Gegebenheiten vor Augen halten.

Was aber bezweckte Hammurabi, als er durch sein Gesetzeswerk normierend in die Gesetzgebung eingriff? Es hat sich weitgehend durchgesetzt, sein Gesetzeswerk als Reformgesetz zu bezeichnen. Das ist in gewisser Weise durchaus zutreffend. Dabei ist die Frage, wieweit Hammurabi sich mit seiner Absicht durchsetzte, hier nicht von Bedeutung. Der CH basiert auf Vorgängern, die allerdings an keiner Stelle ausdrücklich genannt werden und auch für keinen Fall, soweit wir Vergleichsmaterial haben, unverändert übernommen worden sind. Eine Absicht der Reform wird darin bestanden haben, dem durch die politische und militärische Aktivität Hammurabis entstandenen Reich ein einheitliches Recht zu geben. Es ging hier also um eine Rechtsangleichung verschiedener Rechtstraditionen, und dabei wird von dem einen Teil des Reiches ein größeres Maß an Änderung gefordert worden sein als von dem anderen. Die Tendenz der Rechtsangleichung war nicht nur bezogen auf die verschiedenen politischen Größen, die es zu vereinigen galt, es ging auch darum, für den sumerischen und den akkadischen Bevölkerungsteil des Reiches zu einem einheitlichen Recht zu gelangen. An keiner Stelle des Gesetzbuches wird zwischen den beiden Bevölkerungselementen unterschieden. Wenn Unterschiede gemacht werden – und das ist nicht selten der Fall –, dann betreffen sie die Angehörigen der drei Bevölkerungsschichten, die der Codex auseinanderhält, den *avīlum*, den *muschkēnum* und den Sklaven.

Von diesen drei Bevölkerungsklassen ist die niedrigste, die der Sklaven, am besten zu definieren. Es gab Sklaven an den Tempeln, am Königshof, aber auch in den Haushaltungen der freien Bürger. Ein großer Teil der Sklaven rekrutierte sich aus ursprünglichen Kriegsgefangenen, andere waren durch Kinderverkauf oder durch Selbstversklavung zu Sklaven geworden. Natürlich gab es auch solche, die bereits von Geburt an Sklaven waren. Die Sklaven bildeten in Babylonien einen wesentlichen Wirtschaftsfaktor. Sie hatten kaum Rechte. Der Sklave wurde wie eine Ware angesehen und behandelt.

Sehr viel schwieriger ist es, sich eine Vorstellung vom *avīlum* und *muschkēnum* zu machen. Es ist bis heute nicht gelungen, das Verhältnis, in dem die so bezeichneten Bevölkerungsklassen zueinander stehen, sicher zu beschreiben. Vor allem ist die Definition des *muschkēnum* strittig.

Lit.: *F. R. Kraus*, Ein Edikt des Königs Ammi-Ṣaduqa von Babylon (1958) bes. 144–155; *ders.*: Vom mesopotamischen Menschen der altbabylonischen Zeit und seiner Welt (1973) bes. 92–125; *Th. J. Meek*, ANET, 166 Anm. 39 und 44; *W. v. Soden*, muškēnum und die Mawāli des frühen Islam: ZA NF 22 (1964) 133–141; *A. Speiser*, The muškēnum: Or NS 27 (1958) 19–28; *R. Yaron*, The Laws of Eshnunna (1969) bes. 83–93.

Für den Bereich des Codex Hammurabi hat sich in den letzten Jahren jedoch eine Deutung weitgehend durchgesetzt. Danach ist der *avīlum* der normale freie Bürger, während der *muschkēnum* Angehöriger einer sozial unter dem *avīlum* stehenden Sondergruppe ist (so z. B. *W. v. Soden*). Er gehört zwar auch zu den Freien, aber befindet sich doch in einer sozialen und wirtschaftlichen Abhängigkeit, und zwar konkret in einer Abhängigkeit von der Krone. So erklärt es sich, daß der vom König erlassene Codex an einigen Stellen dem *muschkēnum* einen besonderen Schutz gewährt.

Diese von der Mehrzahl der Assyriologen heute vertretene Theorie ist allerdings nicht ohne Gegenposition geblieben. Darauf muß wenigstens hingewiesen werden. Ein besonders engagierter Vertreter der Gegenposition ist *Kraus*. Er befindet sich in grundsätzlicher Übereinstimmung mit *R. Yaron* und *Th. J. Meek*. Während man normalerweise die Wörter *avīlum* und *muschkēnum* als feststehende Bezeichnungen für bestimmte Bevölkerungsklassen ansieht, rechnet *Kraus* mit relativen Bedeutungen der genannten Wörter, die also keineswegs von vornherein festliegen, sondern je nach Kontext und Situation verschieden zu beschreiben sind. Danach bedeutet *avīlum* an einem Großteil der Belegstellen nichts anderes als das unbestimmte »man« oder »jemand«, im Gegenüber zu *muschkēnum* aber den »Angehörigen der oder einer Elite im Staate« (*Kraus*, Vom mesopotamischen Menschen, 117). Demgegenüber bezeichnet *muschkēnum* in kollektiver Bedeutung »die gesamte freie Bevölkerung des Staates, von der Staatsspitze her gesehen«, in individueller Bedeutung »ein Mitglied dieser Gesellschaft« (*Kraus*, 108). *Kraus* greift die Definition *Meeks* auf (private citizen) und wendet sich ausdrücklich gegen die in der Literatur sonst üblichen Bezeichnungen für *muschkēnum* wie »Armer«, »Palasthöriger«, »Halbfreier« oder »Untergebener«.

V. Scheil hat den Text des CH in 282 Paragraphen eingeteilt. Wenn diese Einteilung im einzelnen auch nicht ganz unbestritten geblieben ist, so hat sie sich doch in der modernen Literatur allgemein durchgesetzt. Auch alle einschlägigen Übersetzungen haben die *Scheilsche* Paragraphennummerierung übernommen. Es sei noch festgestellt, daß die oben erwähnte Lücke von sieben Kolumnen die §§ 66–100 umfaßt. Man hat die Lücke zu schließen versucht, indem man den Text verschiedener Abschriftenfragmente des Codex herangezogen hat. Der Text bleibt in diesem Abschnitt aber aufs Ganze gesehen doch recht unsicher und bruchstückhaft. Die Numerierung wird hier in den Übersetzungen auf verschiedene Weise gehandhabt.

Der moderne Leser dieser 282 Paragraphen ist zunächst verwirrt durch den Eindruck der Systemlosigkeit, der Sprunghaftigkeit und Lückenhaftigkeit, den der Codex auf ihn macht. Und das ist keineswegs nur der erste Eindruck flüchtiger Lektüre. Der Rechtshistoriker M. *San Nicolò* hat recht bündig festgestellt: »Alle bisherigen Versuche, eine Einteilung nach streng logischen oder dogmatischen Grundsätzen zu konstruieren, sind als gescheitert zu betrachten« (72). Wie kommt das? Man muß sich vergegenwärtigen, was oben über den Charakter altorientalischer Gesetzessammlungen allgemein gesagt ist (vgl. S. 46), um nicht vorschnell und unbillig zu urteilen. Läßt man einmal moderne Ansprüche einer logisch aufgebauten Rechtssystematik beiseite, die erst durch das römische Recht entwickelt worden ist, so läßt sich zeigen, daß für den Aufbau des Codex doch nicht einfach Willkür und Zufall verantwortlich zu machen sind. H. *Petschow* hat sich in neuerer Zeit in seinem genannten Aufsatz »Zur Systematik und Gesetzestechnik im Codex Hammurabi« gründlich mit diesen Fragen beschäftigt, nachdem die ältere Forschung fast durchgängig die völlige System- und Regellosigkeit im Aufbau des Codex beklagt hatte. Wir nehmen im folgenden einige Ergebnisse von *Petschow* auf.

Es zeigt sich, daß der Codex in seinem ersten Teil (§§ 1–41) im wesentlichen mit einer Rechtsmaterie beschäftigt ist, die die öffentliche Ordnung betrifft. Hier sind die geordnete Rechtspflege, der Schutz des Eigentums, Dienstpflichten gegenüber König und Staat das Thema, während es in dem großen Komplex §§ 42–282 vornehmlich um die Interessen und Belange des Einzelbürgers geht. Hier finden sich vermögens- und familienrechtliche Bestimmungen, hier wird das Erbrecht behandelt, ist die körperliche Integrität Rechtsthema, werden Probleme, die mit der handwerklichen und landwirtschaftlichen Arbeit zusammenhängen, aufgegriffen. Die beiden von *Petschow* beschriebenen Hauptteile gehen fast fließend ineinander über. Auch das ist ein Zeichen dafür, daß es verfehlt ist, an eine altorientalische Rechtssystematik moderne Maßstäbe anzulegen.

Aber auch innerhalb der beiden großen Hauptteile des Codex läßt sich durchaus eine in sich sinnvolle und einsichtige Anordnung der Rechtsmaterie beobachten. Die Gliederung und Abfolge des aufgezeichneten Rechtsstoffes folgt häufig den altorientalischen Lebensbereichen und Lebensgewohnheiten. Die §§ 241–272 sind z. B. chronologisch geordnet nach dem zeitlichen Ablauf der verschiedenen landwirtschaftlichen

Arbeiten. Die Anordnung ist deshalb für den zeitgenössischen Benutzer ebenso verständlich und praktikabel, wie sie für den modernen Juristen anstößig und unverständlich ist.

Der CH verdient es, als bedeutendste altorientalische Rechtssammlung ausführlicher als seine Vorgänger selbst zu Wort zu kommen. Im folgenden Abschnitt sollen besonders wichtige und charakteristische Rechtssätze zitiert und jeweils kurz erläutert werden. Der zitierte deutsche Text des Codex orientiert sich vornehmlich an den Übersetzungen von *W. Eilers* und *R. Haase.*

3. Beispiele der Rechtsbestimmungen des Codex Hammurabi

In den ersten fünf Bestimmungen befaßt sich der CH in sachlicher Reihenfolge mit den wichtigsten Personen, die abgesehen von den Prozeßparteien am Verfahren beteiligt waren, dem Ankläger, dem Zeugen und dem Richter. Man hat diese fünf Paragraphen als Prozeßordnung bezeichnet. Das ist in gewisser Weise zutreffend. Wie es der Art altorientalischer Gesetzgebung überhaupt entspricht, verfährt der Codex aber nicht systematisch-abstrakt. Es werden vielmehr in den einzelnen Bestimmungen Sonderfälle angesprochen, deren Behandlung dann grundsätzliche Bedeutung zukommt. Es ist sicher nicht zufällig, daß die Bemühung um das geordnete und gerechte Gerichtsverfahren den Anfang der Rechtsbestimmungen Hammurabis bildet. So wird das in Prolog und Epilog ausgesprochene Motiv der Gesetzgebung, die »Verwirklichung von Recht und Gerechtigkeit im Lande«, im Codex selbst von Anfang an aufgenommen (vgl. *H. Petschow,* 149).

Die ersten Anordnungen beschäftigen sich mit der falschen Anklage und – damit zusammenhängend – mit der falschen Zeugenaussage vor Gericht.

»Wenn ein Mann (im akkadischen Text steht hier und an den entsprechend übersetzten Stellen das Wort *avīlum*) einen anderen beschuldigt und den Verdacht der Mordschuld auf ihn gelenkt hat, es aber nicht beweist, so wird der, der ihn beschuldigt hat, getötet« (§ 1).

»Wenn ein Mann den Verdacht der Zauberei auf einen anderen gelenkt hat, es aber nicht beweist, so geht der, gegen den die Beschuldigung der Zauberei erhoben worden ist, zur Flußgottheit und taucht in den Fluß hinein. Wenn dann der Fluß diesen Mann ergreift, so bekommt der, der ihn beschuldigt hat, sein Haus. Wenn aber der Fluß diesen Mann (von dem Verdacht) reinigt und er heil davonkommt, so wird der, der ihn der Zauberei beschuldigt hat, getötet. Derjenige, der in den Fluß hineingetaucht ist, bekommt das Haus dessen, der ihn beschuldigt hat« (§ 2).

»Wenn ein Mann vor Gericht mit einer falschen Zeugenaussage auftritt und die Worte, die er aussagt, nicht beweist, so wird dieser Mann, sofern es sich um einen Prozeß um Leben und Tod handelt, getötet« (§ 3).

»Wenn er aber in einer Rechtssache auftritt, bei der es um Getreide oder Geld geht, so trägt er die jeweilige Strafe dieses Rechtsstreits« (§ 4).

Schon in den ersten Bestimmungen des CH wird ein Rechtsprinzip erkennbar, das für den Codex überhaupt von großer Bedeutung ist, das Prinzip der Talion. Es wirft ein Licht auf die Bedeutung, die der mündlich vorgetragenen Anklage bzw. Zeugenaussage zukam, daß die falsche Aussage so hart und kompromißlos, wie es hier geschieht, bedroht wurde: Der falsche Ankläger bzw. Zeuge wird mit der Strafe bedroht, die den Angeklagten im Falle der Verurteilung getroffen hätte. Dabei gilt unbewiesene Anklage und unbewiesene Zeugenaussage als falsche Anklage und falsche Zeugenaussage. Die Möglichkeit geordneter und gerechter Rechtsfindung hängt nicht zuletzt davon ab, daß vor dem Gericht wahrheitsgemäße Aussagen gemacht werden. Jede Prozeßordnung muß versuchen, die falsche Aussage vor Gericht unmöglich zu machen. Im Bereich des altorientalischen Rechts ist das hier beschriebene Verfahren verbreitet. Zu verweisen ist auf § 17 des Codex Lipit-Ischtar, im Alten Testament bietet Dt 19,16–19 eine Sachparallele.

In § 2 verdient die besondere Form des Ordalverfahrens Beachtung. Im Codex Ur-Nammu findet sich in § 10 eine genaue Parallele. Hier kann man wohl mit einer direkten Abhängigkeit des CH von der älteren Rechtsbestimmung rechnen. Die Prozedur verlief offenbar so, daß der im Fluß Versinkende als schuldig galt, während der auf dem Wasser Schwimmende seine Unschuld erwiesen hatte. Dasselbe Verfahren hat man in Afrika nachweisen können. Da von einer besonderen Bestrafung dessen, der durch den Fluß als schuldig erwiesen worden ist, nicht die Rede ist, wird man annehmen können, daß Schuldspruch und Strafvollstreckung in einem Vorgang erfolgten: Der Fluß riß den Schuldigen mit und vollstreckte auf diese Weise das Todesurteil. Im Alten Testament gibt es keinen Hinweis darauf, daß die hier vorausgesetzte Form des Flußordals in seinem Bereich angewandt worden wäre. Es ist aber die These vertreten worden, daß bestimmte alttestamentliche Aussagen von der Vorstellung des Flußordals her geprägt sind. Vor allem wäre zu denken an Ps 18,17–21; 124,2–5, vgl. dazu *P. K. McCarter*, The River Ordeal in Israelite Literature: HThR 66 (1973) 403–412.

»Wenn ein Richter ein Urteil gefällt, eine Entscheidung getroffen hat, eine Urkunde hat ausfertigen lassen, nachher aber sein Urteil ändert, so wird man diesem Richter die Änderung des Urteils, das er gefällt hat, nachweisen und er gibt die zwölffache Summe, um die es in diesem Prozeß ging. Außerdem läßt man ihn in der Versammlung von seinem Richtersitz aufstehen, und er kehrt nicht wieder dorthin zurück und wird mit den Richtern nicht mehr zum Gericht Platz nehmen« (§ 5).

Das Verständnis dieser Bestimmung ist mit einer Fülle von Einzelproblemen belastet, die uns hier nicht zu beschäftigen brauchen. Folgendes ist aber zu beachten: Es wird ein besonderes Richteramt vorausgesetzt.

Ferner wird damit gerechnet, daß Rechtsentscheidungen urkundlich festgehalten werden. Die nachträgliche Änderung einer derartigen Urkunde (auf Grund von Richterbestechung?) gilt als ein grobes Vergehen, das für den Richter eine empfindliche Geldstrafe und lebenslängliche Disqualifikation vom Richteramt zur Folge hatte.

Es folgt in den §§ 6–25 die Behandlung einer Gruppe von Kapitaldelikten, die mit Ausnahme des § 8 (vgl. dazu unten) alle mit der Todesstrafe bedroht sind. Es handelt sich dabei offensichtlich um Vergehen, die für die Existenz des Staates und der Gesellschaft als besonders gefährlich angesehen wurden und die aus diesem Grunde an so hervorragender Stelle des Codex ihren Platz gefunden haben. Zunächst geht es um Diebstahldelikte und Hehlerei. Es gibt im CH keine allgemeine Strafvorschrift zum Rechtsfall Diebstahl, aber die Regelung einiger Sonderfälle. Hier am Beginn des Codex handelt es sich um besonders hervorgehobene Objekte möglichen Diebstahls.

»Wenn ein Mann Eigentum des Gottes oder des Palastes gestohlen hat, so wird dieser Mann getötet; ebenfalls wird getötet, wer das gestohlene Gut aus seiner Hand angenommen hat« (§ 6).

An dieser Rechtsbestimmung ist zunächst zu beachten, daß Tempel- und Palastvermögen einen besonderen rechtlichen Schutz genießen. Hinter der Zusammenordnung von Tempel und Palast mag die Vorstellung vom göttlichen Charakter des Königtums stehen, die, wenn auch in verschiedener Ausprägung, im Alten Orient eine wichtige Rolle gespielt hat. Trotzdem bedeutet Todesstrafe für Diebstahl und Hehlerei eine harte Entscheidung. Das ist in altorientalischer Zeit offenbar auch schon empfunden worden, denn der § 6 ist nicht die einzige Bestimmung, die sich mit Diebstahl von Tempel- und Palastvermögen befaßt. In § 8 geht es grundsätzlich um dieselbe Sache. Hier wird die Todesstrafe nur dem zahlungsunfähigen Dieb angedroht, ansonsten wird ihm eine allerdings erhebliche Zahlung auferlegt.

»Wenn ein Mann ein Rind oder Schaf, einen Esel oder Schwein oder ein Schiff gestohlen hat, wenn dies dem Gott oder dem Palast gehörte, so zahlt er das Dreißigfache; wenn es einem *muschkēnum* gehörte, so zahlt er das Zehnfache. Wenn der Dieb nichts zu geben hat, so wird er getötet« (§ 8).

Die Spannung, die zwischen den beiden zuletzt zitierten Paragraphen besteht, ist unterschiedlich interpretiert worden, vgl. die Zusammenstellung verschiedener Thesen bei *B. S. Jackson*, 71–73. Nicht bewährt hat sich die These, daß der Unterschied im Strafmaß vom § 6 und 8 in der Verschiedenheit der gestohlenen Gegenstände begründet ist. Diese Möglichkeit hat bereits *D. H. v. Müller* erwogen, wenn er überlegt, daß es in § 6 um den »Tempel- oder Hofschatz« gehen könnte, »d. h.

vielleicht um Gegenstände, die nicht leicht ersetzt werden können, deren Entwendung schon eine Art Tempelschändung oder Hochverrat bildet, im zweiten Falle um Gegenstände, die leicht ersetzt werden können«. *Müller* hat dann diese These aber selbst wieder verworfen und eine rechtshistorische Erklärung für die vorliegende Diskrepanz gegeben (84–85), worin ihm viele gefolgt sind, vgl. *P. Koschaker* (75–76), *Jackson* (73). Danach ist in diesen beiden Paragraphen eine Rechtsentwicklung festgehalten worden. Es ergibt sich die bemerkenswerte Tatsache, daß schließlich in einem Codex dicht beieinander zwei sich sachlich widersprechende Rechtsanordnungen stehen. Das ist ein bedeutsamer Hinweis auf den Charakter altorientalischer Rechtssammlungen, die auch in dieser Hinsicht nicht dem Prinzip widerspruchsloser Rechtssystematik unterworfen sind, sondern erstaunlich unbefangen historisch gewachsene Widersprüche ertragen können.

Dabei begegnen dann in § 8 die für den Codex Hammurabi so charakteristischen Differenzierungen: Bei Tempel- und Palastdiebstahl ist die enorme Summe einer 30fachen Erstattung zu leisten; gehört das gestohlene Gut einem *muschkēnum*, genügt die zehnfache Erstattung. Nur der mittellose Dieb wird auch hier noch mit dem Tode bestraft. In § 8 ist der Diebstahl von Vieh oder einem Schiff gesondert behandelt. Das sind Gegenstände, die vom Gesetz besonders geschützt werden. Der Viehbesitz gilt ja auch sonst als der eigentliche Vermögensbesitz (vgl. lateinisch *pecus – pecunia*), und das Schiff ist für Babylonien ohnehin von besonderer Bedeutung. Bei anderen Gegenständen ist der CH wesentlich milder. Nach § 259 wird z. B. der Diebstahl eines Pfluges lediglich mit der Zahlung von fünf Schekeln bestraft.

In unserem Zusammenhang ist schließlich noch § 7 erwähnenswert. Hier zeigt sich beispielhaft, wie kompliziert schon zur Hammurabizeit die Abwicklung eines Kaufgeschäftes sein konnte. Es geht dieser Rechtsbestimmung darum, den Kauf diebstahlverdächtiger Sachen möglichst zu verhindern. Deshalb wurden bei einem Kaufgeschäft, bei dem ein Minderjähriger oder ein Sklave beteiligt war, besondere Sicherheitsvorkehrungen gefordert.

»Wenn ein Mann sei es Silber oder Gold, sei es ein Sklave oder eine Sklavin, sei es ein Rind oder ein Schaf oder ein Esel oder irgend etwas anderes aus der Hand des Sohnes eines freien Bürgers oder aus der Hand des Sklaven eines freien Bürgers ohne Zeugen und ohne schriftlichen Vertrag kauft oder zur Verwahrung angenommen hat, so ist dieser Mann ein Dieb: er wird getötet« (§ 7).

Es ist zu beachten, daß hier für die Nachlässigkeit bei der Abwicklung eines Kaufgeschäfts die Todesstrafe festgesetzt wird. Der § 7 gehört damit zu den härtesten Strafbestimmungen des ganzen Codex, und man kann fragen, ob eine derartige rigorose Straffestsetzung in der Rechtspraxis überhaupt durchgeführt werden konnte. *H. Schmökel* hat diese Bestimmung einen »der markantesten, charakteristischsten Abschnitte des ganzen Codex« genannt (Hammurabi, 71). Sie zeigt das Interesse am Schutz des Eigentums, das das ganze Gesetzeswerk bestimmt, zeigt die große Bedeutung, die dem Abschluß eines rechtskräftigen Vertrages beigemessen wird, und gibt zugleich einen Hinweis auf die rigorose Strafmentalität dieser Rechtsgestaltung.

In den alttestamentlichen Gesetzen tritt die Erwähnung von Diebstahldelikten verglichen mit dem CH deutlich zurück, vgl. dazu unten S. 144 ff. Vergleichbare Bestimmungen über Hehlerei oder den Ankauf diebstahlverdächtiger Güter gibt es im alttestamentlichen Recht überhaupt nicht. Der § 7 ist auch deshalb besonders aufschlußreich, weil er zeigt, welches Gewicht im babylonischen Recht der schriftlichen Vertragsabmachung beigelegt wurde. Wir belegen das an dieser Stelle noch durch zwei weitere Bestimmungen. In CH §§ 122–126 geht es um die Regelung von Streitfällen im Zusammenhang der Aufbewahrung anvertrauten Gutes. Die einleitenden, den ganzen Rechtskomplex grundsätzlich regelnden Bestimmungen lauten:

»Wenn ein Mann einem anderen Silber, Gold oder Sonstiges zur Verwahrung übergibt, so wird er alles, was er übergibt, den Zeugen zeigen, einen schriftlichen Vertrag aufsetzen und es erst dann zur Verwahrung übergeben« (§ 122).

»Wenn er es ohne Zeugen und ohne schriftlichen Vertrag zur Verwahrung übergeben hat, und man es dort, wo er es hingegeben hat, ableugnet, so hat dieser Rechtsfall keinen einklagbaren Anspruch« (§ 123).

Die andere Rechtsbestimmung, die hier zu nennen ist, stammt aus dem Eherecht:

»Wenn ein Mann eine Ehefrau genommen, aber keine schriftliche Abmachung getroffen hat, so ist diese Frau keine Ehefrau« (§ 128).

Im Codex folgt mit den §§ 9–13 eine Reihe von zum Teil recht komplizierten Anordnungen, die sich mit abhanden gekommenem Eigentum und den in derartigen Fällen geforderten Beweisverfahren beschäftigt. Ganz unvermittelt steht neben diesen verwickelten Rechtsbestimmungen die knappe Anordnung

»Wenn ein Mann das Kind eines anderen gestohlen hat, so wird er getötet« (§ 14).

Hierzu sind die alttestamentlichen Rechtssätze Ex 21,16 und Dt 24,7 zu vergleichen. Was in den alttestamentlichen Bestimmungen ausdrücklich gesagt ist, bildet sicherlich auch den Hintergrund von CH § 14. Der Raub ist begangen worden, um den entführten Menschen in die Sklaverei zu verkaufen. Die Todeswürdigkeit dieses Verbrechens steht dem CH wie dem Alten Testament außer Frage.

Die folgenden Paragraphen des CH behandeln unter dem Gesichtspunkt des Schutzes des Eigentums eine Reihe von Rechtsfällen, die das Eigentum an Sklaven betreffen. Wieder wird das Eigentum des Palastes, d. h. also des Königs, in besonderer Weise geschützt. Auffallend ist, daß die §§ 15 und 16 dem *muschkēnum* denselben Rechtsschutz gewähren. Die oben ausgesprochene Vermutung, daß den *muschkēnum* offenbar besondere Beziehungen mit dem König verbinden, kann durch diese beiden Rechtsbestimmungen gestützt werden.

»Wenn ein Mann einen Palastsklaven oder eine Palastsklavin oder aber den Sklaven eines *muschkēnum* oder die Sklavin eines *muschkēnum* zum Stadttor hinausgehen läßt, so wird er getötet« (§ 15).

»Wenn ein Mann einen Sklaven oder eine Sklavin, die aus dem Palast oder einem *muschkēnum* entflohen sind, in seinem Hause verborgen hält und auf den Ruf des Herolds nicht herausholt, so wird der Eigentümer des Hauses getötet« (§ 16).

Dem § 16 folgen weitere Bestimmungen, die sich mit dem Rechtsfall der »Sklavenflucht« befassen. Sie sind allgemein, ohne Bezugnahme auf einen besonderen Status des Sklavenhalters abgefaßt. Noch einmal wird in diesem Zusammenhang die Todesstrafe gefordert, und zwar für denjenigen, der einen flüchtigen Sklaven in seinem Hause verbirgt (§ 19). Auf der anderen Seite wird für die Ergreifung und Rückführung eines entflohenen Sklaven eine Belohnung ausgesetzt.

»Wenn ein Mann einen Sklaven oder eine Sklavin, die flüchtig sind, auf freiem Feld ergreift und sie zu ihrem Herrn bringt, so gibt ihm der Herr des Sklaven zwei Schekel Silber« (§ 17).

Die Thematik der Sklavenflucht spielt auch in den anderen altorientalischen Gesetzen eine wichtige Rolle. Schon der CU befaßt sich in seinem § 15 mit dieser Materie und auch die anderen Rechtssammlungen kommen ohne Ausnahme darauf zu sprechen, vgl. CL §§ 12 f.; CE §§ 49 ff. Es handelt sich hierbei offenbar um ein für den ganzen altorientalischen Bereich bedeutsames Problem, das nicht nur eine Frage des Eigentumsrechts war, sondern die Gesellschaftsordnung als ganze berührte.

Da ist es um so auffallender, daß sich in den alttestamentlichen Gesetzen keine entsprechende Rechtsbestimmung findet. Nur an einer Stelle kommt das alttestamentliche Recht auf den Rechtsfall Sklavenflucht zu sprechen, aber gerade diese Stelle läßt sich mit den genannten altorientalischen Texten in gar keiner Weise vergleichen.

»Einen Sklaven sollst du nicht seinem Herrn ausliefern, wenn er sich von seinem Herrn zu dir gerettet hat. Bei dir soll er wohnen, in deiner Mitte, an dem Ort, den er sich auswählt, in einer deiner Ortschaften, wo es ihm gefällt. Du sollst ihn nicht bedrücken« (Dt 23,16.17).

Da es auch im alttestamentlichen Israel Sklaverei gegeben hat, kann es sich bei dieser Anordnung nicht um normale Sklavenflucht handeln. Die Befolgung des Gebotes würde ja das Institut der Sklaverei praktisch aufheben, und das ist hier sicher nicht intendiert. Wenn in dieser Anordnung von einem Sklaven die Rede ist, so ist an den ausländischen Sklaven gedacht, der sich in das Land Israels geflüchtet hat. Er soll nicht über die Grenze ausgeliefert werden, sondern soll das Recht haben, sich dort im Lande anzusiedeln, wo es ihm gefällt. Die Bestimmung gehört zu der großen Zahl alttestamentlicher, besonders deuteronomischer Rechtssätze, die dem an sich rechtlosem Fremdling Rechtsschutz gewähren.

In den §§ 26–41 geht es um Dienstpflichten militärischer und ziviler Personen, die sie dem König bzw. dem Staat zu leisten haben. Daneben ist von den Rechten die Rede, die den »Lehensträgern« des Königs zustanden. Diese Bezeichnung sollte nicht als ein Hinweis auf eine feudale Gesellschaftsstruktur verstanden werden, vgl. *Petschow*, 152. Eine große Anzahl möglicher Sonderfälle wird besprochen. So ist z. B. der Fall ins Auge gefaßt, daß ein Soldat bei der Erfüllung seiner militärischen Aufgaben in Feindeshand gerät und erst nach längerem Aufenthalt in der Fremde nach Hause zurückkehren kann. Seine Versorgung nach seiner Heimkehr wird sichergestellt. Andere Bestimmungen schützen den Untergebenen vor der Willkür seiner militärischen Vorgesetzten. Als Beispiel sei eine diesbezügliche Anordnung zitiert:

»Wenn ein Unteroffizier oder ein Offizier das Hausgerät eines Soldaten sich aneignet, einen Soldaten um sein Recht bringt, einen Soldaten gegen Miete weggibt, einen Soldaten in einem Rechtsstreit einem mächtigen Mann preisgibt, das ›Geschenk‹, das der König dem Soldaten gegeben hat, ihm wegnimmt, in all diesen Fällen wird der Unteroffizier oder der Offizier getötet« (§ 34).

In dem von uns nicht näher behandelten Edikt des Königs Ammiṣaduqa von Babylon, des vierten Nachfolgers Hammurabis, gibt es eine Parallele zu dieser Rechtsbestimmung. Die letzte Anordnung dieses Edikts kündigt einem Provinzgouverneur die Todesstrafe an, der einen Untergebenen dazu zwingt, gegen Entgelt für ihn bestimmte Arbeiten zu verrichten, vgl. *F. R. Kraus*, Ein Edikt des Königs Ammi-Ṣaduqa von Babylon (1958) 180 f.

Es ist nicht zufällig, sondern hängt mit der in den alttestamentlichen Gesetzen sich ausdrückenden Sozialstruktur zusammen, daß es für die gesamten, hier angesprochenen Rechtsbereiche keine direkten alttestamentlichen Parallelen gibt. Seit es in Israel und Juda Könige gab, gab es militärische und zivile Lehensträger, gab es mithin die in diesem Komplex des CH behandelten Rechtsprobleme. Daran ist kein Zweifel, und das Alte Testament läßt das durch zahlreiche Hinweise auch deutlich genug erkennen. Aber in die Gesetzeswerke ist diese Materie nicht aufgenommen worden. Die alttestamentlichen Gesetzeswerke sind im Gegensatz zum CH nicht direkt an der staatlichen Ordnung, ihrer Erhaltung und Durchsetzung interessiert. Der Staat ist kein Thema des alttestamentlichen Rechts.

Wie bereits festgestellt wurde, behandelt der größte Teil des Codex die Rechtsinteressen des Einzelnen, ohne daß die Staatsinteressen direkt angesprochen würden. Es ist im Rahmen dieser Darstellung nicht möglich und auch nicht notwendig, auch nur annähernd alle Bestimmungen zu nennen. Im Folgenden sollen für den CH besonders charakteristische Rechtssätze zitiert werden.

Für die hinter Hammurabis Rechtsreform stehende Grundeinstellung ist die Feststellung nicht bedeutungslos, daß sich der größte Abschnitt des Codex mit vermögensrechtlichen Bestimmungen beschäftigt. Der Schutz des Eigentums gehört jedenfalls zu den tragenden Rechtsprinzipien dieser Gesetzgebung. Das heißt allerdings nicht, daß im CH nicht auch deutlich die Vertretung sozialer Gesichtspunkte erfolgt.

Da die Landwirtschaft, und zwar Ackerbau, Viehzucht und Fischfang, die Grundsäule der mesopotamischen Wirtschaft war, ist es nicht verwunderlich, daß der Codex diesem Lebensbereich großes Interesse zuwendet. So gab es z. B. die Möglichkeit, Land zu verpachten bzw. zu pachten.

»Wenn ein Mann ein Feld zur Bebauung gepachtet hat, aber auf dem Feld kein Getreide hervorbringt, so weist man ihm nach, daß er auf dem Feld keine Arbeit geleistet hat; dann wird er Getreide entsprechend (dem Ertrag) seines Nachbarn dem Eigentümer des Feldes geben« (§ 42).

»Wenn er das Feld nicht bebaut, es vielmehr vernachlässigt hat, so wird er (der Pächter) dem Eigentümer des Feldes Getreide geben entsprechend (dem Ertrag) seines Nachbarn. Auch zieht er auf dem Feld, das er vernachlässigt hat, Furchen, eggt es und gibt es dem Eigentümer des Feldes zurück« (§ 43).

Da der Pachtzins vom Ertrag des gepachteten Feldes zu entrichten war, bestand für den Pächter die Verpflichtung, das Land zu bebauen und einen möglichst hohen Ertrag zu erzielen. Die beiden zitierten Paragraphen erzwingen diese Verpflichtung des Pächters. Kommt er seinen Verpflichtungen nicht nach, muß er den Verpächter schadlos halten, und das geht so weit, daß er sogar das gepachtete Feld in einen bebauungsfähigen Zustand zu versetzen hat. Es fällt auf, daß eine allgemeine Angabe über die Höhe der Pachtzinsen nicht gemacht wird. Offenbar will der Codex hier nicht in das Gebiet individueller Vereinbarungen eingreifen, die in den jeweiligen Pachtverträgen geregelt werden, vgl. dazu auch § 46, unten S. 82.

Exkurs 2
Zum alttestamentlichen Bodenrecht

Lit.: A. *Alt*, Der Anteil des Königtums an der sozialen Entwicklung in den Reichen Israel und Juda (1955) = Grundfragen, 367–391; K. *Baltzer*, Naboths Weinberg (1. Kön. 21). Der Konflikt zwischen israelitischem und kanaanäischem Bodenrecht: WuD NF 8 (1965) 73–88; W. *Bolle*, Das israelitische Bodenrecht, Diss Berlin 1939; H. *Donner*, Die soziale Botschaft der Propheten im Lichte der Gesellschaftsordnung in Israel: OrAnt 2 (1963) 229–245; F. *Horst*, Das Eigentum nach dem Alten Testament (1949) = GR, 203–221; *ders.*, Zwei Begriffe für Eigentum (Besitz): Verbannung und Heimkehr, Festschr W. *Rudolph* (1961) 135–156; E. *Neufeld*, The Emergence of a Royal-Urban Society in Ancient Israel: HUCA 31 (1960) 31–53; M. *Noth*, Das Krongut der israelitischen Könige und seine Verwaltung (1927) = Aufsätze zur biblischen Landes- und Altertumskunde I (1971) 159–182; G. *Prenzel*, Über die Pacht im antiken hebräischen Recht (1971); G. *v. Rad*, Verheißenes Land und Jahwes Land im Hexateuch (1943) = Gesammelte Studien zum Alten Testament (³1971) 87–100; H. *Seebass*, Der Fall Naboth in 1 Reg. XXI: VT 24 (1974) 474–488; R. *de Vaux*, Lebensordnungen I, 264–285; H. E. *v. Waldow*, Social Responsibility and Social Structure in Early Israel: CBQ 32 (1970) 182–204.

Von den Pachtbestimmungen des CH herkommend liegt es nahe, nach entsprechenden alttestamentlichen Anordnungen Ausschau zu halten. Diese Ausschau endet mit einer eindeutigen Fehlanzeige. Es gibt im alttestamentlichen Recht keinerlei Hinweis auf den Vorgang der Landverpachtung. Das ist sicher kein Zufall. Es wird im Alten Testament so viel von Grund und Boden und den Dingen, die damit zusammenhängen, berichtet, daß es fast nicht vorstellbar ist, daß nur die Pacht zufällig nicht erwähnt wird. Das bedeutet: Nach alttestamentlichem Recht sollte es die Landverpachtung nicht geben. Dafür muß eine Erklärung gefunden werden, denn die Umwelt – der CH repräsentiert nur einen Ausschnitt – ist voll davon.

Der Vorgang der Landverpachtung setzt bestimmte rechtliche Vorbedingungen voraus. Die Verpachtung setzt voraus, daß der Verpächter über den Grund und Boden, der ihm gehört, nach seinem Belieben verfügen kann. Er kann seinen Boden selbst bearbeiten, er kann ihn verkaufen oder er kann ihn verpachten. Wenn es in Israel die Verpachtung von Grund und Boden nicht geben soll, dann bestand offenbar die uneingeschränkte Herrschaft über Grund und Boden nicht. Wie ist das zu erklären?

Der innerste Grund dafür liegt in der spezifisch alttestamentlichen Vorstellung vom Land. Das Land gilt letztlich als das Eigentum Jahwes. Es ist Israel zur Nutzung übergeben als »Erbbesitz«, bleibt aber in letzter Konsequenz Jahwes Eigentum. Der programmatische Satz aus Lev 25,23 »Mein ist das Land, denn Schutzbürger und Beisassen seid ihr bei mir«, den man die Magna Charta des alttestamentlichen Bodenrechts nennen könnte, drückt das formelhaft aus. Diese Vorstellung geht auf die Überzeugung zurück, daß das Land einst den Stämmen von Jahwe als Erbbesitz übergeben wurde. Die einzelne Sippe bzw. Familie bekam ihr Land zur Bewirtschaftung zugewiesen. Damit war der Lebensunterhalt aller gesichert. Das alttestamentliche Prinzip der grundsätzlichen Unverkäuflichkeit des Bodens hat hier seine Wurzel, und es ist verständlich, daß dementsprechend in den alttestamentlichen Gesetzen über Landverkauf und Landverpachtung nichts gesagt wird.

Wohl aber vom Gegenteil, nämlich von der Wiederherstellung der Grundbesitzverhältnisse! Im Anschluß an Rechtsbestimmungen über das Sabbatjahr (dazu unten) ist in Lev 25 von einem sogenannten Jobeljahr die Rede. Der Name leitet sich ab vom Widder(horn) (*jōbēl*), das zur Eröffnung des Jobeljahres geblasen werden sollte. *M. Luther* nannte das Jobeljahr deshalb Halljahr. Der wesentliche Inhalt der Rechtsbestimmung von Lev 25, die in sich weder literarisch noch rechtsgeschichtlich einheitlich ist, ist in V. 10 kurz zusammengefaßt:

»Ihr sollt das Jahr der Fünfzigjahrperiode heiligen und eine Befreiung im Lande für alle seine Bewohner ausrufen. Es ist für euch ein Jobel(jahr). Ein jeder soll wieder zu seinem Besitz kommen, und ein jeder soll zu seiner Sippe zurückkehren.«

Das alle fünfzig Jahre auszurufende Jobeljahr wird für heilig erklärt. Das heißt, dieses Jahr wird in besonderer Weise dem Rechtswillen Jahwes unterstellt. Der zitierte Vers konkretisiert den göttlichen Rechtswillen. Im Lande soll eine allgemeine Befreiung ausgerufen werden, die sich in der Rückgabe des Grundbesitzes an den ursprünglichen Besitzer ereignet und die ebenfalls in der Auflösung bestehender Schuldknechtschaftsverhältnisse besteht, so daß derjenige, der sich in Schuldknechtschaft hat verkaufen müssen, zu seiner Sippe zurückkehren kann. Das Hauptgewicht liegt in Lev 25 auf der Wiederherstellung der Grundbesitzverhältnisse.

Es stellt sich natürlich die Frage, ob dieser im ganzen späte Text nur als ein Idealprogramm angesprochen werden muß ohne Praxisbezug – auch als solches wäre er bedeutsam genug – oder ob nicht doch im Hintergrund bestimmte Rechtsvorgänge stehen. Von einer direkten Anwendung des Jobeljahrgesetzes wird man sicher zu keinem Zeitpunkt der Geschichte Israels sprechen können, aber auf der anderen Seite dürfen die hier beschriebenen Vorgänge doch nicht völlig in das Reich reiner Fiktion abgeschoben werden. Mit *K. Elliger* wird man wenigstens das Folgende feststellen können: »Zweifellos spiegelt das Kapitel viel Brauchtum und Recht der Königszeit wider, das nach seiner ursprünglichen Tendenz Auswüchse des Kapitalismus und das Entstehen eines Proletariats verhindern und die alte Sitte (jede Familie auf ihrem eigenen Grund und Boden) schützen will« (HAT 4, 1966, 349). Auf weitere Einzelheiten der Jobeljahrgesetzgebung brauchen wir hier nicht einzugehen. Es ist dazu vor allem auf den Kommentar von *Elliger* und die Ausführungen von *F. Horst* (213–221) zu verweisen. Das Jobeljahrgesetz markiert in

seiner Grundintention besonders eindrücklich die charakteristisch israelitische Anschauung von Jahwe als dem eigentlichen Eigentümer des
Landes.
In den Zusammenhang der Erwägungen über das alttestamentliche Bodenrecht gehören auch einige auffallende Erntebestimmungen, die in
das alttestamentliche Recht aufgenommen worden sind.

»Wenn ihr die Ernte eures Landes einbringt, so sollst du den Rand deines Feldes nicht völlig
abernten, und du sollst keine Nachlese deiner Ernte halten. Deinen Weingarten sollst du
nicht noch einmal ablesen, und die abgefallenen Beeren in deinem Weingarten sollst du
nicht aufsammeln. Dem Armen und dem Fremdling sollst du sie überlassen. Ich bin Jahwe,
euer Gott« (Lev 19,9–10).

Eine ähnliche Anordnung findet sich in Dt 24,19–22. Im Hintergrund
dieser Rechtssätze steht höchstwahrscheinlich ein vorisraelitischer, also
kanaanäischer Erntebrauch sakralen Gepräges. Dem Ackergott werden
Erntegaben angeboten. Das ist hier überwunden. Jetzt wird durch diese
Anweisungen zum Ausdruck gebracht, daß Jahwe das Land ganz Israel
gegeben hat, damit *alle* die Früchte dieses Landes genießen sollen. Noch
eine alttestamentliche Kultbestimmung sei in diesem Zusammenhang
erwähnt:

»Sechs Jahre lang sollst du dein Land besäen und seinen Ertrag einsammeln. Aber im siebten sollst du es sich selbst überlassen und es brach liegen lassen, und die Armen deines Volkes sollen davon essen, und was übrig bleibt, sollen die Tiere des Feldes fressen. Ebenso
sollst du mit deinem Weingarten und mit deinem Ölgarten verfahren« (Ex 23,10–11).

Die Brache, die hier angeordnet wird, ist nicht in Erwägungen landwirt-
schaftlicher Rentabilität begründet (vgl. *Alt*, Grundfragen, 160 f.). Man
kennt es aus anderen Kulturbereichen, daß der landwirtschaftlich ge-
nutzte Boden zur Erhaltung und Steigerung seiner Ertragsfähigkeit gelegentlich unbearbeitet gelassen wird. Das liegt hier nicht vor. Auch hier
steht eine kultische Intention im Hintergrund, deren ursprüngliche Bedeutung nicht mehr zu erkennen ist. Ihr alttestamentlicher Sinn ist aber
klar. Vor allem aus dem umfangreichen Kapitel Lev 25, das ausführliche
Anordnungen über das sogenannte Sabbatjahr bringt, wird die Zielrichtung dieser Rechtsbestimmung deutlich. Durch das Brachliegenlassen
des Landes erkennt der israelitische Bauer an, daß er nicht im vollen Sinn
der Eigentümer des Bodens ist, den er vielmehr von Jahwe zu Lehen
empfangen hat. Die in Ex 23,11 angefügte sozialethische Begründung ist
eine spätere, für das Alte Testament aber sehr charakteristische Interpretation. Der für Jahwe bestimmte Ertrag des Ackerlandes kommt den sozial Schwachen im Lande zugute. Dabei ist es bemerkenswert, daß in diesem Zusammenhang schließlich die Tiere genannt werden, wobei es sich
nicht etwa um Haustiere, sondern um die wilden Tiere handelt.

Nun ist es keine Frage, daß die skizzierte spezifisch alttestamentliche
Anschauung vom Grundbesitz eine Vorstellung war, die zwar als Ideal
weitertradiert wurde, die aber in der Praxis nur zu bald in den Hintergrund trat. Man kann den Beginn des Wandels geradezu historisch fixieren. Als mit dem Aufkommen des Königtums, vor allem aber mit der Errichtung des Großreichs Davids, auch beträchtliche Teile kanaanäischen
Gebietes den israelitischen Staaten eingegliedert wurden, da blieb in diesen Bereichen das kanaanäische Bodenrecht natürlich in Geltung und
wurde in zunehmendem Maße auch im ursprünglichen Gebiet der israelitischen Stämme angewandt. Innerhalb der vielfältigen Ergänzungen
des Jobeljahrgesetzes von Lev 25 findet sich ein Abschnitt, der sehr deutlich den Gegensatz zwischen dem israelitischen und dem kanaanäischen
Bodenrecht widerspiegelt. Es ist nicht zufällig, daß sich die Konfrontation vornehmlich im Bereich der Städte ereignete, wo das kanaanäische
Recht seinem Ursprung nach beheimatet war. Nach Lev 25,29–34 soll
auffallenderweise bei Hausbesitz innerhalb ummauerter Städte anders
verfahren werden als bei Grundbesitz und bei Häusern, die nicht in einem ummauerten Stadtbereich liegen. Während in den zuletzt genannten Fällen die Bestimmung des Jobelgesetzes volle Anwendung findet
(»Die Häuser in den Dörfern, die keine festen Mauern ringsum haben,
werden zum freien Feld des Landes gerechnet. Dafür besteht Auslö-
sungsmöglichkeit, und im Jobeljahr werden sie frei«, V. 31), wird sie bei
Hausbesitz innerhalb fester Stadtmauern ausdrücklich aufgehoben
(»Das Haus, das in einer ummauerten Stadt liegt, gehört unwiderruflich
dem Käufer und seinen Nachkommen. Es wird im Jobeljahr nicht frei«,
V. 30 b). Hier spiegelt sich die kanaanäische Rechtsauffassung wider,
nach der es ein ganz normales und endgültiges Kaufen von Grund und
Boden und den dazugehörenden Häusern gab. Nach kanaanäischem
Verständnis war das Land Eigenbesitz, den es möglichst zu vergrößern
galt, was aber auf der anderen Seite Landverkauf und entsprechende
Verarmung bedeutete. In diesem Zusammenhang spielte die Tatsache
eine Rolle, daß der königliche Verwaltungsapparat in nicht geringem
Umfang aus Mitgliedern der kanaanäischen Aristokratie bestand, die
ihre Geschäftspraktiken nicht nur beibehielten, sondern deren Tun auch
als Vorbild für entsprechende israelitische Kreise diente (vgl. dazu vor
allem *H. Donner*). Und nicht zuletzt war es der nach und nach entstehende große königliche Latifundienbesitz selbst, der zu der Veränderung
der israelitischen Sozialstruktur wesentlich beitrug, worauf vor allem
A. Alt hingewiesen hat. Die Auswirkungen der mit dem Königtum einsetzenden sozialen Differenzierung waren so stark, daß sie sich sogar archäologisch nachweisen lassen. So hat man z. B. bei Ausgrabungen der
alttestamentlichen Stadt Tirza feststellen können, daß die Häuser des
10. Jahrhunderts alle etwa gleich groß waren und auch gleiche Einrichtung aufwiesen, daß sich aber in der Ausgrabungsschicht des 8. Jahrhunderts die größeren und besser gebauten Häuser der Reichen von den

kleineren und ärmlicheren Häusern der Armen deutlich unterscheiden, vgl. *R. de Vaux*, 122. Alles in allem kann man deshalb verstehen, wenn *E. Neufeld* im Blick auf die mit dem Königtum einsetzenden sozialen Umbrüche den Satz schreibt: »The monarchy, owing to its nature and to its effects, was the most radical revolution in ancient Israel« (37). Das alles führte dann zu der Situation, der sich die Propheten des 8. Jahrhunderts gegenübersahen. Auf der einen Seite hatte sich ein beträchtlicher Reichtum entwickelt, der Wohlleben und einen vielfältigen Luxus ermöglichte, aber auf der anderen Seite gab es viele, allzuviele, die sich auf die neue Situation nicht hatten einstellen können, die ihr Land verloren hatten, die wehr- und rechtlos den Machenschaften der Mächtigen ausgeliefert waren. Die altisraelitische kleinbäuerliche Gesellschaftsordnung war zerstört. Das war das Ergebnis einer Entwicklung, die dem Willen des alttestamentlichen Rechts stracks zuwiderlief und die deshalb den entschiedenen Widerspruch der Propheten erfahren hat, vgl. Jes 5,8; Mi 2,1–5. 6–10.

Wir kehren zum CH zurück. In sachlicher Nähe zu den Pachtbestimmungen stehen einige Anordnungen, die die sachgemäße Durchführung übernommener Gärtnerarbeiten regeln. Da die Neuanlage eines Fruchtgartens eine schwere Arbeit darstellte, die zunächst nur einen geringen Ernteertrag erwarten ließ, hat der mit dieser Arbeit betraute Gärtner in den ersten vier Jahren an den Eigentümer keine Abgaben zu leisten, erst vom fünften Jahr an gehört die Hälfte des Ertrages dem Eigentümer des Landes.

»Wenn ein Mann ein Feld zur Anpflanzung eines Gartens einem Gartenbauer gegeben hat, wird der Gartenbauer den Garten anpflanzen und vier Jahre lang den Garten großziehen. Im fünften Jahr teilen der Eigentümer des Gartens und der Gartenbauer (den Ertrag) miteinander; der Eigentümer des Gartens wird seinen Ertrag zuerst nehmen« (§ 60).

»Wenn der Gartenbauer mit der Anpflanzung des Feldes nicht fertig geworden ist und unbepflanztes Land übrig gelassen hat, so rechnet man ihm das unbepflanzte Stück auf seinen Anteil an« (§ 61).

»Wenn er das Feld, das ihm gegeben worden ist, als Garten nicht bepflanzt hat, so wird, wenn es Kulturland ist, der Gartenbauer den Ertrag des Feldes für die Jahre, in denen es nicht bepflanzt war, dem Eigentümer des Feldes entsprechend (dem Ertrag) seines Nachbarn darmessen. Dazu wird er auf dem Feld die (notwendige) Arbeit verrichten und es dem Eigentümer des Feldes zurückgeben« (§ 62).

Auch diese Bestimmungen sind wieder in erster Linie an den Interessen des Grundeigentümers orientiert, wenn sie auch den Gartenbauer nicht schutzlos lassen. Das Hauptinteresse ist aber eindeutig darauf gerichtet, den Eigentümer des Gartens zu schützen, indem die vertraglich festgelegte Arbeit rechtlich erzwungen wird. Zu beachten ist auch, daß der Grundeigentümer, bei der Auswahl der Ernteerträge die Vorhand hat. In all diesen Bestimmungen geht es um irgendwelche Sonderfälle. So wundert es nicht, daß auch die besondere Situation der Vernichtung oder Beeinträchtigung der Ernte durch höhere Gewalt im Codex berücksichtigt wird. Das ist im Zweistromland vor allem durch Überschwemmungskatastrophen möglich.

»Wenn ein Mann sein Feld gegen (Natural)abgabe einem Bebauer gegeben hat und die Abgabe des Feldes (schon) angenommen hat, wenn später (der Gott) Adad das Feld überschwemmt oder eine Flut es wegreißt, so ist der Schaden Sache des Bebauers« (§ 45).

»Wenn er aber die Abgabe seines Feldes noch nicht angenommen hat, sei es nun, daß er das Feld für die Hälfte, sei es, daß er es für ein Drittel (der Ernte) abgegeben hat, so teilen der Bebauer und der Eigentümer des Feldes das Getreide, das auf dem Felde (noch) hervorgebracht wird, nach dem entsprechenden Verhältnis« (§ 46).

Diese beiden Bestimmungen stehen in einer gewissen Spannung zu den vorher zitierten Paragraphen. Aus § 45 – die Deutung ist nicht ganz sicher – könnte hervorgehen, daß es auch die Vorauszahlung des Pachtzinses gegeben hat, die natürlich für den Pächter günstiger war, aber das Risiko eines Ernteverlustes durch höhere Gewalt einschloß (anders deuten *Driver-Miles* I, 140 f.). Demgegenüber rechnet § 46 mit der üblichen Postnumerandozahlung des Pachtzinses. In diesem Fall wird das Risiko von Ernteschäden durch höhere Gewalt zu gleichen Teilen auf Eigentümer und Pächter verteilt.
Eine eindeutig zu Gunsten des sozial schwächeren Schuldners formulierte Bestimmung enthält der § 48. Hier wird dem Schuldner im Fall eines unverschuldeten Ernteausfalls ein Zahlungsaufschub gewährt. Die sonst zu erwartende Zwangsvollstreckung kann unter diesen besonderen Gegebenheiten nicht erfolgen.

»Wenn auf einem Mann eine Zinsschuld liegt, und der Gott Adad überschwemmt sein Feld oder eine Überflutung reißt es weg oder aus Wassermangel wird auf dem Feld kein Getreide hervorgebracht, so wird er in diesem Jahr kein Getreide an seinen Gläubiger abführen, seine Tafel weicht er auf, auch zahlt er keine Zinsen für dieses Jahr« (§ 48).

Der Schuldner wird also in diesem Fall sogar ermächtigt, den schriftlich ausgefertigten Schuldvertrag zu ändern. Aus diesem Grunde wird die Tontafel »aufgeweicht«. Der Vertragstext kann auf der so präparierten Tafel dann korrigiert werden.
Noch weiter im Schutz für einen zahlungsunfähigen Schuldner gehen § 66 und die wohl in ähnlicher Weise zu interpretierenden §§ 49–52. Es wird festgestellt, daß eine in einer wirtschaftlichen Zwangslage erfolgte vorherige Abtretung der Ernte an den Gläubiger rechtsunwirksam ist. Dieses Vorgehen verstößt sozusagen gegen die guten Sitten. Der

Schuldner wird vielmehr aufgefordert, die Ernte selbst einzubringen und vom Erlös seine Schulden zu bezahlen.

»Wenn ein Mann von einem Kaufmann Geld entliehen hat und sein Kaufmann auf Zahlung der Schuld drängt, er aber nichts zum Zahlen besitzt und seinen Baumgarten nach der Befruchtung dem Kaufmann gegeben und zu ihm gesagt hat: ›alle Datteln, die in dem Baumgarten wachsen werden, nimm hin für dein Geld‹, so wird dem Kaufmann nicht gestattet, dies (zu tun). Die Datteln, die im Baumgarten wachsen werden, wird (vielmehr) der Eigentümer des Baumgartens nehmen. Das Geld und seine Zinsen wird er entsprechend dem Wortlaut seiner Tafel dem Kaufmann zurückzahlen. Die überschüssigen Datteln aber, die im Baumgarten wachsen werden, nimmt der Eigentümer des Baumgartens« (§ 66).

Ernteschäden entstehen nicht nur infolge von Naturkatastrophen, für die niemand verantwortlich gemacht werden kann. Auch durch Nachlässigkeit oder vielleicht sogar durch böse Absicht kann die Ernte eines anderen beeinträchtigt werden. Das babylonische Recht wendet in diesem Fall das Verursacherprinzip an. Wer einen Schaden heraufbeschworen hat, der ist für die Folgen verantwortlich und muß dem Geschädigten den Schaden ersetzen. Der CH sieht sich veranlaßt, diesen Rechtsgrundsatz z. B. für die nachlässige oder fehlerhafte Behandlung der Bewässerungsanlagen anzuwenden.

»Wenn ein Mann bei der Befestigung seines Felddeiches seine Hände in den Schoß gelegt und seinen Deich nicht befestigt hat (und dadurch) in seinem Deich eine Öffnung entsteht, er sogar das Ackerland vom Wasser wegschwemmen läßt, so ersetzt der Mann, in dessen Deich die Öffnung entstanden ist, das Getreide, das er dadurch vernichtet hat« (§ 53).

»Wenn er das Getreide nicht zu ersetzen vermag, so verkauft man ihn und seine Habe, und die Feldeigentümer, deren Getreide das Wasser weggeschwemmt hat, teilen (den Erlös untereinander)« (§ 54).

»Wenn ein Mann seinen Graben zur Bewässerung geöffnet, dann aber die Hände in den Schoß gelegt hat und (so) das Feld seines Nachbarn vom Wasser fortschwemmen läßt, so mißt er Getreide dar entsprechend (dem Ertrag) seines (nicht betroffenen) Nachbarn« (§ 55).

Im Anschluß an diese Bestimmungen über Ernteschäden durch fehlerhafte Behandlung des Bewässerungssystems behandelt der CH den zweifellos recht häufigen Casus der Ernteschäden durch fremdes Vieh. Der Ausgangspunkt der entsprechenden Rechtsbestimmungen ist die Tatsache, daß die wandernden Kleinviehherden nach der Ernte auf den Feldern durchaus gern gesehen waren, aber es bedurfte dazu der vorherigen Vereinbarung zwischen Bauer und Hirt, wobei es vor allem sicherlich um den richtigen Zeitpunkt dieser Aktion ging. Der CH verpflichtete den Hirten dazu, mit dem Feldeigentümer eine entsprechende Abmachung zu treffen, anderenfalls wird ihm eine genau definierte Ausgleichszahlung auferlegt.

»Wenn ein Hirte über die Pflanzen, welche das Kleinvieh abfressen darf, mit dem Eigentümer eines Feldes keine Vereinbarung trifft und ohne den (Willen des) Feldeigentümers das Feld vom Kleinvieh abfressen läßt, so erntet der Eigentümer des Feldes sein Feld ab, der Hirte, der ohne den (Willen des) Feldeigentümers das Feld vom Kleinvieh hat abweiden lassen, gibt darüber hinaus auf 18 Iku 20 Kur Getreide« (§ 57).

Der hier angesprochene Rechtsfall wird mit gewissen Modifikationen auch im alttestamentlichen Recht aufgegriffen.

»Wenn ein Mann ein Feld oder einen Weingarten abweiden läßt und sein Vieh frei laufen läßt, so daß es (auch) das Feld eines anderen abweidet, so leistet er mit dem Besten seines Feldes und mit dem Besten seines Weingartens Ersatz« (Ex 22,4).

Stärker als im CH geht es hier um Fahrlässigkeit des Viehhalters. Auch ist nicht wie in der babylonischen Formulierung der berufsmäßige Hirte im Blick. Der Rechtsgrundsatz, daß der Besitzer von Vieh für Schäden, die durch das Vieh auf fremden Feldern angerichtet werden, verantwortlich ist und sie zu ersetzen hat, ist derselbe.

Indem wir bei unserer Darstellung grob der Anordnung des Codex folgen, machen wir nunmehr einen großen Sprung über die erwähnte, mit dem Ende von § 65 einsetzende Textlücke hinweg. In dieser Lücke standen ursprünglich Anordnungen, die sich mit dem Hauseigentum beschäftigten, auch ging es um bestimmte Anordnungen des Schuldrechts, Festsetzungen des Zinsfußes und dergleichen. Da die Rekonstruktionsversuche aber unsicher sind und lückenhaft bleiben, sollen diese Abschnitte hier übergangen werden. Wir setzen wieder ein bei dem Abschnitt über die Obliegenheiten der Schankwirtin.

»Wenn eine Schankwirtin als Preis für Bier kein Getreide annimmt, sondern nach dem (Gewicht des) großen Steins Geld annimmt, dazu den Preis des Bieres gegenüber dem Getreidepreis erhöht, so weist man das der Schankwirtin nach und wirft sie ins Wasser« (§ 108).

»Wenn sich im Hause einer Schankwirtin Verbrecher zusammentun, sie aber diese Verbrecher nicht ergreift und zum Palast bringt, so wird diese Schankwirtin getötet« (§ 109).

»Wenn eine Naditum oder eine Entum, die nicht im ›Kloster‹ wohnt, ein Bierhaus eröffnet oder zum Bier in das Bierhaus eintritt, wird man diese Frau verbrennen« (§ 110).

(Naditum und Entum sind bestimmte Gattungen von Priesterinnen. Zu Entum vgl. J. *Renger*, ZA NF 24 (1967) 134–149, zu Naditum 149–176. Von beiden wird ein untadeliger Lebenswandel erwartet. Das Betreten einer Schenke zum Biertrinken wäre für sie ein unerhörtes Vergehen.)

Auch diese Bestimmungen können wiederum als Beispiel für die Zufälligkeit der Rechtsbestimmungen des Codex gelten. Grundsätzliche Fragen der Wirtschaftsführung der Schankwirtin werden nicht behandelt. Es geht um einige Sonderfälle, die natürlich beliebig vermehrt werden könnten. Warum gerade diese ausgewählt wurden, bleibt unklar. Die Bedeutung der Schankwirtin im altbabylonischen Wirtschaftsleben mag man aber auch daraus ersehen, daß ihr auch im Edikt des Königs Ammi-ṣaduqa drei Paragraphen (§§14'–16') gewidmet sind (vgl. dazu *J. J. Finkelstein*, JCS 15, 1961, 99).

Zu den alltäglichen Geschäftsvorgängen, auf die der Codex zu sprechen kommt, gehören Pfändung, Schuldversklavung und Verwahrung anvertrauten Gutes (§§ 112–126). Wir greifen hier lediglich das Obligationenrecht heraus, das in § 112 und §§ 120–126 behandelt ist. Zunächst geht es um den Sonderfall der Unterschlagung von anvertrautem Beförderungsgut. Die Versuchung, Unregelmäßigkeiten zu begehen, war in diesem Fall sicherlich besonders groß. Es konnte unter Umständen lange Zeit vergehen, bis der Eigentümer vom Verlust seiner Güter erfuhr. Entsprechend scharf ist die Strafbestimmung. Der Transporteur muß fünffachen Schadensersatz leisten.

»Wenn sich ein Mann auf Reisen befindet und Silber, Gold oder anderes Gut seiner Hand einem anderen Mann gegeben und es ihm als Beförderungsgut übertragen hat, dieser Mann aber das, was zu befördern war, nicht abgeliefert hat, sondern es beiseite gebracht hat, so weist der Eigentümer des Beförderungsgutes alles nach, was zu befördern war, er aber nicht abgeliefert hat, und dieser Mann gibt dem Eigentümer des Beförderungsgutes fünffach alles, was ihm übergeben worden ist« (§ 112).

Das allgemeine Obligationenrecht kommt in §§ 120–126 zur Sprache. Zunächst wird die Getreideeinlagerung in einen fremden Speicher geregelt (§§ 120–121). Der Eigentümer des Getreidespeichers ist für das eingelagerte Getreide verantwortlich und muß entstandenen Schaden doppelt ersetzen. Bei unklarer Rechtslage wird die Gottheit eingeschaltet. Konkret dürfte eine Eidesleistung gefordert werden.

»Wenn ein Mann sein Getreide zum Aufspeichern im Hause eines anderen eingelagert hat und (dann) in dem Speicher ein Verlust entstanden ist oder der Eigentümer des Hauses den Speicher geöffnet und Getreide sich angeeignet hat oder sogar das Getreide, das in seinem Haus eingelagert war, gänzlich ableugnet, so gibt der Eigentümer des Getreides vor dem Gott sein Getreide an, und der Hauseigentümer wird das Getreide, das er sich angeeignet hat, dem Eigentümer des Getreides doppelt erstatten« (§ 120).

»Wenn ein Mann im Hause eines anderen Getreide eingelagert hat, so wird er für ein Kor Getreide 5 Qa Getreide Speichermiete pro Jahr zahlen« (§ 121).

Die allgemeinsten, das Obligationenrecht grundsätzlich regelnden Bestimmungen bieten die §§ 122–123, die auf Seite 73 bereits zitiert sind. Eine rechtsgültige und damit einklagbare Verwahrung von fremden Gütern bedurfte der Zeugen und eines schriftlichen Vertrages. Waren die notwendigen Voraussetzungen erfüllt, dann trug der Verwahrer die volle Verantwortung für das bei ihm deponierte Gut. Selbst wenn er das Opfer eines Diebstahls wurde, mußte er Entschädigung leisten. Er hatte dann lediglich die Möglichkeit, den Diebstahl aufzuklären und sich am gefaßten Dieb schadlos zu halten.

»Wenn ein Mann einem anderen Silber, Gold oder Sonstiges vor Zeugen zur Verwahrung übergeben hat und der es ihm ableugnet, so wird man es diesem Mann nachweisen und er wird alles, was er abgeleugnet hatte, (dem anderen) doppelt erstatten« (§ 124).

»Wenn ein Mann etwas von seinem Eigentum zur Verwahrung übergeben hat und dort, wo er es hingegeben hat, sei es durch Einbruch, sei es durch Übersteigen (der Mauer) etwas von seinem Eigentum (gleichzeitig) mit einem Teil des Eigentums des Hauseigentümers abhanden kommt, so ersetzt der Hauseigentümer, der nachlässig gewesen ist, alles, was der andere ihm zur Verwahrung übergeben hat und was er abhanden kommen ließ, dem Eigentümer vollständig. Der Hauseigentümer wird allem, was ihm abhanden gekommen ist, nachforschen und wird es dem Dieb wegnehmen« (§ 125).

»Wenn ein Mann, dem gar nichts abhanden gekommen ist, trotzdem sagt ›mir ist etwas von meinem Eigentum abhanden gekommen‹ und (damit) gegenüber seinem ›Tor‹ eine falsche Anzeige erstattet, so stellt sein ›Tor‹ ihm gegenüber vor dem Gotte fest, daß ihm nichts abhanden gekommen ist, und alles, was er beansprucht hat, wird er seinem ›Tor‹ doppelt erstatten« (§ 126).

Im alttestamentlichen Recht wird das Obligationenrecht ebenfalls behandelt, vgl. dazu unten S. 146 ff.

Mit § 127 beginnt der große Abschnitt der familienrechtlichen Bestimmungen. Er reicht bis § 193 und behandelt auch das Erbrecht. Besondere Bedeutung kommt in diesem Zusammenhang dem Eherecht zu. Das babylonische Eherecht kann trotz einer nicht ungünstigen Quellenlage bis heute von den Fachleuten nicht eindeutig umschrieben werden.

Lit.: Driver-Miles, The Babylonian Laws I, 245–324; *E. Ebeling-V. Korošec*, Artikel Ehe: RLA II, 281–299; *D. Nörr*, Die Auflösung der Ehe durch die Frau nach altbabylonischem Recht: Studi in onore di *Emilio Betti* III (1962) 505–526; *P. Koschaker*, Eheschließung und Kauf nach alten Rechten, mit besonderer Berücksichtigung der älteren Keilschriftrechte: ArOr 18/3 (1950) 210–296.

Auch in diesem Fall macht es sich störend bemerkbar, daß der CH keine allgemeinen Bestimmungen enthält, aus denen man den Charakter der babylonischen Ehe deutlich ablesen könnte. Die allgemeinste Bestimmung liegt in dem oben bereits zitierten § 128 vor:

»Wenn ein Mann eine Ehefrau genommen, aber keine schriftliche Abmachung getroffen hat, so ist diese Frau keine Ehefrau.«

Die hier genannte »schriftliche Abmachung« bedeutet wohl den Ehevertrag, den der Bräutigam für die Braut ausfertigt. Man mag das als einen der Frau gewährten Schutz vor der Willkür des Mannes interpretieren, muß sich allerdings darüber klar sein, daß der § 128 keinerlei Angaben über Inhalt und Form des Ehevertrages macht. Wenn man zur Erklärung auch die erhaltenen Eheverträge heranzieht, so erscheint der durch diesen Vertrag erreichte Schutz der Frau allerdings nicht erheblich gewesen zu sein. Die Braut hatte keinen Einfluß auf die Eheschließung, ihrer Zustimmung bedurfte es jedenfalls nicht. Der Ehevertrag stellte lediglich fest, daß ein bestimmter Mann eine bestimmte Frau zur Ehefrau genommen hat und enthielt gelegentlich noch Sonderbestimmungen für den Fall der Scheidung.

Für das Verständnis der babylonischen Ehe ist die Frage nach der Bedeutung der »Gaben« wichtig, die der Bräutigam dem Vater der Braut zu machen hatte. Handelte es sich dabei um einen Kaufpreis, das heißt um eine echte Leistung, die vor der Heimführung der Braut zu erbringen war, oder sind diese Gaben eher als Ehegeschenke zu verstehen, die die Ernsthaftigkeit der Werbung unterstrichen und mehr eine moralische als eine rechtliche Bindung bewirkten? Die Unsicherheit und Vieldeutigkeit der Interpretationsmöglichkeiten dürfte damit zusammenhängen, daß das babylonische Eheverständnis in diesem Punkt eine Entwicklung durchlaufen hat, und zwar dergestalt, daß die Abgabe des Bräutigams zunehmend mehr den Charakter des Brautpreises verlor, den sie einstmals hatte, und den Charakter der Schenkung gewann.

Die Bestimmungen des CH, die diesen Sachverhalt behandeln, lassen diesen Entwicklungsstand jedoch noch nicht erkennen. Hier wird noch eindeutig der Rechtscharakter der »Gaben« vorausgesetzt. In den unten zitierten §§ 159–161 wird neben dem »Brautpreis« (*tirḫatum*) eine »Verlöbnisgabe« (*biblum*) erwähnt. Dabei dürfte es sich um die Lieferung von Lebensmitteln handeln, die der Durchführung des Hochzeitsfestes dienen. Wenn der Brautvater Brautpreis und Verlöbnisgabe entgegengenommen hat, ist er rechtlich gebunden, ebenso wie der Bräutigam. Nur unter empfindlicher Vermögenseinbuße können sich die beiden Vertragspartner – die Braut ist lediglich Vertragsobjekt – von der übernommenen Verpflichtung wieder lösen. Der Bräutigam muß einen Sinneswandel mit dem Verlust der Heiratsgaben bezahlen (§ 159), und ebenso hat der Brautvater bei einem Rücktritt vom Ehevertrag den Bräutigam zu entschädigen. Er hat die Verlöbnisgabe in doppelter Höhe dem Bräutigam zu erstatten (§§ 160.161). Beide Vertragspartner können unter dieser Einschränkung ohne besondere Begründung vom Ehevertrag zurücktreten. Das alles läßt es gerechtfertigt erscheinen, die babylonische Ehe zur Zeit Hammurabis als Kaufehe zu bezeichnen. Das ist nun allerdings ein mißverständlicher Ausdruck, weil er für den modernen abendländischen Leser fast zwangsläufig einen die Frau abwertenden Klang hat. Man »kauft« eine Ware, und mit der Charakterisierung einer

Ehe als »Kaufehe« verbindet sich nur zu leicht eine entsprechende Einschätzung der Frau, die dann nur noch als Handelsgut bzw. als Vermö-
gensobjekt des Mannes verstanden wird. Diese früher weitgehend übliche Beurteilung der Kaufehe trifft den Sachverhalt für das alte Babylonien sicher nicht. Auch für das Alte Testament ist sie nicht richtig. Die
Bezeichnung »Kauf« bedeutet zunächst nicht mehr als die Rechtsform
der Eheschließung. Eine Abwertung der Frau ist damit nicht gegeben, ja
nach orientalischem Verständnis ist es eher umgekehrt. Die Höhe des
Kaufpreises zeigt an, welchen Wert der Mann seiner künftigen Ehefrau
beimißt: je höher der Kaufpreis, desto höher die Wertschätzung der
Frau. *P. Koschaker*, der so stark betont hat, daß die babylonische Eheschließung juristisch in der Form eines Kaufgeschäfts abgewickelt wurde, macht in diesem Zusammenhang die wichtige Feststellung, daß man
bei der Terminologie der Eheschließungsakte sehr bewußt von der Terminologie des Kaufes abgewichen ist. »Die Stellung der Muntehefrau als
Leiterin des Hauswesens und Mutter legitimer Kinder wurde schon seit
den ältesten Zeiten als so besonders empfunden, daß man davon absah,
auf den Vorgang, der den Erwerb der Munt vermittelte, die Terminologie des Kaufs anzuwenden«, *Koschaker*, 234.

»Wenn ein Mann, der die Verlöbnisgabe in das Haus seines Schwiegervaters hat bringen
lassen und den Brautpreis hingegeben hat, (dann aber) nach einer anderen Frau schielt und
zu seinem Schwiegervater sagt: ›Deine Tochter werde ich nicht nehmen‹, so behält der Vater des Mädchens alles, was ihm geschickt worden ist« (§ 159).

»Wenn ein Mann die Verlöbnisgabe in das Haus seines Schwiegervaters hat bringen lassen
und den Brautpreis hingegeben hat, aber der Vater des Mädchens sagt: ›Meine Tochter
werde ich dir nicht geben‹, so gibt dieser alles, was ihm gegeben worden ist, doppelt zurück« (§ 160).

»Wenn ein Mann die Verlöbnisgabe in das Haus seines Schwiegervaters hat bringen lassen
und den Brautpreis hingegeben hat, und dann jemand ihn verleumdet und (deshalb) sein
Schwiegervater zum Herrn der (künftigen) Ehefrau sagt: ›Meine Tochter werde ich dir
nicht geben‹, so gibt er alles, was ihm gebracht worden ist, doppelt zurück. Auch der andere
(d. h. der Verleumder) darf seine Ehefrau nicht nehmen« (§ 161).

Der CH erwähnt neben dem Brautpreis noch weitere Größen aus dem
Ehegüterrecht, nämlich die Mitgift, die Eheschenkung und das Scheidungsgeld. Die Mitgift war ein Geschenk, das die Braut von ihrem Vater
erhielt und das sie in die Ehe einbrachte. Aus den Texten geht nicht hervor, ob die Tochter einen direkten Rechtsanspruch gegenüber ihrem Vater auf eine Mitgift gehabt hat. Jedenfalls sicherte eine vorhandene Mitgift die Rechtsstellung der Frau, denn die Mitgift blieb ihr Eigentum
bzw. das Eigentum ihrer Kinder. Es konnte sich dabei um Vermögenswerte handeln, die den Wert des Brautpreises überstiegen (vgl. unten
§ 164). Auch das ist ein Hinweis darauf, daß ein »Brautkauf« kein Kauf

im üblichen Sinne war, war doch sogar der Fall nicht außergewöhnlich, daß der Brautvater durch die Verheiratung seiner Tochter infolge der Mitgift eine Vermögenseinbuße erlitt. Der CH widmet der Mitgift einige Rechtsbestimmungen für den Fall des Todes der Ehefrau. Wenn die verstorbene Frau Kinder hinterläßt, so fällt die Mitgift an die Kinder. Bei Kinderlosigkeit hat grundsätzlich ihr Vater einen Rechtsanspruch auf die der Tochter in die Ehe mitgegebenen Vermögenswerte, allerdings ist der Ehemann berechtigt, den Brautpreis auf die zurückzuzahlende Mitgift anzurechnen. Im Hintergrund erkennt man die Auffassung, daß der Zweck der Ehe im erwarteten Kindersegen bestand.

»Wenn ein Mann eine Ehefrau genommen, sie ihm Kinder geboren hat, und dann diese Frau zum Schicksal eingeht (d. h. verstirbt), so hat ihr Vater keinen Anspruch auf ihre Mitgift. Ihre Mitgift ist Eigentum ihrer Kinder« (§ 162).

»Wenn ein Mann eine Ehefrau genommen, sie ihm aber keine Kinder verschafft hat, und dann diese Frau zum Schicksal eingeht, so hat ihr Ehemann auf die Mitgift dieser Frau keinen Anspruch, wenn sein Schwiegervater ihm den Brautpreis, den dieser Mann in das Haus seines Schwiegervaters gebracht hat, zurückgibt. Ihre Mitgift ist Eigentum des Hauses ihres Vaters« (§ 163).

»Wenn sein Schwiegervater ihm den Brautpreis nicht zurückgibt, so zieht er von ihrer Mitgift die Höhe des Brautpreises ab und gibt ihre (restliche) Mitgift ins Haus ihres Vaters zurück« (§ 164).

Die Mitgift ist auch für den Fall einer Scheidung von Bedeutung. Der babylonische Ehemann kann normalerweise ohne allzugroße Schwierigkeiten seine Ehefrau entlassen, d. h. sich von ihr scheiden lassen. Es entstehen für ihn lediglich gewisse finanzielle Belastungen, die bei einer kinderlos gebliebenen Ehe verhältnismäßig gering sind. Die entlassene Ehefrau hat Anspruch auf ein Scheidungsgeld in Höhe ihres Brautpreises, außerdem erhält sie ihre Mitgift ausgezahlt (§§ 138–139). Sind Kinder vorhanden, so muß der Ehemann zusätzlich einen Teil seines beweglichen und unbeweglichen Vermögens für die Erziehung der Kinder bereitstellen (§ 137). Hat die Frau jedoch durch ein entsprechendes Verhalten (vgl. die Interpretation von *D. Nörr*, 520–522) die Scheidungsabsicht des Mannes veranlaßt, so bringt sie sich um ihre materielle Sicherstellung. Der Ehemann ist in diesem Fall berechtigt, sie ohne Abfindung zu entlassen. Er hat auch das Recht, eine andere Frau zu nehmen und die erste Frau wie eine Sklavin zu behandeln. Er kann das allerdings nicht selbstherrlich dekretieren, die Verfehlungen der Frau müssen ordentlich nachgewiesen werden. Mit diesem Rechtsfall beschäftigt sich § 141.

»Wenn sich ein Mann vor einer Schugitum, die ihm Kinder geboren hat, oder einer Naditum, die ihm Kinder verschafft hat, scheiden lassen will, so wird man dieser Frau ihre Mitgift zurückgeben, auch gibt man ihr ein Stück des Feldes, Gartens und des (sonstigen)

Vermögens (ihres Mannes), und sie wird ihre Kinder (damit) großziehen. Nachdem ihre Kinder aufgewachsen sind, gibt man ihr von allem, was ihren Kindern gegeben worden ist, einen Anteil, der dem eines Sohnes entspricht. Danach kann ein Mann nach ihrem Herzen sie zur Frau nehmen« (§ 137).

(Zu Naditum vgl. oben S. 84, zu Schugitum vgl. *J. Renger*, ZA NF 24 (1967) 176–179. Auch die Schugitum gehörte zum weiblichen Priestertum. Sie war nicht so angesehen wie die Naditum. Die Schugitum war voll ehefähig und durfte eigene Kinder haben, was der Naditum nicht gestattet war. Eine Naditum »verschaffte« ihrem Mann Kinder durch eine Nebenfrau, die häufig eine Schugitum war.)

»Wenn sich ein Mann von seiner ersten Frau, die ihm keine Kinder geboren hat, scheiden lassen will, so gibt er ihr Geld in Höhe ihres Brautpreises, auch entschädigt er sie für die Mitgift, die sie aus dem Hause ihres Vaters mitgebracht hat« (§ 138).

»Wenn der Brautpreis nicht vorhanden ist, gibt er ihr eine Mine Silber als Scheidungsgeld« (§ 139).

»Wenn es sich um einen *muschkēnum* handelt, gibt er ihr 1/3 Mine Silber« (§ 140).

»Wenn die Ehefrau eines Mannes, die im Hause des Mannes wohnt, sich vornimmt davonzugehen und deshalb in die eigene Tasche wirtschaftet, ihr Hausgerät vernachlässigt und ihren Mann bloßstellt, so weist man ihr es nach. Wenn ihr Ehemann die Scheidung von ihr erklärt, so wird er sie verstoßen. Auf ihren Weg braucht er ihr kein Scheidungsgeld mitzugeben. Wenn ihr Ehemann die Scheidung von ihr nicht erklärt, so kann er eine andere Frau (neben ihr) nehmen. Die (erste) Frau bleibt dann wie eine Sklavin im Hause ihres Ehemannes wohnen« (§ 141).

Wir haben in unserem Zusammenhang noch kurz die sog. Eheschenkung zu erwähnen, auf die der CH in §§ 150 und 171 f. zu sprechen kommt. Es handelt sich dabei um eine Vermögensübertragung, die der Ehemann seiner Frau für den Fall seines Todes vermacht hat, mit der ihre Versorgung sichergestellt werden konnte. Es mußte darüber eine gesiegelte Urkunde ausgefertigt werden. Das Recht der Witwe auf die Eheschenkung konnte auch von ihren Kindern nicht angefochten werden.

»Wenn ein Mann seiner Ehefrau Feld, Garten, Haus oder (anderes) Gut geschenkt und ihr darüber eine Siegelurkunde ausgestellt hat, können ihre Kinder nach (dem Tode) ihres Mannes nicht gerichtlich gegen sie (wegen dieser Vermögenswerte) klagen. Die Mutter gibt ihren Nachlaß dem von ihren Söhnen, den sie liebt. Einem anderen braucht sie (ihn) nicht zu geben« (§ 150).

Wir haben oben die wichtigsten Bestimmungen des babylonischen Ehescheidungsrechts bereits zitiert. Sie belegen die absolute rechtliche Vormachtstellung des Mannes. Jedoch ist das gewonnene Bild noch nicht ganz vollständig, denn in besonders gelagerten Fällen kann sogar von der Frau erfolgreich die Scheidung betrieben werden. Man kann geradezu von einem Scheidungsrecht der Frau sprechen, das allerdings nur bei nachgewiesenen Eheverfehlungen des Mannes wirksam werden konnte (§ 142). (Näheres zum Problem des Scheidungsrechts der Frau im babylonischen Recht bei *Nörr*.) Dabei lief die Frau allerdings das Risiko, daß sie der Todesstrafe verfiel, wenn sich erwies, daß sie mit ihrem Scheidungsbegehren im Unrecht war (§ 143). Es muß festgestellt werden, daß das genaue Verständnis dieser beiden Paragraphen außerordentlich schwierig und demgemäß umstritten ist. Die gelegentlich geäußerte Vermutung, daß sich § 142 nur auf die Zeit zwischen der rechtlichen Eheschließung und dem ersten ehelichen Verkehr bezieht, dürfte nicht zutreffen. Es handelt sich um einen Vorgang, der durchaus auch im Verlauf der Ehe eintreten konnte. Die in § 142 zitierten Worte »du sollst mich nicht (mehr) anfassen« sind eine Scheidungsformel, wie sie von der Frau ausgesprochen werden konnte.

»Wenn eine Frau ihren Ehemann haßt und zu ihm sagt: ›(Als Ehefrau) sollst du mich nicht (mehr) anfassen‹, so wird ihre Angelegenheit in ihrem ›Tor‹ untersucht. Wenn sie immer unter Obhut gewesen ist und keine Schuld trägt, ihr Mann (aber) außer Hauses zu gehen pflegte und sie in hohem Maße erniedrigte, so trifft diese Frau keine Strafe. Sie nimmt ihre Mitgift an sich und zieht ins Haus ihres Vaters« (§ 142).

»Wenn sie (aber) nicht immer unter Obhut geblieben ist, sondern außer Hauses zu gehen pflegte, ihr Haus(gerät) verschleudert und ihren Mann bloßgestellt hat, so wirft man diese Frau ins Wasser« (§ 143).

Das Recht des Mannes zur Entlassung seiner Ehefrau erlosch im Fall einer schweren Erkrankung derselben (§§ 148 f.). Neben den zitierten vermögensrechtlichen Sicherstellungen der Frau und der Ermöglichung eines begrenzten Scheidungsrechts der Frau zeigen sich hier Ansätze eines Zuwachses an Rechten, die die Frau in der altorientalischen Rechtskultur gewonnen hat. Es gilt allerdings zu bedenken, daß diese Tendenz lediglich der verheirateten Frau zugute kam und keineswegs der Frau allgemein galt. Auch kann natürlich von einer rechtlichen Gleichstellung von Mann und Frau keine Rede sein. Man vergleiche nur die beiden Bestimmungen § 142 und § 143 miteinander, um zu sehen, wie unterschiedlich gleiches Verhalten bei Mann und Frau bewertet wurde.

»Wenn ein Mann eine Frau geheiratet hat, und die *la'bum*-Krankheit befällt sie, wenn er (deswegen) sich vornimmt, eine andere zu nehmen, so kann er sie nehmen. Aber von seiner Ehefrau, die von der *la'bum*-Krankheit befallen ist, kann er sich nicht scheiden. In dem Haus, das er gebaut hat, darf sie wohnen; solange sie lebt, wird er sie unterhalten« (§ 148).

(Bei der *la'bum*-Krankheit handelt es sich möglicherweise um eine Malariaerkrankung.)

»Wenn diese Frau nicht im Hause ihres Mannes wohnen bleiben will, so zahlt er ihr ihre Mitgift aus, die sie aus dem Hause ihres Vaters mitgebracht hat, und sie geht davon« (§ 149).

Die in § 148 angeordnete Altersversorgung einer schwer erkrankten
Ehefrau ist bereits in einer neusumerischen Gerichtsurkunde aktenkundig gemacht (vgl. NGU II, 8–10). Diese Urkunde ermöglicht einen recht
intensiven Einblick in einen derartigen Vorgang. Lallagula, die Ehefrau
eines gewissen Urigalima, war schwer erkrankt und machte deshalb ihrem Mann den Vorschlag, eine zweite Frau zu nehmen, ihr selbst aber
ihren Lebensunterhalt auf Lebenszeit sicherzustellen. Auf diesen Vorschlag ist Urigalima eingegangen. Das wird in der genannten Urkunde
rechtsverbindlich festgestellt.

Die Beurteilung und rechtliche Normierung des Ehebruchs ist für das in
einem Rechtsbereich geltende Eheverständnis von einiger Bedeutung.
Da ist nun zunächst festzustellen, daß im gesamten altorientalischen Bereich mit Einschluß des Alten Testaments nur von einem Ehebruch der
Frau geredet wird. Die Frau kann durch ihre Untreue die eigene Ehe brechen. Entsprechendes Verhalten des Mannes wird nicht als Ehebruch
angesehen. Der Mann kann lediglich in eine fremde Ehe einbrechen und
dadurch eine schwere Bestrafung auf sich ziehen.

»Wenn die Ehefrau eines Mannes beim Zusammenliegen mit einem anderen ergriffen
wird, so wird man (beide) fesseln und ins Wasser werfen. Wenn der Herr der Ehefrau seiner Frau das Leben schenkt, so wird auch der König seinem Sklaven das Leben schenken«
(§ 129).

»Wenn ein Mann die Ehefrau eines anderen, die (geschlechtlich) noch unberührt ist und
(noch) im Hause ihres Vaters wohnt, knebelt und in ihrem Schoß schläft und man ihn dabei
ergreift, so wird er getötet, diese Frau (aber) bleibt straffrei« (§ 130).

»Wenn die Ehefrau eines Mannes von ihrem Ehemann bezichtigt, beim Zusammenliegen
mit einem anderen Mann aber nicht ergriffen worden ist, so wird sie bei dem Gotte schwören und zu ihrem (Eltern)haus zurückkehren« (§ 131).

»Wenn gegen die Ehefrau eines Mannes wegen eines anderen Mannes der Finger ausgestreckt worden ist, sie aber beim Zusammenliegen mit dem anderen Mann nicht ergriffen
worden ist, so wird sie für ihren Ehemann in den Fluß eintauchen« (§ 132). (Das Ausstrek-
ken des Zeigefingers ist ein Gestus, der üble Nachrede symbolisiert.)

Aus § 129 geht hervor, daß die *in flagranti* ertappten Ehebrecher grundsätzlich die Todesstrafe zu erwarten hatten. Die Ehebrecher wurden er-
tränkt, d. h. die Delinquenten wurden gefesselt ins Wasser geworfen.
Das ist im CH die charakteristische Strafe für Ehebruch bzw. ehebruch-
ähnliche Delikte (vgl. noch §§ 133 b.155). Von besonderem Interesse ist
der zweite Teil von § 129, wo festgestellt wird, daß der betrogene Ehemann seiner Frau verzeihen kann. Das heißt: Ehebruch wird als Privat-
delikt angesehen. Die Ehefrau wird als Besitzobjekt des Mannes verstanden, über das er verfügen kann – so oder so. Ein öffentliches Interesse an
einer Strafverfolgung besteht nicht, es wird vielmehr ausdrücklich fest-

gestellt, daß der König bei entsprechendem Verhalten des Ehemannes dann seinerseits den Ehebrecher begnadigt. Wenn in § 129 von Sklaven des Königs die Rede ist, so ist damit der Untertan im Verhältnis zum König gemeint, es ist nicht von einem Sklaven im gewöhnlichen Sinn die Rede.

An dieser Stelle ist ein Blick in die mittelassyrische Rechtssammlung von Interesse, wo noch viel stärker als im CH der privatrechtliche Charakter des Ehebruchsdelikts betont wird. Nach §§ 12–16.23 MAR entscheidet in bestimmten Fällen der gehörnte Ehemann nicht nur über das Strafmaß, das den beiden am Delikt beteiligten in gleicher Höhe zuzumessen ist, er hat auch Rechte des Strafvollzugs. Er kann beide töten oder gewisse Verstümmelungsstrafen anwenden: Abschneiden der Nase, Zerstörung des Gesichts, Entmannung des Übeltäters. Auf die weiteren Differenzierungen, die in den genannten mittelassyrischen Rechtsbestimmungen vorgenommen werden, wollen wir nicht näher eingehen. Es sei nur erwähnt, daß der Tatort eine Rolle bei der strafrechtlichen Beurteilung spielt. So ist es strafverschärfend, wenn das Delikt im Hause des fremden Mannes sich ereignet hat, während die Straße oder das Tempelbordell als Ort des Geschehens sich strafmildernd auswirken. Die Gründe für derartige Differenzierungen sind einsichtig.

Der in § 129 angesprochene Tatbestand ist ein Sonderfall. Häufiger wird es wohl so sein, daß die Tat zunächst im Verborgenen geschieht und erst später – vielleicht nur gerüchtweise – an die Öffentlichkeit dringt. Die Frau hat dann die Möglichkeit, den auf ihr liegenden Verdacht durch einen Reinigungseid (§ 131) bzw. durch ein Flußordal (§ 132) aus der Welt zu schaffen. Daß die Vergewaltigung einer verheirateten Frau für den Täter mit der Todesstrafe bedroht war, ist im Kontext der Ehebruchsbestimmungen des Codex nicht verwunderlich. § 130 behandelt den Sonderfall, daß es sich um eine noch unberührte Frau handelt, die aber rechtlich bereits als Ehefrau gilt. Die Rechtsstellung dieser Frau ist die einer »Verlobten«. Entsprechendes gibt es auch im alttestamentlichen Recht.

Exkurs 3
Zum alttestamentlichen Eherecht

Lit. *M. Burrows*, The Basis of Israelite Marriage (1938); *R. Goeden*, Zur Stellung von Mann und Frau, Ehe und Sexualität im Hinblick auf Bibel und Alte Kirche, Diss Göttingen 1969; *C. Kuhl*, Neue Dokumente zum Verständnis von Hosea 2,4–15: ZAW 52 (1934) 102–109; *D. R. Mace*, Hebrew Marriage. A Sociological Study (1953); *U. Nembach*, Ehescheidung nach alttestamentlichem und jüdischem Recht: ThZ 26 (1970) 161–171; *E. Neufeld*, Ancient Hebrew Marriage Laws (1944); *A. Phillips*, Some Aspects of Family Law in Pre-exilic Israel: VT 23 (1973) 349–361; *W. Plautz*, Die Frau in Familie und Ehe. Ein Beitrag zum Problem ihrer Stellung im Alten Testament, Diss Kiel 1959; *ders.*, Mono-

gamie und Polygynie im Alten Testament: ZAW 75 (1963) 3–27; *ders.*, Die Form der Eheschließung im Alten Testament: ZAW 76 (1964) 298–318; *de Vaux*, Lebensordnungen I,
52–77; *Wolff*, Anthropologie, 243–258; *R. Yaron*, On Divorce in Old Testament Times:
RIDA, 3. séries, 4 (1957) 117–128.

Verglichen mit den zahlreichen Rechtsbestimmungen des CH, die sich
mit dem Eherecht im weitesten Sinne befassen, finden wir in den alttestamentlichen Rechtstexten nur wenige Anweisungen zum Eherecht. Es
ist allerdings zu bedenken, daß die alttestamentliche Ehe nicht für sich
besteht. Sie ist in den Verband der Großfamilie eingegliedert. So ist es
nicht zufällig, daß es im Hebräischen des Alten Testaments kein Wort
gibt, das die Institution der Ehe bezeichnet. Will man sich eingedenk dieser Sachlage ein Bild von der alttestamentlichen Ehe verschaffen, so muß
man auch die zahlreichen direkten und indirekten Hinweise heranzie-
hen, die sich in erzählenden und anderen Texten finden.
Daß auch die israelitische Ehe in alttestamentlicher Zeit eine Kaufehe im
oben beschriebenen Sinne war, ist sicher. Zwar findet sich in den Geset-
zestexten keine Anweisung über den Vorgang der Eheschließung, aber
aus Ex 22.15 f. geht doch indirekt hervor, daß die Zahlung eines Braut-
geldes (*mōhar*) an den Brautvater üblich war. Nun behandelt dieser Text
alles andere als eine normale Eheschließung. Es geht um die Verführung
eines unverlobten Mädchens, das noch unter der Botmäßigkeit ihres Vaters steht.

»Wenn ein Mann eine Jungfrau verführt, die nicht verlobt ist, und mit ihr schläft, so soll er
sie sich für den (üblichen) Brautpreis als Frau erwerben. (16) Wenn sich ihr Vater weigert,
sie ihm zu geben, so soll er Geld bezahlen entsprechend dem Brautpreis für Jungfrauen«
(Ex 22,15.16).

Der Verführer hat dem Vater den üblichen Brautpreis zu zahlen, ganz
gleich, ob dieser bereit ist, ihm seine Tochter zur Frau zu geben (V. 15)
oder nicht (V. 16). Hinter dieser Bestimmung steht der Gedanke, daß
das nun nicht mehr unberührte Mädchen natürlich sehr viel schwerer zu
verheiraten ist.
Dem modernen Leser mag auffallen, daß das Mädchen selbst nicht befragt wird, und das ist in der Tat der übliche Vorgang. In diesem Punkt
verhielt man sich in Israel nicht anders als in Babylonien, wo ja auch die
Braut keinerlei Einfluß auf ihre Verheiratung nehmen konnte. Man
muß sich zum Verständnis dieser Tatsache allerdings vergegenwärtigen,
daß nach Ausweis des Alten Testaments auch der Mann nur in seltenen
Ausnahmefällen zu seiner Verheiratung befragt wurde oder selbst die
Initiative ergriff, wie es etwa von Simson berichtet wird, Ri 14. Eine
Eheschließung ist in alttestamentlicher Zeit eben noch kein Vorgang, der
sich auf der individuellen Ebene zweier Menschen abspielt; hier geht es
um Interessen des größeren Familienverbandes. Daß vor der Ehe ein
Kaufpreis zu entrichten war, ist jedenfalls für das Alte Testament eine

selbstverständliche Voraussetzung. Neben der genannten Stelle aus dem Bundesbuch ist noch auf Gen 34,12 und 1. Sam 18,25 zu verweisen. Die Höhe des Brautpreises kann sicherlich nicht einheitlich benannt werden. Einen gewissen Hinweis gibt Dt 22,29 im Zusammenhang mit Ex 22,16. Danach betrug der Brautpreis 50 Silberschekel. Im Blick auf die besonderen Umstände dieser Preisfestsetzung kann man damit rechnen, daß hier ein verhältnismäßig hoher Kaufpreis notiert ist. 1. Sam 18,25 belegt für das Alte Testament die auch in anderen Kulturbereichen nicht selten anzutreffende sogenannte Dienstehe. In diesem Fall zahlte der Mann den Brautpreis dadurch, daß er bei dem Brautvater bestimmte Dienste ableistete, vgl. weiterhin Gen 29,15–30; Jos 15,16 f.; 1. Sam 17,25.

Wie steht es mit den anderen aus dem CH bekannten Daten des Ehegüterrechts? Gibt es auch im alttestamentlichen Bereich Mitgift, Eheschenkung oder Scheidungsgeld? In den gesetzlichen Bestimmungen des Alten Testaments wird keine dieser Größen erwähnt, während sich anderenorts doch gewisse Andeutungen zumindest auf eine Mitgift und eine Eheschenkung finden. Wenn nach Jos 15,19 Achsa von ihrem Vater Kaleb ein »Geschenk« (wörtlich: einen »Segen«) erbittet, oder wenn Laban seinen Töchtern je eine Magd mit in die Ehe gibt (Gen 29,24.29), so mag man das als eine Art Mitgift verstehen (vgl. auch Gen 24,59.61). Die einzige Erwähnung eines Geschenkes an die Braut, das der babylonischen Eheschenkung entsprechen könnte, findet sich in der Novelle von der Werbung der Rebekka, Gen 24,53.

Werfen wir nun noch einen Blick auf das alttestamentliche Scheidungsrecht! So wenig wie die Eheschließung im alttestamentlichen Recht *expressis verbis* behandelt wird, ist die Scheidung das Thema eines alttestamentlichen Rechtssatzes. Aber es gibt doch zahlreiche Hinweise auf diesen Vorgang. So wird z. B. in Hos 2,4 eine Scheidungsformel zitiert:

»Sie ist nicht meine Frau, und ich bin nicht ihr Mann.«

Der wichtigste Text in diesem Zusammenhang ist Dt 24, 1–4.

»Wenn ein Mann eine Frau nimmt und sie heiratet, wenn sie ihm dann aber nicht mehr gefällt, weil er an ihr etwas Anstößiges gefunden hat, und er ihr einen Scheidebrief geschrieben hat und ihn ihr ausgehändigt und sie aus seinem Hause entlassen hat, (2) und wenn sie dann sein Haus verlassen hat und die Frau eines anderen Mannes geworden ist, (3) und wenn dann auch der andere Mann sie nicht mehr mag und ihr einen Scheidebrief geschrieben und ihn ihr ausgehändigt hat – oder der andere Mann, der sie sich zur Frau genommen hat, ist verstorben –, (4) so darf ihr erster Mann, der sie entlassen hat, sie nicht wieder nehmen, daß sie seine Frau wird, nachdem sie verunreinigt worden ist, denn das wäre ein Greuel vor Jahwe« (Dt 24,1–4).

Diese kompliziert aufgebaute Rechtsbestimmung – der Nachsatz, um den es geht, liegt erst in V. 4 vor – verbietet die Wiederverheiratung mit einer rechtskräftig geschiedenen Frau, die in der Zwischenzeit die Frau eines anderen geworden ist. Dabei werden aber doch einige Hinweise zum alttestamentlichen Scheidungsrecht gegeben. Es zeigt sich, daß es für den Mann verhältnismäßig leicht war, die Scheidung zu erlangen. Wenn er etwas »Anstößiges« an seiner Frau entdeckte, konnte er die Scheidung offenbar ohne große Formalitäten durchführen. Gern wüßte man, was hier mit dem »Anstößigen« gemeint ist. Sicher ist, daß dabei nicht an Ehebruch gedacht ist, denn das war ein todeswürdiges Vergehen (Lev 20,10; Dt 22,22). Zur Zeit des Deuteronomiums mag es klar gewesen sein, was im Sinne dieses Rechtssatzes als etwas »Anstößiges« zu gelten hatte, die spätere rabbinische Auslegung hat sich dann aber darüber bereits gründlich gestritten, indem sie entweder an eine sittliche Verfehlung der Frau dachte oder etwas äußerlich Abstoßendes als Scheidungsgrund akzeptierte, wobei schließlich jede Kleinigkeit anerkannt wurde. L. *Blau* notiert in seiner Untersuchung, Die jüdische Ehescheidung und der jüdische Scheidebrief (1911, Neudruck 1970): »Die Hilleliten gestatten dem Manne die Scheidung: ›auch wenn die Frau seine Speise anbrennen ließ‹« (31). Und bei Jesus Sirach kann man lesen: »Wenn sie nicht Hand in Hand mit dir geht, so schneide sie ab von deinem Fleisch«, d. h.: »Wenn sie dir nicht gehorcht, so trenne dich von ihr« (25,26). Wie dem auch sei, die Scheidung war weitgehend in das Belieben des Mannes gestellt. Von einer noch so bescheidenen Sicherung der Frau, wie sie der CH kennt, hören wir nichts. Ein Scheidungsgeld scheint es nicht gegeben zu haben. Die einzige finanzielle Einbuße des Mannes bestand darin, daß er den gezahlten Brautpreis abschreiben mußte. Die einzige Schutzbestimmung für die Frau war die Forderung des Scheidebriefes, der die ordentliche Scheidung nachwies und damit der Frau eine Wiederverheiratung ermöglichte. Es dürfte sich dabei allerdings um eine relativ späte Rechtspraxis handeln. An keiner Stelle und für keinen Fall wird im Alten Testament die Verpflichtung des Mannes erwähnt, seine geschiedene Ehefrau materiell zu versorgen. Auf der anderen Seite ist im alttestamentlichen Recht der Fall nicht vorgesehen, daß ein Mann seine Frau verkauft, um seine Schulden zu bezahlen, wie es für den CH aus § 117 hervorgeht. Es fehlt im Alten Testament allerdings auch das ausdrückliche Verbot für diese Handlungsweise.

Anders als in den Bestimmungen des babylonischen Rechts hat die Frau von sich aus keinerlei Möglichkeit, die Scheidung herbeizuführen. An keiner der Belegstellen, die die Scheidung erwähnen, wird eine Initiative der Frau sichtbar. Immer geht die Scheidung vom Mann aus. Der Versuch C. *Kuhls*, aus bestimmten alttestamentlichen Texten auf eine ältere Stufe des israelitischen Eherechts zurückzuschließen, auf der es ein Scheidungsrecht der Frau und damit »gleiche Rechtsfähigkeit beider Ehepartner« (107) gegeben hat, ist doch recht problematisch. Es mag lediglich so gewesen sein, daß eine Frau unter bestimmten Bedingungen das Haus des Mannes verlassen konnte. Die Vermutung ist jedenfalls nicht abwegig, daß das einer Sklavin und Nebenfrau nach Ex 21,7–11 zugebilligte Recht auch der vollgültigen Ehefrau zustand (vgl. *W. Plautz*, Diss 119 f.).

Das alttestamentliche Recht kennt lediglich zwei Sonderfälle, die das Scheidungsrecht des Mannes aufheben. Das war nach dem deuteronomischen Gesetz einmal dann der Fall, wenn der Mann seine spätere Frau als unverlobte Jungfrau verführt und nach Zahlung des Brautpreises geheiratet hatte (Dt 22,28 f.), und war zweitens gegeben, wenn der Mann zu Unrecht gegen seine Frau den Vorwurf erhoben hat, daß sie nicht unberührt in die Ehe gekommen ist (Dt 22,13–19).

Aus den genannten Daten würde man nun allerdings eine falsche Schlußfolgerung ziehen, wenn man annähme, daß die Scheidung in alttestamentlicher Zeit ein normaler und häufiger Vorgang gewesen wäre. Das ist sicher nicht der Fall. Bis zum 8. Jahrhundert ist kein Fall von Scheidung erwähnt. Es sind wohl doch nicht nur wirtschaftliche Erwägungen gewesen, die die Scheidung in der Praxis jedenfalls in der älteren Zeit zu einem Ausnahmefall haben werden lassen. Das könnte ein spätes Prophetenwort bestätigen. Es ist ein Wort aus einer Zeit, in der das eben Gesagte nicht mehr galt, aus einer Zeit der Unsicherheit und Auflösung, in der es dann zum hemmungslosen Ausnutzen der rechtlichen Scheidungsmöglichkeiten gekommen ist, Mal 2,14.16:

»Ihr sprecht: Weshalb? Weil Jahwe Zeuge ist zwischen dir und deinem Jugendweib, an der du treulos gehandelt hast, wo sie doch deine Gefährtin und dein durch Kontrakt geschütztes Weib ist. Denn Scheidung aussprechen haßt Jahwe und Gewalttat auf sein Kleid decken. Und ihr sollt euer Leben wahren und sollt nicht treulos handeln!« (Übersetzung nach *F. Horst* in HAT 14).

Maleachi entwickelt nicht ein metaphysisch unterbautes Eheverständnis, aber für ihn ist mit der Ehe doch die Gottesbeziehung tangiert. Auffallend ist, daß diese prophetische Formulierung fast schon nach Monogamie klingt. Im übrigen kennt das Alte Testament, ganz unbefangen die Möglichkeit der Vielehe, die dort allerdings nur in der Form der Polygynie vorkommt, also als Ehe eines Mannes mit mehreren Frauen (vgl. dazu *Plautz*, ZAW 75). Diese Eheform gehört für das alte Israel zu den soziologischen Ordnungen, die es von seiner Umwelt übernommen hat, ohne dabei ein Problem zu empfinden. Ehe und Eros gehören für das Alte Testament zum profanen Bereich des Lebens, aber gerade der profane Bereich ist ja nicht dem Willen Jahwes entzogen (vgl. dazu *R. Goeden*, 10–14).

In welchem Umfang die Vielehe in alttestamentlicher Zeit wirklich praktiziert wurde, ist mit alledem nicht gesagt und ist exakt auch schlechterdings nicht zu ermitteln. Immerhin sind einige Rückschlüsse möglich (vgl. dazu vor allem *Plautz*, ZAW 75,15–19). Daß hochgestellte Persönlichkeiten wie vor allem die Könige hier einen besonderen Status gehabt haben, ist von vornherein anzunehmen. Für einen König ist kein Fall

von Monogamie erwähnt. Aber die für Salomo mitgeteilten Zahlen (700
offizielle Frauen und 300 Nebenfrauen, 1. Kön 11,3) sind gewiß nicht
repräsentativ. Diese Notiz mit ihren runden Zahlen geht zweifellos nicht
auf urkundliches Material zurück. Es handelt sich um eine Feststellung,
durch die der unermeßliche Reichtum Salomos unterstrichen werden
soll, deren historischer Gehalt aber höchst problematisch ist (vgl.
M. *Noth*, BK IX/1 z. St.). Für den normalen Israeliten ergibt sich ein
anderes Bild. Hier gibt es zahlreiche Beispiele für praktizierte Monogamie. Polygamie ist in diesem Bereich nur in der Form der Bigynie im Alten Testament erwähnt. Das schließt natürlich nicht aus, daß es auch unter normalen Israeliten polygame Eheverhältnisse gegeben hat, aber
numerisch haben sie sicher keine besondere Rolle gespielt. Die Regel
war, daß ein israelitischer Mann eine, allenfalls zwei Frauen hatte. Nicht
zuletzt spielten die wirtschaftlichen Möglichkeiten dabei eine Rolle, und
schließlich verbietet das Geschlechterverhältnis innerhalb einer normalen Gesellschaft von selbst die Annahme einer ausgedehnten Polygamie-
praxis (vgl. *D. R. Mace*, 129).
Einige Notizen zum Ehebruchsdelikt sollen die Erwägungen zum alttestamentlichen Eherecht abschließen. Wie die altorientalischen Gesetze
beurteilt auch das Alte Testament den Ehebruch in dem oben (vgl. S. 92)
beschriebenen Sinn als todeswürdiges Vergehen, vgl. Lev 20,10; Dt
22,22. Und auch damit bleibt das Alte Testament im Rahmen des altorientalischen Rechts, daß es den geschlechtlichen Verkehr mit einer
Frau, die die »Verlobte« eines anderen ist, wie Ehebruch bewertet (Dt
22,23 f.). Der Begriff »Verlobung« ist hier allerdings von dem uns ge-
läufigen charakteristisch unterschieden. Durch die Zahlung des Brautpreises ist die Frau rechtsgültig zur Ehefrau geworden, auch wenn sie
noch im Hause ihres Vaters wohnt und die Ehe noch nicht vollzogen ist.
In einer anderen Beziehung aber ist die alttestamentliche Bewertung des
Ehebruchs bemerkenswert vom übrigen altorientalischen Recht unterschieden. Im Alten Testament findet sich keinerlei Andeutung auf eine
privatrechtliche Beurteilung dieses Deliktes, die für das altorientalische
Recht sonst, wie wir sahen, bezeichnend ist. Das fällt besonders auf,
wenn man beachtet, daß sich im Alten Testament im übrigen durchaus
noch Reste der Vorstellung von der Privatrache finden, und zwar an
Stellen, an denen das altorientalische Recht diese Vorstellung längst zurückgedrängt hat, z. B. beim Totschlag. Beim Ehebruch und auch bei
anderen Sexualdelikten ist es anders. Hier handelt es sich nach alttestamentlichem Verständnis um Vergehen, von denen nicht nur der Geschädigte als Individuum, von denen vielmehr die Gemeinschaft als
ganze betroffen wird. »Du sollst das Böse aus Israel ausrotten«, heißt es
Dt 22,22. Der Schutz der Ehe ist für die Lebensfähigkeit einer geordneten Gemeinschaft von besonderem Interesse. Ehebruch ist ein Vergehen, das die Gemeinschaft gefährdet. Aber das ist nicht der einzige und
wohl nicht einmal der wichtigste Grund für diese im altorientalischen

Kontext auffallende Einstellung. Die letzte Begründung dafür ist theologischer Natur. Israel grenzte sich damit vom Kanaanäertum und seinen orgiastischen Fruchtbarkeitskulten ab. Jegliche religiöse Ideologisierung der Sexualität, wie sie das Kanaanäertum betrieb, war für Israel mit dem Herrschaftsanspruch Jahwes nicht vereinbar, und von da her ist die besondere kritische Aufmerksamkeit zu verstehen, die das Alte Testament dem Bereich der Sexualität zuwendet.

Daß das Alte Testament auf der anderen Seite aber in keiner Weise einer Verteufelung der Sexualität das Wort redet, sei ausdrücklich betont. Es sei in diesem Zusammenhang lediglich darauf aufmerksam gemacht, daß es im Alten Testament kaum Hinweise auf sexuelle Askese gibt (in diesem Zusammenhang wären etwa Ex 19,15 b oder 1. Sam 21,5 zu erwähnen). Die Forderung lebenslanger oder auch nur länger andauernder Askese ist dem Alten Testament unbekannt. Wenn sich für bestimmte Menschengruppen Enthaltsamkeitsvorschriften entwickelt haben, so betreffen diese nie den sexuellen Bereich (vgl. für die Nasiräer Ri 13,4; 16,17; Num 6,1–21; für die Rechabiter Jer 35,6–10).

Innerhalb der familienrechtlichen Bestimmungen des CH wird auch das Erbrecht behandelt.

Lit.: *Driver-Miles* I, 324–358; *E. Ebeling*, Artikel Erbe: RLA II, 458–462; *J. Klíma*, Untersuchungen zum altbabylonischen Erbrecht (1940).

Wir wollen hier auf die zahlreichen und z. T. recht komplizierten Bestimmungen nicht ausführlich eingehen und nur einiges anmerken. Leider fehlt wieder eine Grundbestimmung. Wie in anderen Fällen wird auch hier vieles unausgesprochen vorausgesetzt. Behandelt werden lediglich Sonderfälle. Als Grundsätze des babylonischen Erbrechts wird man folgendes feststellen dürfen: 1) Normalerweise sind nur Söhne erbberechtigt. Das dürfte für die ältere Zeit die allein gültige Regelung gewesen sein. Noch der CH enthält keinerlei Angaben, die auf Erbansprüche der Tochter hindeuten. Im Hintergrund dieser Rechtspraxis steht die Vorstellung, daß eine Tochter durch ihre Heirat die eigene Familie verläßt und in die Familie des Mannes eintritt, das Familienvermögen aber durch den Sohn bzw. die Söhne der eigenen Familie erhalten bleiben soll. Darüberhinaus galt eine Tochter durch die Mitgift erbrechtlich als abgefunden. Wurde sie nicht verheiratet, so hatte sie im Bereich ihrer Familie einen bleibenden Unterhaltsanspruch. 2) Das Erbe wird gleichmäßig unter die erbberechtigten Söhne verteilt. Das Prinzip der Primogenitur kennt der CH also nicht. Den zuletzt erwähnten Rechtsgrundsatz kann der Familienvater dadurch umgehen, daß er einem seiner Söhne – es braucht nicht der älteste zu sein – ein Vorausvermächtnis zukommen läßt, das dann bei der späteren Erbteilung nicht berücksichtigt wird. Nach den erhaltenen Urkunden ist die Möglichkeit des Vorausvermächtnisses vor allem im Süden Babyloniens auf sumerisch geschriebenen Urkunden belegt, im Norden kommt es kaum vor (*J. Klíma*).

»Wenn ein Mann seinem Sohn, der sein Auge eingenommen hat (d. h. den er bes. schätzt) Feld, Garten oder Haus geschenkt und ihm (darüber) eine Siegelurkunde geschrieben hat, wird er, nachdem der Vater zum Schicksal eingegangen ist, wenn die Brüder (das Erbgut) teilen, das Geschenk, das der Vater ihm gegeben hat, an sich nehmen. Darüber hinaus werden sie den Besitz seines Vaterhauses zu gleichen Teilen teilen« (§ 165).

Ließ das babylonische Recht also eine Sonderzuwendung an einen bestimmten Sohn zu, so erschwerte es auf der anderen Seite die Enterbung außerordentlich. Eine Enterbung konnte ohne gerichtliche Genehmigung überhaupt nicht vorgenommen werden. Das Gericht aber konnte nur bei einer schweren Verfehlung des Sohnes einer Enterbung zustimmen, und zwar erst dann, wenn sich der Sohn die Verfehlung ein zweites Mal zuschulden kommen ließ.

»Wenn ein Mann sich vornimmt, seinen Sohn zu enterben, und zu den Richtern sagt: ›Meinen Sohn will ich enterben‹, so werden die Richter seine Angelegenheit untersuchen. Wenn der Sohn keine schwere Straftat begangen hat, die zur Enterbung geeignet wäre, so kann der Vater seinen Sohn nicht enterben« (§ 168).

»Wenn er eine schwere Straftat begangen hat, die zur Enterbung geeignet wäre, so wird man beim ersten Mal Nachsicht üben. Wenn er aber die schwere Straftat zum zweiten Mal begangen hat, so kann der Vater seinen Sohn enterben« (§ 169).

Des weiteren beschäftigt sich das babylonische Gesetzeswerk mit dem Erbrecht von Söhnen, die einem Mann von zwei Frauen geboren worden sind. Handelt es sich um Kinder aus zwei aufeinanderfolgenden Normalehen, so sind alle Söhne gleichberechtigte Erben des Vaters (§ 167), handelt es sich um Kinder einer Sklavin, die zusammen mit den legitimen Söhnen Ansprüche auf das Erbe erheben, so bedarf es einer rechtsgültigen Anerkennung dieser Kinder durch den Vater, damit auch die Kinder der Sklavin am Erbgut beteiligt werden können (§§ 170.171). Eine besondere Bewandtnis hat es mit der Mitgift. Sie bleibt rechtlich das Eigentum der Frau. Nach ihrem Tode haben nur ihre leiblichen Kinder darauf einen Anspruch.

Sowenig wie die Tochter gegenüber ihrem Vater hat die Witwe gegenüber ihrem verstorbenen Ehemann einen Erbanspruch. Sie ist trotzdem nicht rechtlos und unversorgt. Sie hat das Recht, im Hause ihres Mannes wohnen zu bleiben. Mitgift und eventuelle Eheschenkung sichern ihren Unterhalt. Für den Fall, daß eine Eheschenkung an sie nicht erfolgt ist, wird ihr ein Sohneserbteil als Grundlage für ihren Lebensunterhalt zugewiesen (§ 172). *Klíma* betont, daß man aus dieser Bestimmung keineswegs ein Witwenerbrecht ableiten darf (56).

In engem sachlichem Zusammenhang zum Erbrecht steht das Adoptionsrecht. Es wird vom CH am Ende des umfangreichen familienrechtlichen Abschnitts behandelt (§§ 185–193). Dabei kommen auch bestimmte pflegschaftsrechtliche Anordnungen zur Sprache, die nicht direkt zum Adoptionsrecht gehören.

Lit.: *M. David*, Die Adoption im altbabylonischen Recht (1927); *H. Donner*, Adoption oder Legitimation? Erwägungen zur Adoption im Alten Testament auf dem Hintergrund der altorientalischen Rechte: OrAnt 8 (1969) 87–119; *Driver-Miles* I, 383–405; *R. Yaron*, Varia on Adoption: JJP 15 (1965) 171–183.

Für Mesopotamien ist die Adoption schon seit sehr frühen Zeiten belegt, und sie hat dort immer eine erhebliche Rolle gespielt. Die diesbezüglichen Paragraphen des CH geben davon nur ein unvollkommenes Bild, das aber durch zahlreiche babylonische Urkunden wesentlich ergänzt wird. Wir wollen unser Augenmerk nur auf die Adoption in ihrer vollen rechtlichen Bedeutung richten und adoptionsähnliche Abmachungen außer acht lassen. Adoption besagt, daß jemand eine blutsfremde Person – meist handelt es sich um ein Kind – als Sohn bzw. Tochter mit allen rechtlichen Konsequenzen annimmt, d. h. vor allem, daß der Adoptierte voll erbberechtigt wird und auch in anderer Hinsicht alle Rechte und Pflichten des leiblichen Kindes bekommt. Die Adoption »hat den Zweck, demjenigen, der keine rechtmäßige Nachkommenschaft hat, eine künstliche zum Zwecke der Erhaltung der Familie zu verschaffen« (*M. David*, 1). Deshalb wird in der Regel nur derjenige ein fremdes Kind adoptiert haben, der – aus welchen Gründen auch immer – keine eigenen Kinder hatte. Es handelt sich hier um ein Bedürfnis, das innerhalb durchaus verschiedener Gesellschaftsformen besteht. Aus diesem Grunde ist dieses Rechtsinstitut in ganz verschiedenen Rechtsbereichen mit bemerkenswert gleicher Grundstruktur zu belegen. So ist z. B. die römische *adoptio filii loco* dem altorientalischen Adoptionsrecht vergleichbar, ohne daß eine direkte Beeinflussung angenommen werden müßte.

In den Anordnungen des CH, die von der Adoption eines Findelkindes ausgehen, geht es vor allem um das Reklamationsrecht der leiblichen Eltern und die Auflösung der Adoption durch die Adoptiveltern. Grundsätzlich ist die Adoption unauflöslich, aber in gewissen Fällen kann dieser Rechtsgrundsatz durchbrochen werden. Wenn z. B. der Adoptivvater eines Findelkindes die leiblichen Eltern ausfindig gemacht hat, so hat das Adoptivkind das Recht, jederzeit in den Familienverband seines leiblichen Vaters zurückzukehren (§ 186). In diesem Fall wird also dem Kind das Recht zugestanden, das Adoptionsverhältnis aufzulösen. Unter anderen Umständen erhält der Adoptivvater dieses Recht, und zwar dann, wenn er nach der erfolgten Adoption noch eigene Kinder bekommt. Allerdings muß er dem aus dem Kindschaftsverhältnis entlassenen Kind ein Drittel seines Erbteils auszahlen (§ 191). Willkürlich darf weder die

eine noch die andere Seite das Adoptionsverhältnis außer Kraft setzen.
Der CH ordnet schwere Verstümmelungsstrafen für den Fall an, daß ein
Adoptierter einseitig und ohne zureichen Grund aus dem Adoptionsver-
hältnis ausbricht (§§ 192.193).

Da die Rechtsbestimmungen des CH, die sich auf die Adoption beziehen,
besonders lückenhaft sind, wollen wir den Vorgang noch durch ein Zitat
einer der zahlreichen Adoptionsurkunden beleuchten. Wir wählen die
Urkunde VAT 926, die bereits von *David* zitiert und besprochen worden
ist (43 ff.). Die letzte Kommentierung stammt von *H. Donner* (94 f.).
Ihr schließen wir uns sachlich an. Wir zitieren den Text nach *Donner* in
der von ihm vorgenommenen sachlichen Gliederung (116).

I.   »Den Schamasch-āpilī haben von Schaḥamatum, Mārat-Ischtar, ihrer Tochter, und
Tarībum, (ihrem) Sohn, Bunini-abī und Ḥuschutum, die *naditum* des Marduk, die Gattin
des Bunini-abī, zur Sohnschaft angenommen« (Z. 1–8).

II.   »Selbst wenn Bunini-abī und Ḥuschutum zehn Kinder bekommen sollten, ist Schamasch-āpilī deren ältester Bruder« (Z. 9–12).

III. »Wenn in Zukunft Schamasch-āpilī zu Bunini-abī und Ḥuschutum ›Du bist nicht mein
Vater, Du bist nicht meine Mutter‹ sagt, dann sollen sie ihn scheren und für Geld verkaufen; und wenn Bunini-abī und Ḥuschutum zu ihrem Sohne Schamasch-āpilī ›Du bist nicht
unser Sohn‹ sagen, dann gehen sie des Hauses und der Hausgeräte verlustig« (Z. 13–27).

IV.   »In Bezug auf das Säugegeld für [. . .] Jahre sind Schaḥamatum, Mārat-Ischtar und
Tarībum, der Sohn, zufriedengestellt« (Z. 27–36).

V.   (Zeugen, Datum).

In diesem Fall geht es nicht um die Adoption eines Findelkindes. I ist die
Adoptionsklausel. Hier werden die Namen der Personen genannt, die
am Adoptionsvorgang beteiligt sind: Schamasch-āpilī ist der Name des
Adoptierten. Seine Mutter – offenbar eine Witwe – heißt Schaḥamatum.
Neben ihr werden noch ihre Tochter Mārat-Ischtar und ihr Schwieger-
sohn (?) Tarībum genannt. Die Adoptanten heißen Bunini-abī und Ḥuschutum. II enthält die sogenannte Erbrechtsklausel. Auch für den Fall,
daß Bunini-abī und Ḥuschutum noch Kinder bekommen sollten, bleibt
der adoptierte Schamasch-āpilī ihr Kind, das gegenüber den leiblichen
Kindern rechtlich nicht benachteiligt werden darf. Diese Erbrechtsklausel steht in einer Spannung zu der oben angesprochenen Bestimmung
des § 191 CH. Solche Spannungen sind grundsätzlich nichts Ungewöhn-
liches. Allerdings liegt der in § 191 angesprochene Fall vielleicht deshalb
anders, weil es sich dabei möglicherweise um die Adoption eines Findelkindes handelt. III. Die Revokationsschutzklausel setzt die Strafen für
den Fall einseitiger Auflösung des Adoptionsverhältnisses fest. Die unter IV zitierte Aufziehungsgeldklausel kommt nicht in allen Adoptionsurkunden vor, wohl aber der Abschluß mit der Notierung der Zeugen
und des Datums.

Exkurs 4
Zum Erbrecht und zur Adoption im Alten Testament

Lit.: *H. J. Boecker*, Anmerkungen zur Adoption im Alten Testament, ZAW 86 (1974) 86–89; *L. Delekat*, Artikel Erbe: BHH I, 423–425; *H. Donner*, Adoption oder Legitimation?: OrAnt 8 (1969) 87–119; *E. Neufeld*, Ancient Hebrew Marriage Laws (1944) 259–266; *M.-H. Prévost*, Remarques sur l'Adoption dans la Bible: RIDA 14 (1967) 67–77; *de Vaux*, Lebensordnungen I, 93–98; *ders.*, Histoire Ancienne d'Israel (1971) 236–238.

Verglichen mit den zahlreichen babylonischen Bestimmungen äußern sich die alttestamentlichen Gesetze nur recht spärlich zum Erbrecht. Bei den wenigen einschlägigen Belegstellen handelt es sich auch hier um die Regelung von Sonderfällen, die aber die wichtigsten Grundsätze des alttestamentlichen Erbrechts erkennen lassen. Man kann sie so zusammenfassen: 1) Normalerweise sind nur Söhne erbberechtigt. 2) Der älteste Sohn erhält einen doppelten Anteil. Anders als im CH wird hier also das Prinzip der Primogenitur vertreten. Diese Erbregelung kann rechtsgeschichtlich vielleicht damit erklärt werden, daß der älteste Sohn die Versorgung der Mutter und der unverheirateten weiblichen Familienmitglieder zu übernehmen hatte (*L. Delekat*). Daß in dieser Hinsicht beim Vorhandensein von zwei oder mehr Frauen besondere Probleme auftreten, sei nur angemerkt. Auf jeden Fall hatte der erstgeborene Sohn im Rahmen der Familie eine besonders hervorgehobene Stellung, worauf zahlreiche Belegstellen aus der erzählenden Literatur des Alten Testaments hindeuten, z. B. Gen 27,19; 35,23; 43,33 (vgl. *E. Neufeld* 263 f.; *de Vaux*, I, 79).

Einer der beiden mit erbrechtlichen Fragen befaßten alttestamentlichen Rechtssätze behandelt den auch im babylonischen Recht aufgegriffenen Fall, daß ein Mann Kinder von zwei Frauen hat. Da das alttestamentliche Recht nicht wie das babylonische monogam orientiert ist, kann ein Mann zur gleichen Zeit zwei rechtlich gleichgestellte Frauen haben. Er darf in einem solchen Fall mit dem Erstgeburtsrecht nicht willkürlich verfahren. Daß mit dem Recht des Sohnes auch das Recht der Mutter gewahrt wird, sei am Rande vermerkt.

»Wenn ein Mann zwei Frauen hat, die eine wird von ihm geliebt, die andere gehaßt, und ihm die geliebte wie die gehaßte Söhne geboren haben, und der erstgeborene Sohn von der gehaßten ist, (16) so darf er an dem Tage, an dem er die Verteilung des Erbes an seine Söhne vornimmt, nicht den Sohn der geliebten Frau als Erstgeborenen behandeln auf Kosten des Sohnes der gehaßten Frau, der doch der Erstgeborene ist. (17) Sondern er muß den Sohn der gehaßten Frau anerkennen, indem er ihm einen doppelten Anteil von seinem ganzen Vermögen gibt, denn er ist der Erstling seiner Kraft. Ihm gehört das Erstgeburtsrecht« (Dt 21,15–17).

Der zweite alttestamentliche Text, der sich mit dem Erbrecht befaßt, steht in Num 27,1–11 (ergänzend gehört noch Num 36,6–9 hinzu). Es geht hier um die Frage, ob eine Tochter erbberechtigt ist, wenn keine Söhne vorhanden sind. Dieses Problem wird an der genannten Stelle im Blick auf einen bestimmten Fall aufgeworfen und nach der vorliegenden Erzählung von Mose positiv entschieden. Ausdrücklich wird dieser Entscheidung der Charakter einer Präzedenzentscheidung beigemessen, nach der zukünftig in Israel gehandelt werden soll. Da die Präzedenzentscheidung über den konkreten Rechtsfall hinausgeht – es wird auch an die Möglichkeit der Kinderlosigkeit gedacht –, ist es wahrscheinlich, daß an dieser Stelle älteres Rechtsgut in die Moseerzählung eingearbeitet worden ist. Es wird damit besonders hervorgehoben. Wir zitieren lediglich die Rechtsformulierung.

»Wenn ein Mann stirbt und keinen Sohn hat, so sollt ihr seinen Erbanteil auf seine Tochter übergehen lassen. (9) Wenn er auch keine Tochter hat, so sollt ihr seinen Erbanteil seinen Brüdern übergeben. (10) Wenn er keine Brüder hat, so sollt ihr seinen Erbanteil den Brüdern seines Vaters übergeben. (11 a) Wenn sein Vater keine Brüder hat, so sollt ihr seinen Erbanteil seinem ihm verwandtschaftlich am nächsten stehenden Blutsverwandten aus seiner Sippe übergeben, und der soll ihn in Besitz nehmen« (Num 27,8 b–11 a).

Gelegentlich weichen bestimmte alttestamentliche Angaben von den Bestimmungen der zitierten Rechtssätze ab. Das ist grundsätzlich nicht verwunderlich. Hingewiesen sei auf Hi 42,13–15, wo erzählt wird, daß Hiob seine drei Töchter bei der Erbzuteilung ihren sieben Brüdern gleichgestellt hat. Ob damit eine spätere Rechtsauffassung zutage tritt, wie man gelegentlich annimmt, muß offen bleiben.

Während vom Erbrecht in den alttestamentlichen Gesetzen durchaus die Rede ist, wird die Adoption in keiner alttestamentlichen Rechtsbestimmung erwähnt, was in der Literatur schon oft mit einiger Verwunderung festgestellt worden ist. Noch auffallender ist es nun, daß auch in den erzählenden Partien des Alten Testaments kein Hinweis auf Adoption im eigentlichen und strengen Sinn des Wortes zu finden ist. Zwar werden immer wieder bestimmte Texte unter dem Stichwort Adoption genannt (z. B. Gen 30,1–13; 48,5.12; 50,23), aber in all diesen Fällen handelt es sich nicht um Adoptionen, wie vor allem *H. Donner* herausgestellt hat. Diese Feststellungen führen notwendig zu der Frage, warum dieses in der gesamten Umwelt so reichlich belegte Rechtsinstitut im Alten Testament keine Beachtung gefunden hat. Es gehört zur Natur der Sache, daß auf eine derartige Frage eine voll befriedigende Antwort kaum gegeben werden kann. Auf den Versuch einer Antwort sollte aber trotzdem nicht verzichtet werden.

Dabei kann man von einigen bisher bereits vorgelegten Antworten ausgehen. Beliebt ist der Hinweis auf die alttestamentliche Eheform: Während das babylonische Eherecht durchweg von der Einehe ausgeht, damit Kinderlosigkeit begünstigt und deshalb auf den Ausweg der Adoption stärker angewiesen ist, läßt das alttestamentliche Eherecht bekanntlich die Mehrehe zu und verringert dadurch die Möglichkeit der Kinderlosigkeit eines Mannes beträchtlich, so daß der Weg der Adoption aus diesem Grunde einfach nicht nötig war (so z. B. *M. David*, OTS 7, 1950, 164). Aber diese Überlegung reicht zur Erklärung des Tatbestandes sicherlich nicht aus. Die Mehrehe war ja schon aus wirtschaftlichen Gründen alles andere als die normale Praxis. Auch ist nicht einzusehen, warum Mehrehe und Adoption sich grundsätzlich ausschließen sollten.

Auch der Hinweis auf die im alten Israel bestehende Institution der Schwagerehe (sog. Leviratsehe), der von *Donner* in diesem Zusammenhang gemacht wird (112 f.), ist letztlich nicht durchschlagend. Es handelt sich dabei um den Brauch, daß die Ehe eines kinderlos verstorbenen Mannes von einem seiner Brüder fortgesetzt wird (vgl. Dt 25,5–10). Der erstgeborene Sohn aus dieser Verbindung galt dann rechtlich als Sohn des verstorbenen Mannes, auch im Hinblick auf das Erbrecht. Die praktische Durchführung der Leviratsehe war an den intakten Bestand der Großfamilie gebunden. Nicht von ungefähr heißt es in Dt 25,5: »Wenn Brüder beieinander wohnen . . .« Die deuteronomische Bestimmung rechnet jedenfalls mit der Möglichkeit, daß ein Mann sich weigert, seiner Leviratsverpflichtung nachzukommen. So ist es also grundsätzlich richtig, daß durch die Leviratsehe das Problem der Kinderlosigkeit gelöst werden kann, aber diese Möglichkeit scheint zunehmend weniger genutzt worden zu sein. Sie kam ja auch nur in Frage, wenn der Mann gestorben war. Im ganzen Alten Testament gibt es lediglich drei Texte, für die der Levirat eine Rolle spielt (Dt 25,5–10; Gen 38; Rt 4). Und schließlich darf man nicht übersehen, daß der Levirat zwar auch im altorientalischen Bereich nur selten erwähnt wird, aber doch durchaus neben der Adoption vorkommt. Das Fehlen der Adoption im Alten Testament kann durch die Leviratsehe jedenfalls nicht zureichend erklärt werden.

Da kommt es der Sache schon näher, wenn man feststellt: »Die israelitische Familie ist grundsätzlich Blutsverband«, und aus diesem Grunde die Adoption nicht für zulässig hält (*J. Hempel*, Das Ethos des Alten Testaments, ²1964, 69 Anm. 16). Aber auch diese Antwort befriedigt noch nicht, denn es wird ja über den Grund für diese Einstellung damit noch nichts gesagt. Der letzte Grund für das Fehlen der Adoption im Alten Testament dürfte ein theologischer sein. Nachkommenschaft ist dem Alten Testament Zeichen und Ausdruck des göttlichen Segens. Ihn kann und darf man nicht erzwingen. Die Adoption wurde offenbar als nicht statthafte menschliche Manipulation angesehen, den ausgebliebenen göttlichen Segen mit eigenen Mitteln zu ersetzen.

Man kann über Adoption im Alten Testament nicht reden, ohne Ps 2,7 (»Du bist mein Sohn, heute habe ich dich gezeugt«) und 2. Sam 7,14 (»Ich will ihm Vater sein, und er soll mir Sohn sein«) zu nennen. Diese beiden Texte werden in der neueren Exegese weitgehend als Adoptionsformeln verstanden, was wohl zutreffend ist (vgl. *H. J. Boecker*, 88 f.). Aber hier handelt es sich gerade nicht um eine Adoption im üblichen Sinne. Die genannten Texte führen in den Zusammenhang des Jerusalemer Krönungsprotokolls, bei dem es darum geht, daß Jahwe, der Gott Israels, den König zu seinem Sohn erklärt und ihn damit in sein Amt einsetzt. Das geschieht unter Verwendung einer Adoptionsformel, die eine naturhafte Gottessohnschaft des Königs ausschließt und alles Gewicht auf die Willensentscheidung Gottes zugunsten des davidischen Königs legt. Es ist ein bemerkenswerter Vorgang, daß sich das Alte Testament in diesem Zusammenhang der Vorstellungen eines Rechtsinstituts bedient, das es aus den oben genannten Gründen für die normale menschliche Adoption gerade nicht akzeptiert hat.

Im Anschluß an das Familienrecht befaßt sich der CH nach zwei Übergangsbestimmungen in den §§ 196–214 mit verschiedenen Fällen von Körperverletzung. Beispielhaft werden einzelne Körperteile genannt, denen Verletzungen zugefügt werden können, und die in Frage kommenden Strafen festgesetzt. Der Codex bietet auch in diesem Bereich alles andere als ein vollständiges Bild (vgl. *Driver-Miles* I, 406 ff., die eine Liste über die im CH fehlenden Rechtsfälle aufgestellt haben). In mancher Hinsicht ist der ältere Codex von Eschnunna sogar ausführlicher (vgl. oben S. 54). Im CH werden genannt: Auge, Knochen, Zahn und Mißhandlung durch Ohrfeigen. Das geschützte Rechtsgut ist die körperliche Unversehrtheit. In einigen Bestimmungen spielt daneben aber noch ein anderes Moment hinein, das man den »Schutz der Ehre« nennen könnte (vgl. *D. Nörr*, Diss 5–16).

»Wenn ein Mann das Auge des Sohnes eines anderen zerstört, so wird man sein Auge zerstören« (§ 196).
»Wenn er den Knochen eines anderen bricht, so wird man seine Knochen brechen« (§ 197).

(In §§ 196, 197 handelt es sich bei allen genannten Personen um freie Vollbürger. Im akkadischen Text steht jeweils das Wort *avīlum*, vgl. dazu oben S. 66 f.)

»Wenn er das Auge eines *muschkēnum* zerstört oder den Knochen eines *muschkēnum* bricht, so muß er eine Mine Silber zahlen« (§ 198).

»Wenn er das Auge eines Sklaven zerstört oder den Knochen eines Sklaven bricht, so muß er die Hälfte seines Kaufpreises bezahlen« (§ 199).

»Wenn ein Mann den Zahn eines Gleichgestellten ausschlägt, so wird man seinen Zahn ausschlagen« (§ 200).

»Wenn er den Zahn eines *muschkēnum* ausschlägt, so zahlt er eine Drittel Mine Silber« (§ 201).

»Wenn ein Mann einen anderen, der höher gestellt ist als er, auf die Backe schlägt, so bekommt er in der Versammlung 60 Schläge mit dem Ochsenziemer« (§ 202).

»Wenn ein Freigeborener (Sohn eines *avīlum*) einen anderen Freigeborenen, der ihm gleichgestellt ist, auf die Backe schlägt, so muß er eine Mine Silber bezahlen« (§ 203).

»Wenn ein *muschkēnum* einen anderen auf die Backe schlägt, so muß er zehn Schekel Silber bezahlen« (§ 204).

»Wenn der Sklave eines Freigeborenen (*avīlum*) den Sohn eines Freigeborenen (*avīlum*) auf die Backe schlägt, so wird man ihm ein Ohr abschneiden« (§ 205).

Das auffälligste Merkmal dieser Rechtsbestimmungen liegt in der Tatsache, daß die Strafsätze nach der sozialen Stellung des Geschädigten differenziert werden. Die Verletzung, die einem *avīlum* zugefügt wird, wird anders geahndet als dieselbe Schädigung, wenn sie einen *muschkēnum* betrifft. Nur beim *avīlum* sieht der CH die Anwendung des Talionsprinzips vor (§§ 196.197.200; anders § 203), während beim *muschkēnum* Geldstrafen angeordnet werden (§§ 198.201.204). Der Grundgedanke der Talion, der Vergeltung von Gleichem mit Gleichem, verlangt es offenbar, daß dieses Prinzip nur unter den Angehörigen der gleichen Gesellschaftsschicht, und das heißt zugleich nur unter Angehörigen des gleichen Rechts Anwendung findet.
Bemerkenswert ist, daß auch die Körperverletzung eines Sklaven in diesem Zusammenhang abgehandelt wird. Das ist ein Hinweis darauf, daß der Sklave nicht nur als Sache angesehen wird, deren Beschädigung unter der Rubrik Sachbeschädigung zu verhandeln wäre. Aber die Verletzung eines Sklaven hat natürlich auch, und zwar sehr wesentlich, eine vermögensrechtliche Seite für den Eigentümer des Sklaven. Sie stellt eine Wertminderung seines Besitzes dar, und demzufolge ist dem Herrn des Sklaven ein Ausgleich für den eingetretenen Vermögensschaden zu zahlen (§ 199). Mit diesem Paragraphen wird gelegentlich der alttestamentliche Text Ex 21,26–27 verglichen (dazu unten S. 139 ff.). Ein Vergleich beider Rechtssätze ist aber nicht möglich, weil jeweils eine andere Voraussetzung gültig ist. Die alttestamentliche Rechtsbestimmung geht davon aus, daß ein Sklavenhalter seinen eigenen Sklaven verletzt, die babylonische hat die Verletzung eines fremden Sklaven im Auge.
In einem Fall wird die Differenzierung der Strafe noch weitergetrieben, indem innerhalb der Gruppe der *avīlim* zwischen höhergestellten und gleichgestellten Personen unterschieden wird. Das ist der Fall bei der Verabreichung einer Ohrfeige. Trifft sie einen Höhergestellten, so ist die Strafe wesentlich härter als wenn sie einer gleichgestellten Person zugefügt wird (§§ 202.203). Der moderne Leser vermutet an dieser Stelle wohl nicht zu Unrecht, daß eine Ohrfeige, zumal wenn sie einem Höhergestellten verabfolgt wird, nicht zuletzt eine Demütigung darstellt. So mag sich die extrem harte Bestrafung (60 Schläge), die ja weit über das Maß der Talion hinausgeht, erklären. Es handelt sich bei § 202 übrigens um den einzigen Fall von Prügelstrafe, den der CH erwähnt. Die Rechtsbestimmung liefert auch einen Hinweis auf die Art der Straf-

vollstreckung. Es wird ausdrücklich öffentliche Strafvollstreckung angeordnet.

Die bisher zitierten Rechtsbestimmungen sind ohne Rücksicht auf die
subjektive Schuld des Täters formuliert. Sie beruhen auf dem Rechtsprinzip der Erfolgshaftung, das im wesentlichen für den CH bestimmend
ist. Aber der Codex geht an einigen Stellen doch bereits darüber hinaus.
Das zeigen die folgenden drei Paragraphen, die von derartigen Körperverletzungen handeln, die im Ablauf einer Schlägerei dem einen der beiden Raufbrüder beigebracht worden sind. Dabei wird auch der Todesfall
berücksichtigt.

»Wenn ein Mann einen anderen bei einer Schlägerei schlägt und ihn verwundet, so wird
dieser Mann schwören: ›absichtlich habe ich ihn nicht geschlagen‹, aber den Arzt muß er
bezahlen« (§ 206).

»Wenn der andere infolge seines Zuschlagens stirbt, so wird er (ebenso) schwören und
zahlt, wenn es sich um einen Freigeborenen (Sohn eines *avīlum*) handelt, eine halbe Mine
Silber« (§ 207).

»Wenn es der Sohn eines *muschkēnum* ist, so zahlt er eine Drittel Mine Silber« (§ 208).

Wenn wir eben feststellten, daß in diesen Rechtsbestimmungen das
Prinzip der Erfolgshaftung durchbrochen ist, so muß man allerdings zugleich auf eine Spannung hinweisen, die innerhalb der zitierten Paragraphen besteht (vgl. zum Folgenden *D. Nörr*, ZSS 75, 1958, 22–24). Es
erhebt sich die Frage, wie es bei einer Schlägerei zu einem Schlag kommen soll, der nicht »absichtlich« oder, wie auch übersetzt wird, der »un-
wissentlich« geführt wird? Das widerspricht dem Begriff der Schlägerei,
und darum geht es in diesem Abschnitt. Im Zusammenhang einer Schlägerei geschieht jeder Schlag mit Absicht und mit Wissen. Man hat diese
Schwierigkeit auf verschiedene Weise zu erklären versucht, ohne doch
eine überzeugende Lösung anbieten zu können. So hat die Annahme
manches für sich, daß in diesen Paragraphen eine Rechtsentwicklung
festgehalten worden ist. Zunächst ging es ohne Erwähnung des Wil-
lensmoments nur um den Tatbestand der Schlägerei. Für diese Situation
wurde eine geringere Straffestsetzung verfügt als sie sonst üblich war. In
einer jüngeren Schicht ist dann damit das Schuldmoment des Vorsatzes
verbunden worden, wodurch die erwähnte Spannung in die Rechtsbestimmung hineingekommen ist.

Der Abschnitt über Körperverletzungen wird in §§ 209–214 durch die
Behandlung eines besonderen Deliktes abgeschlossen: die gewaltsame
Verursachung einer Fehlgeburt. Zur Klarstellung sei darauf hingewiesen, daß es hier nicht um Abtreibung geht. Abtreibung ist gewollte und
bewußt herbeigeführte Tötung der Leibesfrucht. Davon ist weder im CH
noch im Alten Testament, wohl aber in MAR A § 53 die Rede. Bei der
Straffestsetzung wird wiederum nach der sozialen Stellung der Frau dif-

ferenziert. Die Anwendung der Talionsstrafe bei Todesfolge in § 210 ist besonders erwähnenswert. Es wird hier allerdings keine genaue Entsprechung erreicht. Dazu müßte die Strafe an der schwangeren Ehefrau des Täters vollzogen werden.

»Wenn ein Mann die Tochter eines anderen geschlagen und er dadurch eine Fehlgeburt veranlaßt hat, so zahlt er zehn Schekel Silber für ihre Leibesfrucht« (§ 209).

(»Tochter eines *avīlum*« ist Standesbezeichnung wie »Sohn eines *avīlum*«, § 207)

»Wenn diese Frau stirbt, so wird man seine Tochter töten« (§ 210).

»Wenn er durch (sein) Zuschlagen bei einer Tochter eines *muschkēnum* eine Fehlgeburt veranlaßt hat, so zahlt er fünf Schekel Silber« (§ 211).

»Wenn diese Frau stirbt, so zahlt er eine halbe Mine Silber« (§ 212).

»Wenn er die Sklavin eines Mannes geschlagen und bei ihr eine Fehlgeburt veranlaßt hat, so zahlt er zwei Schekel Silber« (§ 213).

»Wenn diese Sklavin stirbt, so zahlt er eine Drittel Mine Silber« (§ 214).

Der mit § 215 beginnende Abschnitt des CH befaßt sich mit der Tätigkeit verschiedenartiger Berufe. Er hat sich nicht zuletzt wegen seines kulturgeschichtlich interessanten Inhalts immer schon besonderer Aufmerksamkeit erfreut. Wir greifen einiges beispielhaft heraus. Zunächst geht es in §§ 215–223 um die Berufstätigkeit des Arztes, genauer gesagt des Chirurgen. Der »Chirurg« wurde – grob gesagt – den Handwerkern zugerechnet. *Driver-Miles* notieren einen assyrischen Text, in dem der Chirurg geradezu als »Messermeister« bezeichnet wird (II, 251 Anm. 1). Der »Internist«, vom Chirurgen wohl unterschieden, zählte zur Berufsgruppe der Priester. Über seine Praxis sagt der Codex nichts, was angesichts der besonderen Art priesterlich-ärztlicher Heilkunst wohl verständlich ist.

Die Tätigkeit des Chirurgen war durchaus lukrativ, allerdings nicht risikolos. Die Höhe des ärztlichen Honorars, vom Codex für einige Operationen mitgeteilt, richtete sich nach der ärztlichen Leistung und nach der sozialen Stellung des Patienten. Auf der anderen Seite aber stand das ärztliche Risiko. Der sogenannte ärztliche Kunstfehler hatte schwerwiegende Folgen. Kam der Patient über der Operation zu Tode oder wurde durch die Operation schwer geschädigt, so wurde das dem Chirurgen z. B. mit dem Abhauen der Hand vergolten, wenn es sich bei dem Betroffenen um einen freien Vollbürger handelte. Hier ist also aus verständlichen Gründen des Talionsprinzip nicht vorgesehen. Der Verlust der Hand hat für den Arzt den Charakter einer Sinnbildstrafe: Mit der Hand wurde ja die verhängnisvolle Operation durchgeführt. Zugleich wird der unfähige Arzt auf diese Weise an der Durchführung weiterer Operationen gehindert. Anders war die Regelung beim Tod eines Sklaven. In diesem Fall hatte der Arzt den entstandenen Wertverlust zu ersetzen (§ 219).

»Wenn ein Arzt einem Mann (*avīlum*) mit einem bronzenen Messer eine schwere Wunde beigebracht hat und den Mann dadurch gesund werden läßt oder wenn er einen Augenbrauenbogen des Mannes mit einem bronzenen Messer geöffnet hat und dabei das Auge des Mannes gesund werden läßt, so nimmt er dafür zehn Schekel Silber« (§ 215).

»Wenn es sich um den Sohn eines *muschkēnum* handelt, so nimmt er fünf Schekel Silber« (§ 216).

»Wenn es sich um den Sklaven eines Mannes handelt, so wird der Herr des Sklaven dem Arzt dafür zwei Schekel Silber geben« (§ 217).

»Wenn ein Arzt einem Mann mit einem bronzenen Messer eine schwere Wunde beigebracht hat und den Mann (daran) hat sterben lassen oder wenn er einen Augenbrauenbogen des Mannes mit einem bronzenen Messer geöffnet und das Auge des Mannes (dabei) zerstört hat, so wird man seine Hand abschneiden« (§ 218).

»Wenn ein Arzt dem Sklaven eines *muschkēnum* mit einem bronzenen Messer eine schwere Wunde beigebracht hat und (ihn dabei) hat sterben lassen, so wird er einen Sklaven für den (verstorbenen) Sklaven ersetzen« (§ 219).

»Wenn er den Augenbrauenbogen mit einem bronzenen Messer geöffnet und (dabei) sein Auge zerstört hat, so muß er die Hälfte seines Kaufpreises bezahlen« (§ 220).

»Wenn ein Arzt den gebrochenen Knochen eines Mannes geheilt oder eine kranke Sehne gesund gemacht hat, so wird der Patient dem Arzt fünf Schekel Silber geben« (§ 221).

»Wenn es sich um den Sohn eines *muschkēnum* handelt, so wird er drei Schekel Silber geben« (§ 222).

»Wenn es sich um den Sklaven eines Mannes handelt, so wird der Herr des Sklaven dem Arzt zwei Schekel Silber geben« (§ 223).

Das Alte Testament kennt zu diesen Rechtssätzen keine Parallele. Ob es in älterer Zeit im alttestamentlichen Bereich überhaupt den Arzt als eigenen Berufsstand gegeben hat, ist fraglich und eher unwahrscheinlich. Jes 3,7 und Jer 8,22 sind verhältnismäßig jung und sind auch keineswegs für die gegenteilige Behauptung beweiskräftig. Nirgendwo ist im Alten Testament etwa von einem Leibarzt des Königs die Rede, wie es ihn an den babylonischen und assyrischen Höfen gegeben hat. Beachtenswert aber könnte der Vergleich von § 206 CH mit Ex 21,19 sein (vgl. S. 130 f.). Der vorausgesetzte Rechtsfall ist derselbe. Während aber der babylonische Rechtssatz die Bezahlung des Arztes verlangt, redet der alttestamentliche Text allgemeiner von den Heilungskosten, ohne klar zu defi-

nieren, was er damit meint. Den Arzt nennt er jedenfalls nicht. (Vgl. zu
diesem Sachzusammenhang J. *Hempel*, Heilung als Symbol und Wirklichkeit im biblischen Schrifttum, ²1965.)
Im Anschluß an die Bestimmungen über die Berufstätigkeit des Arztes
befaßt sich der CH mit dem Tierarzt, dem Baumeister, dem Schiffer
bzw. Schiffsbauer und in einem Sonderfall mit dem Scherer
(§§ 224–240). Wiederum werden die Honorarsätze festgestellt und die
Haftpflicht bei nicht ordnungsgemäß durchgeführter Arbeit geregelt.
Im Zusammenhang der Paragraphen, die die Arbeit des Baumeisters
ordnen, finden sich besonders auffallende Talionsbestimmungen.

»Wenn ein Baumeister einem Mann ein Haus gebaut, aber seine Arbeit nicht fest (genug)
ausgeführt hat, so daß das Haus, das er gebaut hat, eingestürzt ist und den Hausherren getötet hat, so wird dieser Baumeister getötet« (§ 229).

»Wenn es (das Haus) (auf diese Weise) den Sohn des Hausherren getötet hat, so wird der
Sohn des Baumeisters getötet« (§ 230).

»Wenn es (auf diese Weise) einen Sklaven des Hausherren getötet hat, so gibt er dem
Hausherren einen Sklaven, der dem (getöteten) Sklaven gleichwertig ist« (§ 231).

»Wenn es (auf diese Weise) Vermögenswerte vernichtet, so wird er alles Zerstörte ersetz-
zen. Auch wird er das Haus, das eingestürzt ist, mit eigenen Mitteln (wieder) aufbauen,
weil er das Haus, das er gebaut hat, nicht fest (genug) gebaut hat« (§ 232).

»Wenn ein Baumeister einem Mann ein Haus gebaut, aber sein Werk nicht kunstgerecht
ausgeführt hat und daher eine Wand baufällig wird, so wird dieser Baumeister diese Wand
mit eigenen Mitteln wieder befestigen« (§ 233).

Das Alte Testament kennt zu diesen Rechtsbestimmungen keine direkte
Parallele. Zum Problem der Haftung bei Fahrlässigkeit könnte man an
Ex 21,33 f. erinnern, wo festgestellt wird, daß der Eigentümer einer Zisterne diese abdecken muß. Anderenfalls hat er für entstandenen Schaden zu haften. Näher an den Sachbereich der oben zitierten Rechtsbestimmungen führt Dt 22,8, wo es auch um den Hausbau geht: »Wenn du
ein neues Haus baust, sollst du für dein Dach ein Geländer herstellen,
damit du keine Blutschuld auf dein Haus lädst, wenn jemand von ihm
herabstürzt.« Aber wie weit ist doch in diesem Fall das alttestamentliche
Recht vom babylonischen entfernt! Es wird geradezu von einer Beflek-
kung des Hauses gesprochen, die durch das unschuldig vergossene Blut
bewirkt wird. Das Blut schafft eine Schuldrealität, die das Gebäude und
seine Bewohner befällt.
Der folgende Abschnitt des CH, §§ 241–272, bietet sich auf den ersten
Blick als eine besonders ungeordnete Ansammlung von Rechtsbestimmungen dar, die sich mit verschiedenen landwirtschaftlichen Arbeiten,
vornehmlich mit Vieh- und Dienstmiete befassen. *H. Petschow* hat auch

hier eine sinnvolle Anordnung erkannt, indem er darauf hinwies, daß offenbar die zeitliche Abfolge der im Verlauf des Jahres anfallenden landwirtschaftlichen Tätigkeiten die Reihenfolge der Rechtssätze bestimmt (166). Wir wollen aus diesem Abschnitt diejenigen Bestimmungen herausgreifen, für die es im alttestamentlichen Recht gewisse Parallelen gibt.

In den §§ 241–249 stehen Rechtsbestimmungen, die besondere Rechtsfälle im Zusammenhang mit Tiermieten regeln. Gedacht ist dabei an Arbeitstiere, vor allem an Esel und Rinder. Zunächst werden in §§ 241–242 die zu zahlenden Miettarife festgesetzt. Dann geht es um Fragen der Haftung des Tiermieters.

»Wenn ein Mann ein Rind oder einen Esel gemietet hat und ein Löwe tötet (das Tier) auf dem freien Feld, so geht der Schaden zu Lasten des Eigentümers« (§ 244).

»Wenn ein Mann ein Rind gemietet hat und es durch Nachlässigkeit oder Schläge zu Tode bringt, so ersetzt er dem Eigentümer des Rindes Rind für Rind« (§ 245).

»Wenn ein Mann ein Rind gemietet hat und er dessen Fuß bricht oder seine Nackensehne durchschneidet, so ersetzt er dem Eigentümer des Rindes Rind für Rind« (§ 246).

»Wenn ein Mann ein Rind gemietet hat und er dessen Auge zerstört, so gibt er dem Eigentümer des Rindes in Silber die Hälfte seines Wertes« (§ 247).

»Wenn ein Mann ein Rind gemietet, aber der Gott es geschlagen hat, so daß es stirbt, so schwört der Mann, der das Rind gemietet hat, bei dem Gott und geht frei aus« (§ 249).

Für den Mieter eines Arbeitstieres ergeben sich aus den zitierten Rechtsbestimmungen folgende Verpflichtungen: Er ist für die geliehenen Tiere verantwortlich, er muß sie pfleglich behandeln. Kommt durch sein Verschulden ein Tier zu Tode (§ 245) oder wird so stark verletzt, daß es als Arbeitstier unbrauchbar wird (§ 246), muß der Mieter dem Eigentümer vollen Ersatz leisten: »Rind für Rind«. Eine leichtere Verletzung, durch die die Arbeitsfähigkeit des Tieres zwar reduziert, aber nicht völlig zerstört wird, wird entsprechend milder geahndet (§ 247). Wenn höhere Gewalt vorliegt, wird die Haftungspflicht aufgehoben. Der CH nennt in § 244 als Beispiel das sicher nicht seltene Vorkommnis, daß ein Löwe auf freiem Feld ein Tier gerissen hat. Schwieriger ist § 249 zu deuten. Was ist mit dem »Schlag Gottes« gemeint, der ein Tier tötet? Wohl kaum nur Blitz oder Sonnenstich, wie *D. H. v. Müller* annimmt (164), sondern jeder unerklärliche Todesfall eines gemieteten Tieres, vgl. *Driver-Miles* I, 437! Allerdings muß der Mieter in einem solchen Fall seine Unschuld durch einen Reinigungseid vor der Gottheit nachweisen. Einen parallelen Vorgang beschreibt der unten zitierte § 266. Im Fall des § 244 dürfte es nötig gewesen sein, den Beweis durch das Vorweisen des gerissenen Tieres oder einzelner Tierteile zu erbringen. So sieht es jedenfalls das alt-

testamentliche Recht in einem ähnlich gelagerten Fall vor, Ex 22,9–12, vgl. dazu unten S. 147 f.
Im CH folgen drei Rechtsbestimmungen über das stößige Rind.

»Wenn ein Rind, während es auf der Straße dahingeht, einen Mann gestoßen und (dabei) getötet hat, so entsteht aus dieser Rechtssache kein (einklagbarer) Rechtsanspruch« (§ 250).

»Wenn das Rind eines Mannes stößig ist und sein ›Tor‹ ihm mitgeteilt hat, daß es stößig ist, er aber (trotzdem) seine Hörner nicht gestutzt oder sein Rind nicht festgebunden hat, und dann dieses Rind den Sohn eines freien Mannes (*avīlum*) gestoßen und ihn (dabei) getötet hat, so wird er eine halbe Mine Silber bezahlen« (§ 251).

»Wenn es sich um einen Sklaven eines Mannes handelt, so zahlt er eine Drittel Mine Silber« (§ 252).

Dazu ist Ex 21,28–36 zu vergleichen, siehe unten S. 141 ff.
Im CH wie im biblischen Recht wird einiges darüber gesagt, was bei Verlust oder Beschädigung anvertrauter Tiere zu geschehen hat. In § 263, dessen Text leicht beschädigt ist, wird festgestellt, daß der Hirt für jedes verlorengegangene Stück Vieh dem Eigentümer einfachen Naturalersatz zu leisten hat. Aber es gibt höhere Gewalt, und in einem solchen Fall geht der Verlust zu Lasten des Eigentümers, nachdem der Hirte sich einem Reinigungseid unterzogen hat. Die entsprechenden alttestamentlichen Bestimmungen finden sich Ex 22,9–14, siehe unten S. 147 ff.

»Wenn in einer Hürde ein ›Schlag Gottes‹ geschieht oder ein Löwe tötet (Tiere), so wird sich der Hirte vor dem Gott reinigen, das (Vieh)sterben in der Hürde wird der Eigentümer der Hürde ihm abnehmen« (§ 266).

Der Codex schließt recht unvermittelt mit fünf Paragraphen, die zum Sklavenrecht gehören (§§ 278–282). Es mag sich dabei um eine nachträgliche Hinzufügung handeln. Nicht alles ist hier eindeutig klar. Wie bei anderen Beispielen aber wird das als die Meinung des Gesetzes erkennbar: Der Sklave ist der Besitz seines Herren, und die Rechtsbestimmungen sind darauf ausgerichtet, die gegebenen Besitzverhältnisse zu sichern. Der Sklavenkäufer hat Anspruch darauf, einen gesunden Sklaven zu erwerben. Stellt sich innerhalb eines Monats heraus, daß der Sklave an einer bestimmten schweren Krankheit leidet – der akkadische Terminus ist noch nicht sicher gedeutet, vielleicht handelt es sich um Epilepsie –, kann der Käufer den Kauf rückgängig machen (§ 278). Weiterhin haftet der Verkäufer dafür, daß auf den Sklaven nicht von anderer Seite Besitzansprüche geltend gemacht werden (§ 279). Sollte ein Sklave die Verfügungsgewalt seines Herren über ihn bestreiten, so kann ihm sein Herr zur Strafe ein Ohr abschneiden. Das ist die letzte Bestimmung des CH.

»Wenn ein Sklave zu seinem Herrn sagt: ›Du bist nicht mein Herr‹, so wird er ihm bewei-
sen, daß er sein Sklave ist, und wird (ihm) sein Ohr abschneiden« (§ 282).

Das Abschneiden des Ohres scheint eine typische Sklavenstrafe gewesen
zu sein (vgl. auch § 205). Damit wird dem Sklaven selbst zwar ein erheblicher Schmerz und Schaden zugefügt, seine Arbeitskraft wird aber nicht
allzusehr beeinträchtigt.

Einige zusammenfassende Bemerkungen sollen den Überblick über den
CH abschließen, vgl. zum Folgenden auch *R. Haase*, Körperliche Strafen in den altorientalischen Rechtssammlungen: RIDA 10 (1963) 55–75.
Man hat immer wieder festgestellt, daß der Codex sehr harte Strafbestimmungen enthält. In 25 Fällen wird die Todesstrafe verhängt. Hinzu
kommen noch die Strafe verschärfende Tötungsarten wie Feuertod,
Wassertod, Pfählen und Schleifen, so daß an insgesamt über 30 Stellen
von der Todesstrafe die Rede ist. Das ist eine sehr viel größere Zahl, als in
den anderen altorientalischen Gesetzessammlungen. Die Zahl allein
aber besagt natürlich nicht viel, denn der CH ist das bei weitem umfang-
reichste altorientalische Rechtsdokument. Trotzdem hat die genannte
Feststellung ihr Recht. Das zeigt ein Vergleich mit den vorhergehenden
und nachfolgenden Rechtssammlungen. Besonders aufschlußreich ist,
daß in dem nur wenig älteren CE oft sehr viel mildere Strafen vorgesehen sind als im CH. Es ist kaum anders vorstellbar, als daß die größere
Härte der Strafbestimmungen Hammurabis mit der besonderen Abzweckung und Situation seiner Gesetzgebung zusammenhängt. Die Einigung des großen, aus verschiedenen Teilen bestehenden Reiches bedurfte nach Meinung Hammurabis offenbar einer relativ harten Strafpraxis. Überdies ist festzustellen, daß eine Zunahme an Staatlichkeit
grundsätzlich eine Zunahme an öffentlichen Strafen mit sich bringt.
Vieles, was vorher in den Bereich privatrechtlicher Deliktsahndung gehörte, gerät bei einer Erstarkung der Staatsgewalt in die Zuständigkeit
öffentlicher Strafverfolgung. Eine derartige Situation war mit der
Reichsgründung Hammurabis gegeben.
Auffallend ist weiterhin das starke Hervortreten des Talionsgrundsatzes
im CH. Bei Körperverletzungen, die nach dem CE mit Geldbußen geahndet wurden, verlangt der CH die Anwendung der Talionsbestrafung.
Es ist durchaus umstritten, wie die gehäufte Anwendung des Talionsgrundsatzes im CH zu erklären ist. Es ist nicht einmal sicher, ob man die
auffallende Zunahme der Talionsstrafe als einen rechtsgeschichtlichen
Rückschritt ansehen muß, wie es weithin geschieht. Die Charakterisierung des Talionsprinzips als eines primitiven und barbarischen Rechts-
prinzips ist üblich. Dagegen stehen einige Überlegungen, die *J. J. Finkelstein* angestellt hat (Ammiṣaduqa's Edict and the Babylonian »Law
Codes«: JCS 15, 1961, 91–104). *S. M. Paul* hat sich ihm angeschlossen
(Studies in the Book of the Covenant in the Light of Cuneiform and Bi-

blical Law, VTSuppl 18, 1970, 75 ff.). Danach bedeutet die Verstärkung der Anwendung des Talionsprinzips gegenüber den früher üblich gewesenen Geldbußen eine Verstärkung der öffentlichen Deliktsahndung gegenüber der privatrechtlichen, und untrennbar damit verbunden ist eine Verstärkung der Rechtsgleichheit. Während der Wohlhabende sich früher verhältnismäßig leicht seiner Bestrafung entledigen konnte, wird durch die Anwendung des Talionsprinzips der Arme wie der Reiche in gleicher Weise von der Strafe betroffen, und insofern mag man – so ungewöhnlich es zunächst klingt – in der Tat von einem Fortschritt reden (»an important advance in the history of jurisprudence«, *Paul*, 76). Offen bleibt die Frage nach der Herkunft des Talionsgrundsatzes. Wenn es richtig ist, daß das *ius talionis* aus dem westsemitischen Nomadentum stammt, könnte sich hier die Herkunft der Hammurabidynastie auswirken, die man mit einer westsemitischen Einwandererschicht in Verbindung gebracht hat (vgl. dazu *V. Wagner*, Rechtssätze in gebundener Sprache und Rechtssatzreihen im israelitischen Recht, 1972, 3–15). Aber das sind zunächst Vermutungen, die noch stärker begründet werden müßten.

Zu einer anderen Kategorie gehören die sog. spiegelnden Verstümmelungsstrafen. Dabei wird der Täter an dem Glied bestraft, mit dem er sein Vergehen begangen hat. Im CH werden genannt das Abschneiden der Hand, des Ohres, der Zunge, der Brust (anzuwenden bei einer Amme, die ein falsches Kind säugt und die Eltern dadurch täuscht, § 194) und das Ausreißen des Auges. Zusammen mit den Talionsstrafen machen gerade diese Strafen auf den modernen Leser den Eindruck primitiver Brutalität. Allerdings könnte etwa ein Vergleich mit dem römischen Strafrecht oder der Strafpraxis des deutschen Mittelalters zeigen, daß hier keineswegs eine ganz ungewöhnliche Härte des Strafvollzugs vorliegt. Manche römischen oder mittelalterlichen Straf- und Folterbräuche sind durchaus den altorientalischen Anordnungen vergleichbar. Die Menschen haben offenbar zu allen Zeiten eine rege Phantasie zur Erfindung grausamer Strafen entwickelt. In diesem Zusammenhang muß auch bedacht werden, daß es Freiheitsstrafen im modernen Sinn im Alten Orient noch kaum gab. Auch im Alten Testament ist die Gefängnisstrafe unbekannt. Jer 20,2; 29,26; 2. Chron 16,10 und ähnliche Stellen gehören nicht in diesen Zusammenhang. Lediglich in einem späten Text ist von Gefängnisstrafe die Rede (Esr 7,26), aber gerade dieser Text führt in eine außeralttestamentliche Rechtspraxis.

Kapitel V

Das Bundesbuch

1. Allgemeine Einführung in die Probleme des Bundesbuches

Lit.: W. *Beyerlin*, Die Paränese im Bundesbuch und ihre Herkunft: Gottes Wort und Gottes Land, Festschr H.-W. *Hertzberg* (1965) 9–29; C. M. *Carmichael*, A Singular Method of Codification of Law in the *Mishpatim*: ZAW 84 (1972) 19–25; W. *Caspari*, Heimat und soziale Wirkung des alttestamentlichen Bundesbuchs: ZDMG 83 (1929) 97–120; H. *Cazelles*, Etudes sur le Code de l'Alliance (1946); J. *Halbe*, Das Privilegrecht Jahwes Ex 34,10–26 (1975) bes. 391–505; F. *Horst*, Artikel Bundesbuch: RGG I, 1523–1525; A. *Jepsen*, Untersuchungen zum Bundesbuch (1927); S. M. *Paul*, Studies in the Book of the Covenant in the Light of Cuneiform and Biblical Law (1970); L. *Rost*, Das Bundesbuch: ZAW 77 (1965) 255–259; V. *Wagner*, Zur Systematik in dem Codex Ex 21,2–22,16: ZAW 81 (1969) 176–182.

Das sogenannte Bundesbuch ist die älteste Rechtssammlung des Alten Testaments. In unserer Darstellung soll diese Rechtssammlung ausführlich behandelt werden, während die beiden jüngeren, das Deuteronomium und das Heiligkeitsgesetz wesentlich kürzer dargestellt werden können.

Anders als bei den anderen alttestamentlichen Rechtsbüchern ist der Name »Bundesbuch« dem Alten Testament selbst entnommen. In Ex 24,7 ist von einem »Bundesbuch« die Rede, das von Mose beim Bundesschluß am Sinai verlesen worden ist und auf das sich nach diesem Bericht das Volk Israel verpflichtet hat. Im jetzt vorliegenden Textzusammenhang kann mit dem »Bundesbuch« von Ex 24,7 und den in V. 3 erwähnten »allen Worten Jahwes und allen Rechtssatzungen« nur die unmittelbar vorher berichtete Willenskundgebung Gottes gemeint sein, wie sie im sogenannten Bundesbuch vorliegt. Ob das auch der ursprüngliche Bezugspunkt von Ex 24,3–8 ist, ist fraglich, kann hier aber offen bleiben. Wichtiger ist etwas anderes. Das Bundesbuch ist wie alle sonstige alttestamentliche Rechtsüberlieferung in eine Geschichtsüberlieferung eingebettet. Das alttestamentliche Recht steht nicht abstrakt und isoliert im Raum des israelitischen Lebens. Es ist hineingebunden in die im Alten Testament berichtete Geschichte Gottes mit seinem Volk Israel. Zu einem bestimmten historischen Zeitpunkt wird es offenbart. Das hat entscheidende Konsequenzen für das alttestamentliche Verständnis von Gesetz und Recht. Während im Alten Orient das Recht als unwandelbar und ewig gilt, kann vom alttestamentlichen Recht gesagt werden:

»Nicht als ewiges, unveränderliches Gesetz wird hier das Recht dem Volk eingeprägt«, sondern es ist ein Recht, das von einem Gott herkommt, »den es reut und der Erbarmen zeigt« (*L. Rost*, 258). Wie fast die gesamte sonstige alttestamentliche Rechtsüberlieferung steht auch das Bundesbuch im Zusammenhang des Sinaigeschehens; genauer gesagt ist es zwischen der in Ex 19,1–20,21 erzählten Gotteserscheinung und dem in Ex 24,1–11 berichteten Bundesschluß in die Sinaitradition eingefügt worden. Das Recht des Alten Testaments, das konsequent als von Gott gegebenes Recht verstanden wird, hat seine Grundlage in dem durch Gottes Erwählung konstituierten Verhältnis Gottes zu Israel. Damit ist ein entscheidender Wesenszug des alttestamentlichen Rechts herausgestellt.

Das Bundesbuch ist nicht im Zuge der Darstellung des Sinaigeschehens konzipiert worden. Es besteht kein Zweifel daran, daß es als in sich abgeschlossene Einheit bereits existierte, bevor es an der genannten Stelle der Sinaiüberlieferung eingeschaltet wurde. Wie das im einzelnen geschah, ist eine in der wissenschaftlichen Diskussion äußerst umstrittene Frage. Vor allem ist es keineswegs geklärt, ob das Bundesbuch zunächst zu einer der an der Darstellung des Sinaigeschehens beteiligten Pentateuchquellen gehört hat und zu welcher. In Frage kommt die jahwistische oder die elohistische Quellenschrift. Die Alternative jahwistisch oder elohistisch wird meist mit elohistisch entschieden (so zuletzt *J. Schüpphaus*, ThZ 31, 1975, 199 f.), wenn man nicht überhaupt die Frage als nicht beantwortbar zurückweist, wie es z. B. *M. Noth* tut, vgl. *M. Noth*, Überlieferungsgeschichte des Pentateuch (1948) 39 Anm. 139.

Der Umfang des Bundesbuches wird in der Literatur fast überall mit Ex 20,22–23,33 angegeben, aber fast ebenso regelmäßig wird Ex 23,20–33 als sekundärer Anhang bezeichnet. Inhaltlich geht es in diesen Versen um eine Entlassungsrede Jahwes, die in der Tat nach Inhalt und Stil ursprünglich kaum mit dem Bundesbuch in Verbindung gebracht werden kann. Gelegentlich wird auch Ex 23,10–19 vom ältesten ursprünglichen Bestand des Bundesbuches abgetrennt, vgl. z. B. *G. Fohrer*, Einleitung in das Alte Testament ([11]1969) 146. Es handelt sich um eine Reihe kultrechtlicher Bestimmungen, die in Ex 34 eine weitgehende Parallele haben. Es spricht aber mehr für die Einbeziehung dieser Verse in das Bundesbuch als dagegen, so daß Ex 20,22–23,19 als Text des Bundesbuches angesehen werden kann.

Die Frage nach dem Aufbau und damit zusammenhängend die Frage nach der Charakterisierung dieses Rechtsbuches hat in der Forschung zu vielfältigen Antworten geführt. *J. Halbe* gibt eine ausführliche Darstellung der Forschungsgeschichte (391–413). Das Problem entzündet sich an der Beobachtung, daß im Bundesbuch sehr verschiedenartige Elemente zusammengefügt worden sind. Unbestreitbar ist die lapidare Feststellung von *F. Horst*: »Weder stilistisch noch nach den behandelten Rechtsmaterien ist das Bundesbuch primär eine Einheit« (1523). Da stehen ausgesprochen theologisch ausgerichtete Partien neben solchen, die einen rein juristischen Inhalt zu haben scheinen, da gibt es Rechtsparänesen und Rechtsbegründungen. Seit *J. Wellhausen* sprach man gern davon, daß hier *jus* und *fas* noch beieinander lägen, die dann später auseinandergetreten seien. Die weitere Diskussion hat schließlich dazu geführt, von einer Dreiteilung der in das Bundesbuch aufgenommenen Materialien zu sprechen, die man als Kultrecht, Jus und Ethos bezeichnet. Mag die gewählte Terminologie auch einige Problematik in sich tragen, so ist damit sachlich doch etwas Richtiges für das Verständnis des Bundesbuches und damit der alttestamentlichen Rechtssammlungen überhaupt angesprochen. Das wird z. B. von *S. M. Paul* betont, wenn er schreibt: »These three realms, which in extra-biblical societies would be incorporated respectively in law collections, wisdom literature, and priestly handbooks, are here combined into one body of prescriptions« (37). Eine Beurteilung des Bundesbuches wird diese Eigenart der Rechtssammlung vordringlich berücksichtigen müssen.

Es stellt sich natürlich die Frage, ob das Bundesbuch von Anfang an so, wie es schließlich im Alten Testament vorliegt, konzipiert worden ist, oder ob sich vielleicht gerade auf Grund der verschiedenen Materialien ein Wachstums- und damit Deutungsprozeß erkennen läßt. Letztere Annahme ist von vornherein wahrscheinlicher. Sie wird durch die Beobachtung gestützt, daß sich innerhalb des Bundesbuches einige Gliederungsprinzipien erkennen lassen. Darauf soll jetzt zunächst geachtet werden.

Man kann von der Beobachtung ausgehen, daß in Ex 21,1 innerhalb des Bundesbuches eine Überschrift steht (»Das sind die Rechtssätze, die du ihnen vorlegen sollst«), die den Prolog deutlich von den eigentlichen Rechtssätzen abhebt. Der Prolog selbst besteht aus zwei formal und inhaltlich selbständigen Teilen. Er enthält nach einer kurzen Einleitung zunächst eine besonders altertümliche Formulierung des Bilderverbots (Ex 20,23), dem dann das sogenannte Altargesetz (V. 24–26) folgt. Dem Prolog korrespondiert am Ende des Bundesbuches eine Zusammenstellung einiger Bestimmungen des Kultrechts (Ex 23,10–19). Es handelt sich um eine Anordnung über Sabbatjahr und Sabbattag (Ex 23,10–12.13), ihr folgt eine Aufzählung der drei Wallfahrtsfeste (Ex 23,14–19), die hier mit den ältesten im Alten Testament überlieferten Namen bezeichnet werden: Mazzenfest (V. 15), Erntefest (V. 16 a) und Lesefest (V. 16 b). Die Rahmung der Rechtssätze des Bundesbuches durch die genannten kultrechtlichen Abschnitte ist als theologische Aussage bedeutsam, wie immer man das Zustandekommen dieser Zusammenordnung auch erklären mag. Die Ordnung der Gottesbeziehung umschließt im ältesten alttestamentlichen Rechtsbuch die Ordnung der zwischenmenschlichen Beziehungen. Man kann auch sagen: erst von der geordneten Gottesbeziehung her ist geordnete Rechtspflege nach alttestamentlichem Verständnis möglich.

Das übrige (Ex 21,2–23,9) ist in sich aber keineswegs einheitlich. Es lassen sich noch einmal zwei Komplexe voneinander abheben. Das geschieht in der Regel so, daß man Ex 21,2 – 22,16 als einen ersten Abschnitt bezeichnet (vgl. etwa den Aufsatz von *V. Wagner*), dem in Ex 22,17 – 23,9 ein zweiter Abschnitt folgt. Diese Einteilung basiert auf der Beobachtung, daß in Ex 21,2 – 22,16 mit Ausnahme des offensichtlichen Einschubs Ex 21,12–17 kasuistisch formulierte Rechtssätze (vgl. zu diesem Terminus *Exkurs 5*) aufgezeichnet sind, während Ex 22,17 – 23,9 formal weniger einheitlich ist. Dieser Abschnitt ist geprägt durch eine große Anzahl apodiktisch formulierter Rechtssätze (vgl. dazu Kapitel VII), die durch Ergänzungen in anderen Formen vielfältig unterbrochen sind. Dabei handelt es sich vornehmlich um Rechtsbegründungen und Rechtsparänesen.

Fassen wir zunächst den ersten Abschnitt ins Auge! Wie es bei den altorientalischen Codices der Fall ist, so bietet sich auch hier dem Betrachter eine, wie es scheint, weitgehend ungeordnete Zusammenstellung verschiedener Rechtsmaterien dar. Aber dieser Eindruck bleibt nur solange bestehen, als man in der Anordnung moderne Rechtssystematik vermißt. Nachdem *H. Petschow* für den Codex von Eschnunna und besonders für den Codex Hammurabi das dort obwaltende Anordnungsprinzip dargestellt hat, ist *Wagner* in direkter Anlehnung an *Petschow* für Ex 21,2–22,16 denselben Weg gegangen. Er kommt zu dem Ergebnis, daß es sich hier um einen Rechtscodex handelt, »der wohlüberlegt und systematisch zusammengestellt worden ist« (181), wobei die verwendete Systematik derjenigen der altorientalischen Codices entspricht. Diese Systematik ist von *Petschow* so beschrieben worden: »Die Haupteinteilung des Rechtsstoffes und teilweise auch die Untergliederungen erfolgten, wie schon von Anfang an in der modernen Literatur erkannt, nicht nach modernen juristisch-wissenschaftlichen Gesichtspunkten, sondern regelmäßig nach Sachgruppen und -gebieten, die vorwiegend an äußeren Lebensbereichen, Objekten oder Sachverhalten – teilweise der sinnlichen Wahrnehmung – orientiert sind« (ZA NF 23, 1965, 170).

Im ersten Abschnitt des Bundesbuches erscheinen vier Themenbereiche, die in sich wiederum nach einer bestimmten Ordnung gestaltet sind. Am Anfang steht das Sklavengesetz (Ex 21,2–11). Es nimmt eine Sonderstellung ein, nicht nur durch seine Plazierung, sondern auch dadurch, daß in ihm keine Schuld- und Haftungsfragen verhandelt werden, die die folgenden Themen bestimmen. In Ex 21,18–32 geht es sodann um Rechtsfälle von Verletzung der körperlichen Integrität, in Ex 21,33–22,14 werden Haftungen im Bereich der landwirtschaftlichen und handwerklichen Arbeit behandelt, Ex 22,15–16 schließlich gehört im weiteren Sinne zum Eherecht. Der Aufbau der Unterteile eins bis drei ist, wie *Wagner* gezeigt hat, in sich klar und wohlüberlegt. Höchst auffallend sind dann allerdings die beiden letzten Verse des ersten Teilabschnitts, Ex 22,15–16. Hier taucht eine neue Thematik auf, die mit den vorher verhandelten

Haftungsfragen nichts zu tun hat; eher könnte sie dem Thema »Verletzung der körperlichen Integrität« subsumiert werden. Aber warum stehen die Verse dann an dieser Stelle? Es handelt sich um den Rechtsfall Sexualverkehr mit einem noch nicht verlobten Mädchen und daraus folgende rechtliche Konsequenzen, vgl. dazu oben S. 94. Die beiden Verse sind die einzigen Rechtsbestimmungen des Bundesbuches, die sich mit der Thematik Ehe, Heirat, Familie befassen, die im Codex Hammurabi einen so großen Raum einnimmt. Man fragt sich nach dem Grund für die so spärliche Behandlung dieser Rechtsmaterie im Bundesbuch. Die Antwort kann nur in einer Vermutung bestehen. Trifft die unten vorgenommene historische Ansetzung des Bundesbuchs das Richtige, dann stammt es aus einer Zeit, in der für die Fälle des Ehe- und Familienrechts noch weitgehend der *pater familias* zuständig war. Es bestand deshalb wenig Anlaß, diesbezügliches in die Rechtssammlung aufzunehmen. So wird lediglich ein Fall aufgegriffen, der in besonderer Weise als Konfliktfall bezeichnet werden kann und der deshalb einer festen Regelung besonders bedürftig war. Nichtsdestotrotz handelt es sich in Ex 22, 15–16 nur um ein Beispiel an sich möglicher anderer Rechtsbestimmungen dieses Sachbereichs. Auch das ist ein Hinweis auf den Auswahlcharakter, den das Bundesbuch mit den altorientalischen Gesetzescodices teilt.

Ab Ex 22,17 fühlt sich der Leser des Bundesbuches in eine andere Welt versetzt. Die kasuistische Stilform ist verlassen, apodiktische Sätze verschiedenen Inhalts bestimmen das Bild. Hinzukommen verschiedene Arten von Rechtsparänesen und Rechtsbegründungen. Näheres dazu wird unten innerhalb des Kapitels VII auszuführen sein. Hier ist nur auf die kompositorischen Zusammenhänge zu achten. Es fällt auf, daß die genannten Zusätze, die *W. Beyerlin* unter dem Terminus Paränese zusammengefaßt hat, im ersten Abschnitt des Bundesbuches nicht vorkommen. *Beyerlin* hat daraus den Schluß gezogen, daß »zu der Zeit, da die Gebots- und Verbotsreihen von Ex 20,22–26 und 22,20–23,19 paränetisch durchformt worden sind«, die kasuistischen Rechtssätze noch nicht mit diesem Überlieferungsgut zusammengefaßt waren (20). Er nimmt also ein getrenntes überlieferungsgeschichtliches Wachstum der beiden Bundesbuchteile an. In dieser Annahme ist ihm *J. Halbe* gefolgt.

Halbe hat über *Beyerlin* hinausgehend versucht, den heute vorliegenden Text des Bundesbuches als eine nach bestimmten kompositorischen Gesetzmäßigkeiten exakt gegliederte Größe zu beschreiben, die aus sechs aufeinander bezogenen Teilen besteht (413–423). Diese Teile sehen bei ihm so aus:

    A = Ex 20,22–26
    B = Ex 21,1–11
    C = Ex 21,12–22,19

    D = Ex 22,20 – 23,9
    E = Ex 23,10–12
    F = Ex 23,13–19

Halbe kommt auf diese Weise also zu einer anderen Grundgliederung als sie oben angenommen worden ist, indem er den Hauptschnitt nicht nach Ex 22,16, sondern nach Ex 22,19 macht. Ex 22,19 wird zum »Schlußsatz des voranstehenden Gefüges« (418), ja geradezu zur »Mitte« des Bundesbuches (421) erklärt. Dieser Vers, dessen massoretische Form von der Kritik in großer Einmütigkeit verworfen worden ist, wird von *Halbe* gerade in seiner überladenen und schwerfälligen Form beibehalten als ein Satz, der von der Redaktion des Bundesbuches bewußt mit dieser Thematik, dem Einzigkeitsanspruch Jahwes, und in dieser einen Schluß markierenden Form an diese Stelle gesetzt worden ist: »Wer Göttern opfert soll dem Bann verfallen außer Jahwe allein.«

Dazu sagt *Halbe*: »Wer nur die Konstruktion glätten möchte, der hat den Ton nicht gehört, der die Musik macht« (418). *Halbes* zunächst textimmanent erarbeitete Strukturierung des jetzt vorliegenden Bundesbuches ist beeindruckend. Sie läßt sich durchaus mit den oben angedeuteten überlieferungsgeschichtlichen Überlegungen verbinden. Wenn man form- und überlieferungsgeschichtlich fragt, wie es oben geschehen ist, wird man die Hauptzäsur nach Ex 22,16 machen. Damit verliert die in einem anderen Fragehorizont gewonnene Gliederung *Halbes* nicht ihr Recht.

Das Zusammenkommen der beiden so verschiedenartig strukturierten Teile des Bundesbuches kann verschieden erklärt werden. Entweder man versteht die paränetisch durchformten und theologisch befrachteten Teile als spätere Rahmung einer kasuistisch formulierten Rechtssammlung, oder man sieht es gerade umgekehrt und versteht die kasuistischen Rechtssätze als Einfügung in einen gegebenen Zusammenhang von kultrechtlichen Bestimmungen, von Gebots- und Verbotsreihen und von paränetischen Zusätzen. *Beyerlin* und in seiner Nachfolge *Halbe* haben den Vorgang im zweiten Sinn gedeutet, und sie haben für ihre Meinung gewichtige Argumente vorgetragen. Das mag hier auf sich beruhen. Das Ergebnis des Überlieferungsvorgangs ist das uns heute im Alten Testament vorliegende Bundesbuch, das gerade durch die Verbindung der in ihm enthaltenen Materialien sein unverwechselbares Gepräge bekommen hat. So wird das älteste alttestamentliche Rechtsbuch bereits zu einem Paradigma alttestamentlichen Rechts. Es zeigt die Breite der Lebens- und Rechtsbereiche, die dieses Recht umgreift, und es zeigt darüber hinaus, wie alles Recht nach alttestamentlichem Verständnis als Gottesrecht gesehen wird.

Aus welcher Zeit stammt die endgültige Fassung des Bundesbuchs und welchem Zweck diente einmal die Zusammenstellung seiner Rechtssätze? Die erste Frage dürfte leichter zu beantworten sein als die zweite. Aber auch auf die erste Frage haben die Exegeten ein breites Spektrum von Antworten gegeben. Entstehung in vorstaatlicher, ja mosaischer Zeit ist ebenso vertreten worden wie Entstehung während der frühen oder späten Königszeit. Gelegentlich glaubte man sogar, eine bestimmte Situation der Geschichte Israels als Ursprungsort des Bundesbuches benennen zu können. So hat *A. Menes* die These aufgestellt, das Bundesbuch sei das »Programm der Jehurevolution« gewesen und es sei »in die-

ser Zeit zum Staatsgesetz erhoben« worden (Die vorexilischen Gesetze
Israels, 1928, 43). Diese Behauptung hat am Text des Bundesbuches keinen Anhaltspunkt und ist so unwahrscheinlich wie nur möglich. Auch
Halbe sieht den Anlaß für die endgültige Bundesbuchkonzeption in der
Existenz des Staates, aber im Gegensatz zu *Menes* erklärt er das Bundesbuch als ein *gegen* den Staat und seine Ansprüche formuliertes Manifest: »das Manifest der bewährten, nach wie vor für die Gerichtspraxis
gültigen Ordnungen einer Gemeinschaft, die nicht den Willen von König und Staat, sondern den Willen Jahwes zur Grundlage und zur Abgrenzung hat« (482). Als Entstehungszeit wird von *Halbe* die frühe Königszeit angenommen. Aufs Ganze gesehen hat sich in der Forschung
durchgesetzt, was A. *Jepsen* in seiner Untersuchung festgestellt hatte:
Das Bundesbuch stammt aus der Zeit zwischen Landnahme und Staaten-
bildung. Der »Staat« spielt in ihm noch keine Rolle – auch nicht negativ
–, aber die Nomadensituation ist bereits außerhalb des Blickfelds. Man
mag sich das an der schönen Charakterisierung M. *Webers* verdeutlichen, mit der er die Lebensverhältnisse beschrieben hat, die dieses
Rechtsbuch widerspiegelt. »Beduinenrecht findet sich darin ebensowe-
nig wie an anderen Stellen der uns erhaltenen Satzungen. Weder Brun-
nenrechte noch das Kamel oder die Dattelpalme kommen als Rechtsob-
jekte vor. Die Zisternen spielen im ›Bundesbuch‹ (Ex 21,33) nur insofern
eine Rolle, als Vieh durch Hineinfallen verunglücken kann. Aber das
Recht des Bundesbuches ist auch kein solches von Halbnomaden oder
überhaupt von vorwiegenden Viehzüchtern. Das Vieh kommt zwar häufig vor als ein Hauptobjekt beweglichen Vermögens. Aber: vor allem das
Rindvieh, erst hinter ihm die Schafe . . . Es handelt sich dabei ganz offensichtlich um Viehbesitz von Bauern und um Schutz von Bauern gegen das Vieh anderer. Schädigung von Äckern und Weinbergen durch
Vieh wird geregelt (22,5), aber als Besitzer des schädigenden Viehs wird
ein ansässiger Landbesitzer, nicht ein Halbnomade, vorausgesetzt. Das
Pferd kommt nicht vor. Rinder und Schafe stellen den Viehstand dar.
Die Interessen der in Dörfern und Städten seßhaften Ackerbauern
kümmern das Recht fast allein« (Gesammelte Aufsätze zur Religionssoziologie III, Das antike Judentum, [4]1966, 66 f.).
Das ist eine rein soziologische Beschreibung der durch das Bundesbuch
repräsentierten Lebensverhältnisse. Sie hat ihr Recht, muß aber ergänzt
werden. Die neue Situation, in der sich Israel im Lande vorfindet, ist
nicht nur das Ergebnis des soziologisch zu beschreibenden Übergangs
aus der Existenz des Nomaden zur Seßhaftigkeit. Was man »Die Krisis
durch die Landnahme« genannt hat (G. v. *Rad*, Theologie des Alten Testaments I, [6]1969, 28 ff.), das hatte für Israel eine gravierende religiöse
Komponente. Israel mußte sich auch in religiöser Hinsicht mit der neuen
Umwelt und den neuen Lebensbedingungen zurechtfinden. Israel be-
gegnete im Lande in allen Lebensbereichen dem Kanaanäertum und seiner hoch entwickelten Religion und Kultur und mußte sich damit aus-

einandersetzen. Das »Altargesetz« des Bundesbuches ist ein beredtes Beispiel dieser Auseinandersetzung. Aber sie vollzog sich keineswegs nur in der Form der Ablehnung. Sehr viel stärker ins Auge fällt die Übernahme von Einrichtungen, Vorstellungen, Gepflogenheiten, die von Israel vollzogen wurde. In diesem Zusammenhang ist nun an betonter Stelle das Recht zu nennen. Das hat *Jepsen* in seinen »Untersuchungen zum Bundesbuch« vor allem unterstrichen, wenn er das Bundesbuch einen »Vermittlungsversuch zwischen Israel und Palästina« nennt, und wenn er weiter schreibt: »Der Verfasser nimmt von Kanaan so viel, als er nur irgend annehmen kann, Recht und Kultus; aber der sittliche Grundzug der Jahvereligion soll auf jeden Fall gewahrt bleiben« (101).

Nahezu aussichtslos dürfte der Versuch sein, definitive Angaben über die Person zu machen, der wir das Bundesbuch in seiner Letztgestalt verdanken. Wenn *Jepsen* an der zitierten Stelle von »dem Verfasser« spricht (sing.), so ist das sicherlich zu korrigieren. Keine Einzelpersönlichkeit hatte in der Zeit der Geschichte Israels, die hier in Frage kommt, eine derartige Autorität, daß sie eine derartige Rechtssammlung hätte veranstalten und in Geltung setzen können. Ein Einzelner hätte das aber auch später nicht gekonnt, auch nicht der König. Es gehört zu den bemerkenswerten Besonderheiten der alttestamentlichen Rechtssammlungen – bemerkenswert im Kontext der altorientalischen Rechtstexte –, daß keine von ihnen der Autorität eines Königs zugeschrieben wird. Der Einfluß des Königs auf die Rechtspraxis war schon gering genug, vgl. dazu oben S. 32 ff. Als Gesetzgeber spielt der König im Alten Testament keine Rolle.

Kann also keine Einzelpersönlichkeit als Autor und Promulgator des Bundesbuches ermittelt werden, so mag immerhin eine Erwägung über den Bereich angestellt werden, aus dem das Bundesbuch stammen könnte. In der vorstaatlichen Zeit gab es nach einer heute zwar nicht unangefochtenen, aber immer noch keineswegs widerlegten These in Israel ein Amt, das hier genannt werden könnte. Es ist das Amt des »Richters Israels«, dem vor allem *M. Noth* in verschiedenen Veröffentlichungen nachgegangen ist. Die Ergebnisse hat er in § 8 seiner »Geschichte Israels« (»Die Einrichtungen des Zwölfstämmebundes«) kurz zusammengefaßt. Nun ist über die Stellung und die Funktion dieses Amtes nur schwer etwas Sicheres auszumachen, vor allem ist seine gesamtisraelitische Bedeutung zweifelhaft geworden. Die gegenwärtige Forschung tendiert dazu, diesem Amt einen enger begrenzten Wirkungskreis zuzuweisen, vgl. zusammenfassend und mit Literaturangaben *S. Herrmann*, Geschichte Israels in alttestamentlicher Zeit (1973) 147–166. Nicht ganz Israel, das in vorstaatlicher Zeit historisch kaum greifbar wird, vielmehr könnte ein bestimmtes Gebiet bzw. eine bestimmte Stämmegruppe als Betätigungsbereich des »Richters« in Frage kommen. In dieser Eingrenzung aber ist der »Richter«, der später als »Richter Israels« bezeichnet wurde, eine Größe, die innerhalb der Frühgeschichte Israels eine nicht unwesentliche Bedeutung gehabt haben könnte. *Noth* hat die Bewahrung und Verkündigung des sogenannten Gottesrechts als die entscheidende Aufgabe des »Richters Israels« bezeichnet. Bei der Definition dessen, was als Gottesrecht im engeren Sinn angesprochen werden soll, bleibt *Noths* Darstellung aber recht vage. Sind es wirklich nur »die religiösen und sittlichen Verbote«, die im Bundesbuch von Ex 22,17 an stärker hervortreten (100)? Ist es das apodiktische Recht, das eine nur schwer exakt definierbare Größe ist? Es bleiben Fragen, die solange kaum zu beantworten sind, als man das Gottesrecht als eine besondere Rechtsform mit besonderen Rechtsgegenständen versteht. Es ist aber gerade das Charakteristikum des alttestamentlichen Rechts, daß hier das Leben in seiner ganzen Vielfalt vom Willen Gottes beansprucht wird. Alttestamentliches Recht ist grundsätzlich Gottesrecht. Auf diesem Hintergrund hatte der »Richter«, man kann es sich beispielhaft an der Samueltradition (1. Sam 7,15–17) verdeutlichen, die Aufgabe, die örtliche Gerichtsbarkeit durch Entscheidungshilfen zu unterstützen, was letztlich eine Rechtsangleichung zum Ziel hatte. Das Anliegen der Rechtsvereinheitlichung auf der Grundlage eines durch den Jahweglauben bestimmten Rechtsverständnisses mag dann zur Konzeption des Bundesbuches geführt haben.

2. Der Prolog des Bundesbuches

Lit.: K. H. *Bernhardt*, Gott und Bild (1956); D. *Conrad*, Studien zum Altargesetz Ex 20: 24–26, Diss Marburg 1968; G. v. *Rad*, Aspekte alttestamentlichen Weltverständnisses: EvTh 24 (1964) 57–73 = Gesammelte Studien zum Alten Testament (³1971) 311–331; E. *Robertson*, The Altar of Earth (Exodus XX, 24–26): JJS 1 (1948–49) 12–21; W. H. *Schmidt*, Alttestamentlicher Glaube in seiner Geschichte (1975) bes. 74–81; J. J. *Stamm*, Zum Altargesetz im Bundesbuch: ThZ 1 (1945) 304–306.

Oben ist bereits darauf hingewiesen worden, daß die Rechtssätze des Bundesbuches durch eine Rahmung von kultrechtlichen Anordnungen eingefaßt sind. Auch auf die grundsätzliche theologische Bedeutsamkeit dieses Gliederungsprinzips ist schon aufmerksam gemacht (oben S. 118). Diese Überlegung erhält zusätzliches Gewicht durch die Tatsache, daß nicht nur das Bundesbuch, sondern auch die beiden anderen großen alttestamentlichen Rechtssammlungen, das deuteronomische Gesetz und das Heiligkeitsgesetz, in ähnlicher Weise aufgebaut sind. Auch für kleinere alttestamentliche Rechtssatzsammlungen läßt sich dasselbe feststellen. Es sei verwiesen auf die Letztgestalt des sogenannten sichemitischen Dodekalogs, Dt 27,15–26, in dem die Verse 15 und 26 dieselbe Funktion erfüllen, vgl. dazu unten S. 174. Für das deuteronomische Gesetz besteht die kultrechtliche Rahmung in Kapitel 12 auf der einen und Kapitel 26 auf der anderen Seite, das Heiligkeitsgesetz ist kultrechtlich gerahmt durch Lev 17 und Lev 26,1–2. Hier kann also nicht Zufälligkeit am Werke sein, hier stoßen wir auf ein Strukturprinzip alttestamentlicher Rechtssammlungen.

An dieser Stelle soll beispielhaft der Prolog des Bundesbuches näher ins Auge gefaßt werden, Ex 20, 22–26. Dieser Abschnitt stellt keine ursprüngliche Einheit dar. Deutlich sind auch dem heutigen Text noch stilistische und inhaltliche Brüche anzumerken. Als Prolog des Bundesbuches aber bildet die Zusammenfassung ursprünglich selbständiger Elemente nun eine neue Einheit.

V. 22 a gibt sich deutlich als redaktionelle Einführung zu erkennen, durch die das Bundesbuch in den Zusammenhang der Sinaitheophanie hineingestellt wird. Auf diese Weise erscheint Mose als Vermittler des Bundesbuches.

»Jahwe sagte zu Mose: So sollst du zu den Israeliten sagen:«

V. 22 b bildet dann bereits die sachliche Grundlage für das Folgende:

»Ihr habt gesehen, daß ich vom Himmel her mit euch geredet habe.«

Die Feststellung, daß Jahwe »vom Himmel her« mit Israel und nicht auf dem Sinai mit Mose geredet hat, steht in einer gewissen sachlichen Spannung zur Erzählung der Sinaiereignisse, in die das Bundesbuch eingefügt worden ist, vgl. 19,18–20. Auch daran wird die ursprüngliche Selbständigkeit des Bundesbuches erkennbar. Die Vorstellung, daß Gott seine Stimme vom Himmel her erschallen läßt, ist mit anderer Terminologie auch Dt 4,36 belegt, was aber nicht dazu veranlassen sollte, Ex 20,22 und vielleicht sogar das Bundesbuch im Ganzen als vom Deuteronomium abhängig anzusehen. Es handelt sich um eine Vorstellung, die man jedenfalls nicht zu schnell als späte Transzendentalisierung Gottes beurteilen sollte. So einlinig entwicklungsgeschichtlich, wie es oft dargestellt wird, hat sich die Geschichte des alttestamentlichen Gottesverständnisses nicht ereignet. An unserer Stelle besteht eine direkte Verbindung mit dem sogleich anschließenden Bilderverbot.

»Ihr sollt euch neben mir keine silbernen Götter machen, und goldene Götter sollt ihr euch nicht anfertigen« (Ex 22,23).

Das alttestamentliche Bilderverbot hat in der Religionsgeschichte keine Analogie. Dementsprechend ist seine Herkunft rätselhaft. Im Alten Testament ist es außerordentlich ausgedehnt bezeugt, nicht zuletzt innerhalb der verschiedenen Rechtssammlungen. Es ist anzunehmen, daß die Jahweverehrung von Anfang an bildlos war, die strenge Fassung eines Bilder*verbots* aber dürfte aus der Kulturlandsituation stammen und eine antikanaanäische Ausrichtung haben. Von da her erklärt sich die her-

vorgehobene Plazierung des Bilderverbots am Beginn des Bundesbuches. Es wird damit ausgesagt: Diese Rechtssammlung, in die mancherlei Rechtsformulierungen und Rechtsanschauungen der Umwelt Aufnahme gefunden haben, geht doch keineswegs in dieser Umwelt auf. Im
Gegenteil! Diese Rechtssammlung steht unter der Autorität Jahwes, der
seinem Wesen nach unvergleichlich ist, was sich am Bilderverbot besonders eindrücklich zeigt.

Diese Aussage bekommt allerdings erst dann das ihr zukommende Gewicht, wenn über die Intention und Absicht des alttestamentlichen Bilderverbots Klarheit besteht. Es ist oft gründlich mißverstanden worden.
Vor allem auf die Weise, daß man in ihm eine geistige Gottesauffassung
sich ausdrücken sah, die im Gegensatz zu einer an materielle Erscheinungsformen gebundenen Gottesvorstellung steht. *S. Freud* spricht in
diesem Zusammenhang von einem »Triumph der Geistigkeit über die
Sinnlichkeit«. Die Intention des Bilderverbots ist auf diese Weise zweifellos nicht richtig erfaßt. Geistiges und Materielles als Gegensätze zu
verstehen, entspricht in keiner Weise alttestamentlichem Denken.

Man kommt der Sache näher, wenn man von dem Gedanken ausgeht,
daß die im Bild dargestellte oder besser gesagt, die durch das Bild reprä-
sentierte Gottheit dem Menschen verfügbar ist. Er kann sich ihrer bedienen, kann sie zu mantischer Praktik gebrauchen und mißbrauchen.
Jahwe aber ist dem Menschen nicht verfügbar, er bleibt nach alttestamentlichem Verständnis in jedem Fall Subjekt des Handelns, kann nie-
mals zum Objekt degradiert werden. Deshalb darf es von ihm kein Bild
geben.

Aber auch diese Deutung führt noch nicht an den Kern der Sache, denn
sie geht noch von einem zu simplen Verständnis des heidnischen Gottes-
bildes aus. Die heidnische Gottesbildtheologie rechnet keineswegs mit
einer platten Identität von Gottheit und Gottesbild, mag es eine vulgäre
Volksfrömmigkeit auch noch so oft getan haben. »Die Verehrung der
Gottheit im Bilde ist kein religiöser Infantilismus« (*G. v. Rad*, 315),
sondern ist Ausdruck eines Weltverständnisses, das nun gerade nicht das
Weltverständnis des Alten Testaments ist. Darauf hat *v. Rad* eindrücklich hingewiesen, indem er betont hat, daß sich in den Götterbildern per-
songewordene Mächtigkeiten der Welt offenbaren. Die Welt als ganze
ist im kanaanäischen Heidentum im Grunde eine Manifestation des
Göttlichen, sie kommt im Gottesbild zum höchsten Ausdruck. Gerade
dagegen aber richtet sich das Bilderverbot. Es hat die strenge »Unterscheidung zwischen Gott und Welt« (*W. H. Schmidt*, 80) zur Voraussetzung. Nach dem einhelligen Zeugnis des Alten Testaments ist Gott
der Welt nicht immanent, er tritt ihr als der geschichtlich Handelnde gegenüber.

Auch der zweite Teil des Prologs, das sogenannte Altargesetz, hat eine
antikanaanäische Ausrichtung. Während das Bilderverbot die radikale
Unterschiedenheit des alttestamentlichen Gottesglaubens von der reli-

giösen Umwelt grundsätzlich zum Ausdruck bringt, tut das Altargesetz dasselbe durch eine spezielle kultische Anweisung.

»Einen Altar von Erde sollst du mir machen und sollst auf ihm schlachten deine Brandopfer und deine Gemeinschaftsopfer, dein Kleinvieh und dein Großvieh. An jedem Ort, an dem ich meines Namens gedenken lassen werde, werde ich zu dir kommen und dich segnen. (25) Wenn du mir aber einen Altar von Steinen machst, sollst du die Steine nicht bauen als Behauenes, denn dann hättest du deinen Meißel darüber geschwungen und sie entweiht. (26) Und du sollst nicht auf Stufen zu meinem Altar hinaufsteigen, damit deine Blöße nicht über ihm enthüllt werde« (Ex 20,24–26).

Daß das Altargesetz ursprünglich einmal vom vorangehenden Bilderverbot getrennt existiert hat, zeigt bereits der Numeruswechsel. Jetzt wird ein Du angeredet, während sich das Bilderverbot an eine Mehrzahl richtet. Aber auch für sich genommen bilden diese drei Verse ursprünglich keine Einheit, wie die eingehende Untersuchung des Altargesetzes durch *D. Conrad* zeigt (8–20). Die folgende Darstellung stützt sich auf *Conrads* Ergebnisse, wobei es hier nur auf die Grundlinien ankommen soll.
Schon früher war angenommen worden, daß V. 24 b nicht zum Urbestand des Altargesetzes gehört. Das wird von *Conrad* bestätigt. Die in V. 24 b gemachte Aussage steht in keinem direkten Sachzusammenhang mit V. 24 a. Der Versteil klingt zudem nach Polemik gegen den Anspruch Jerusalems, die einzig legitime Kultstätte zu sein, indem er für eine Vielzahl von Kultstätten auf Grund erfolgter Selbstoffenbarungen Jahwes eintritt. Eine derartige antijerusalemische Polemik ist für die Zeit der Entstehung des Bundesbuches noch nicht denkbar. Auch die beiden Sätze V. 25 b und V. 26 b sind von *Conrad* aus formalen und inhaltlichen Gründen als sekundär bezeichnet worden. Damit bleibt als Kern des Altargesetzes eine Folge von drei Gebots- und Verbotssätzen, deren genaue formale Analyse hier auf sich beruhen kann. Die drei Sätze enthalten die folgenden Aussagen: 1) Für die Opferdarbringung wird ein Altar aus Erde angeordnet (V. 24). 2) Ein Altar aus behauenen Steinen wird verboten (V. 25). 3) Die Kultausübung an einem Stufenaltar wird untersagt (V. 26).
Der erste Eindruck, den diese Anordnungen auf den Leser machen, geht dahin, daß hier alte und einfache Kultverhältnisse gegen modernen Kultluxus gestellt werden, der Altar aus Erde gegen den Altar aus behauenen Steinen. So ist das Altargesetz oft verstanden worden, vgl. z. B. *O. Eißfeldt*, Einleitung in das Alte Testament ([3]1964) 290. Das wäre also ein Vorgang, wie er sich in der Geschichte immer wieder einmal beobachten läßt; man denke etwa an die zisterziensische Reformbewegung des Mittelalters. Dieser Deutung wird man ein Wahrheitsmoment nicht völlig absprechen wollen, das Entscheidende bringt sie aber nicht ins Blickfeld.
Dazu muß man die einzelnen Aussagen etwas genauer ins Auge fassen.

Umstritten ist in der Exegese bereits die Bedeutung der ersten Anweisung. Was bedeutet »Altar aus Erde«? Nimmt man den Ausdruck wörtlich, wäre an einen Altar in Form einer Erdaufschüttung zu denken, ein zweifellos äußerst unpraktisches, weil den klimatischen Einflüssen allzu schutzlos ausgeliefertes Gebilde. Deshalb sind andere Deutungsmöglichkeiten erwogen worden. *Conrad* greift die These auf, daß das hebräische Wort für Erde (*'adāmā*) hier soviel wie »Ton« oder »Lehm« bedeutet und es sich demgemäß um einen aus Lehm- oder Tonziegeln erbauten Altar handelt. Man fragt sich dann nur, warum der hebräische Terminus für Ziegel, der im Alten Testament vorkommt, in Ex 20,24 nicht verwendet wird (*B. S. Childs*, Exodus, 1974, 466). So ist es wohl doch wahrscheinlicher, daß mit »Erde« an dieser Stelle die natürlichen, unbearbeiteten Baustoffe gemeint sind, wozu vornehmlich unbehauene Feldsteine gehören, so vor allem *E. Robertson*. Bei diesem Verständnis ergibt sich ein guter Zusammenhang mit dem folgenden Vers, bis dahin, daß in V. 25 gar kein zweiter Altar gemeint ist, sondern derselbe wie in V. 24. In V. 25 werden Steine als Baumaterial jedenfalls ausdrücklich zugelassen, sofern sie nicht behauen sind. An der letzten Aussage hängt das Verständnis dieser kultrechtlichen Anordnung. Überzeugend ist *Conrad* dafür eingetreten, daß hier nicht an Quadersteine gedacht ist, womit die Meinung, das Gesetz richte sich gegen Kultluxus ihre entscheidende Grundlage verliert. Hier wird vielmehr eine qualifizierte Bearbeitung der Oberfläche des Altars untersagt. Gedacht ist an bestimmte kultische Installationen, in die Steinoberfläche eingemeißelte Vertiefungen, sogenannte Napflöcher, die für kanaanäische Altäre vielfach archäologisch nachgewiesen worden sind. Die Napflöcher hatten im kanaanäischen Kult bestimmte Funktionen. Sie wurden »sowohl im Götterkult als auch im Totenkult gebraucht« (*Conrad*, 48), wobei im Zusammenhang des Götterkultes mit Hilfe der Napflöcher Blutmanipulationen vorgenommen worden zu sein scheinen, während sie beim Totenkult für die Darbringung der Trankspenden verwendet wurden (*Conrad*, 46–50).

Im Altargesetz des Bundesbuches geht es also nicht um eine Polemik Kult gegen Kultur, hier geht es um eine Polemik gegen den fremden, in seinen Formen und damit in seinen Aussagen jahwefeindlichen Kult. Die Abgrenzung gegen den heidnischen Kult ist ein wesentliches Motiv der alttestamentlichen Kultbestimmungen überhaupt, die in ihren für uns nicht selten höchst eigenartigen Aussagegehalten auf weite Strecken nur auf dem Hintergrund der in ihnen sich ausdrückenden Kultpolemik verstehbar sind. *M. Noth* beschreibt diesen Sachverhalt so: »Im übrigen aber sind die einzelnen Gesetzesbestimmungen, wo sie nunmehr konkrete Einzelheiten zum Gegenstande haben, nicht an irgendeinem allgemeinen Idealbegriff von Gottesverehrung und Kult und von dem, was danach als kultisch legitim oder illegitim zu betrachten sei, orientiert, sondern vielmehr an dem Gegensatz zu den konkreten Erscheinungen der fremden Kulte und ihrer Konsequenzen, mit denen die israelitischen

Stämme in unmittelbare Berührung kamen, also vor allem zu der Gesamtheit der Erscheinungen, die im Alten Testament unter dem Ausdruck ›kanaanäisch‹ zusammengefaßt werden« (Die Gesetze im Pentateuch, 1940 = Gesammelte Studien zum Alten Testament, ³1966, 72).

Auch die letzte Bestimmung des Altargesetzes, das Verbot des Stufenaltars, gehört in den Zusammenhang der Kultpolemik. In der Auslegungsgeschichte ist V. 26 meist in dieser Richtung gedeutet worden. Die Exegeten gingen bei ihren Erklärungen allerdings in der Regel von V. 26 b aus und rechneten diese Kultbestimmung zu der großen Anzahl der Sexualtabus. Beispielhaft sei *Noths* Auslegung zitiert, der im Blick auf das Verbot des Stufenaltars meint, »daß das Gebiet des Geschlechtlichen zu einem dunklen, unheimlichen Bereich gehört, der zwar in vielen altorientalischen Kulten eine erhebliche Rolle spielte, aber gerade deswegen in Israel nicht mit dem Bereich des Heiligen in Verbindung gebracht werden durfte« (ATD 5, 1959, 142). Die Sache sieht anders aus, wenn man mit *Conrad* V. 26 b als sekundäre, die ursprüngliche Intention des Verbots nicht unbedingt richtig interpretierende Erweiterung ansieht. Aber auch dann enthält der Text seine kultpolemische Ausrichtung, denn der Stufenaltar war eine charakteristische Erscheinung der kanaanäischen Kultorganisation, wie *Conrad* in einer ausführlichen Untersuchung belegt hat. Es müssen hier nicht die Einzelheiten des kanaanäischen Kultbetriebs erläutert werden, wie er sich an den Stufenaltären vollzog, erwähnt sei lediglich, daß eine für die kanaanäische Religion besonders markante Gottheit speziell am Stufenaltar verehrt worden zu sein scheint, »der große himmlische Gott, der Blitz, Donner und Regen, und damit die Fruchtbarkeit bringt« (*Conrad*, 83). So fügt sich also auch der letzte Vers des Prologs zum Gesamtbild. Das Bundesbuch beginnt mit einer konsequenten Abgrenzung von der kanaanäischen Religion. Die auf diese Weise eingeleitete Rechtssammlung wird der alleinigen Autorität Jahwes unterstellt; alle Beziehungen zu fremden Göttern werden von vornherein ausgeschlossen.

Exkurs 5
Stil und Charakter des kasuistisch formulierten Rechts

Lit.: *A. Alt*, Die Ursprünge des israelitischen Rechts (1934) = Grundfragen, 203–257; *R. Hentschke*, Erwägungen zur israelitischen Rechtsgeschichte: ThViat 10 (1966) 108–133; *G. Liedke*, Gestalt und Bezeichnung alttestamentlicher Rechtssätze (1971); *D. Patrick*, Casuistic Law Governing Primary Rights and Duties: JBL 92 (1973) 180–184.

Wie die überwiegende Mehrzahl der altorientalischen Rechtsbestimmungen, so ist auch das alttestamentliche Recht zu einem erheblichen

Teil konditional formuliert. *A. Alt* hat diese Form der Rechtsformulierung *kasuistisch* genannt. Seitdem hat sich die Terminologie *kasuistisch formuliertes Recht* bzw. *kasuistischer Rechtssatz* allgemein durchgesetzt. Gelegentliche Kritik an dieser Terminologie hat sie doch nicht aus dem wissenschaftlichen Sprachgebrauch verdrängen können, vgl. etwa *R. Hentschke*, 109.

Alt hat als entscheidendes formales Kriterium des kasuistischen Rechtsstils die absolute Herrschaft des objektiven »Wenn-Stils« herausgestellt. Hier gibt es kein »ich« und kein »du«, keine Anrede und keine Aufforderung. Wo immer derartige Stilelemente innerhalb einer kasuistischen Rechtsformulierung vorkommen, handelt es sich um sekundäre Störungen. Im stilreinen kasuistischen Recht haben wir es mit einem System konditionaler Vorder- und Nachsätze zu tun, in dem zunächst in der »Tatbestandsdefinition« der Rechtstatbestand beschrieben wird. Dann wird im Nachsatz die Rechtsfolge bestimmt. »Tatbestandsdefinition« und »Rechtsfolgebestimmung« konstituieren den kasuistischen Rechtssatz. Das kann im Einzelfall recht kompliziert aussehen, wie das Beispiel Ex 21,18–19 zeigt. Dieser Text ist auch von *Alt* ausführlich besprochen worden (212 f.).

Lit.: *F. C. Fensham*, Exodus XXI 18–19 in the Light of Hittite Law § 10: VT 10 (1960) 333–335; *G. Schmitt*, Ex 21,18 f. und das rabbinische Recht: Festschr *K. H. Rengstorf*, Theokratia II (1973) 7–15.

»Wenn Männer miteinander streiten und einer den anderen mit einem Stein oder einer Hacke (?) schlägt, so daß er zwar nicht zu Tode kommt, aber bettlägrig wird; (19) falls er dann wieder aufstehen und an seinem Stock draußen umhergehen kann, so bleibt der Schläger straffrei. Nur sein Daheimbleiben soll er bezahlen und für die Heilung aufkommen.«

Die Tatbestandsdefinition unterscheidet Hauptfall und Unterfall. Der Hauptfall ist in der Übersetzung mit »wenn« eingeleitet (hebr. *kī*), der Unterfall mit »falls« (hebr. *ʾim*). Diese Unterscheidung ist immer wieder zu beobachten. Eine präzise Analyse der verschiedenen sprachlichen Möglichkeiten gibt *G. Liedke*, 31–34.

Im vorliegenden Rechtsfall werden insgesamt sechs Bestimmungen gegeben, um den Tatbestand exakt festzulegen. Davon entfallen vier auf den Hauptfall und zwei auf den Unterfall. Erst dann wird in drei Nachsätzen die Rechtsfolge positiv und negativ bestimmt:

1) Es handelt sich um ein Handgemenge.
2) Der eine der Streitenden hat den anderen mit einem Stein oder einer Hacke (genaue Bedeutung ist unklar) geschlagen. Diese Bestimmung besagt, daß es sich nicht um eine geplante und vorbereitete Tat, vielmehr um eine Handlung im Affekt handelt. Deshalb werden Gegenstände erwähnt, die zufällig zur Hand sind, die nicht eigens mitge-

bracht sind. Es ist also nicht ganz zutreffend, wenn D. *Nörr* im Vergleich mit CH § 206 zu Ex 21,18 feststellt: »Von einer Berücksichtigung des Willens findet sich keine Spur« (ZSS 75, 1958, 24).

3) Der Schlag führt nicht zum Tode.

4) Er bleibt aber auch nicht ohne sichtbare Folgen. Der Getroffene ist bettlägrig geworden.

Soweit der Hauptfall, dem dann noch zwei weitere Bestimmungen des Unterfalls angeschlossen werden:

5) Der Verletzte kann nach einer gewissen Zeit sein Krankenlager wieder verlassen.

6) Er hat – zunächst – nicht die volle Leistungsfähigkeit, ist aber soweit wieder hergestellt, daß er aus dem Haus gehen und am öffentlichen Leben teilnehmen kann.

Erst mit diesen komplizierten Bestimmungen ist die Tatbestandsdefinition mit der gewünschten Genauigkeit vollzogen. Denkbare andere Fälle, die an der einen oder anderen Stelle von der aufgezeigten Linie abweichen, würden zu einer anderen rechtlichen Beurteilung führen.

Die Rechtsfolgebestimmung besteht in Ex 21,19 aus dem Obersatz »so bleibt der Schläger straffrei«, womit Blutrache und Anwendung der Talionsstrafe ausgeschlossen werden, und zwei Nachsätzen, in denen die Entschädigung des Verletzten geregelt wird. Der Schläger hat erstens die zeitweilige Arbeitsunfähigkeit des Betroffenen durch eine Geldzahlung auszugleichen, und er muß zweitens für die Heilungskosten aufkommen.

Ex 21,18–19 ist ein besonders kompliziertes Beispiel für einen kasuistischen Rechtssatz. Andere Rechtssätze sind einfacher gestaltet, weil die verhandelten Rechtsfälle nicht mit so vielen Komplikationen belastet sind. Sinn und Abzweckung all dieser Rechtssätze sind immer gleich. Der größte Teil der kasuistischen Rechtssätze des Alten Testaments kann unter die bisherigen Darlegungen eingeordnet werden. Daneben aber gibt es einige andere, die auf Grund ihres Inhalts als eine besondere Gruppe innerhalb der kasuistischen Rechtsbestimmungen angesehen werden können. Bei ihnen wird im Vordersatz nicht ein Delikt beschrieben, dem im Nachsatz die Festsetzung einer Strafbestimmung entspricht, vielmehr geht es um die Feststellung bestimmter Rechtsbedingungen. D. *Patrick* redet in diesem Zusammenhang von »casuistic law governing primary rights and duties«. An erster Stelle nennt *Patrick* mit Recht das Sklavengesetz Ex 21,2–6 und Dt 15,12–18, das unten S. 135 ff. noch genauer behandelt werden soll. Das Sklavengesetz regelt die Rechtsbeziehungen zwischen dem Sklaven bzw. der Sklavin und ihrem Herren.

Die anderen von *Patrick* genannten Beispiele sind nicht so eindeutig. Während Ex 21,2–6 im kasuistischen Stil abgefaßt ist, kann man das z. B. von Ex 22,24–26 nicht sagen, ein Text, der in diesem Zusammenhang von *Patrick* ebenfalls behandelt wird. Wir greifen zur Erläuterung der beiden Sätze Ex 22,24 a und 25 heraus.

»Falls du einem Armen aus meinem Volk, der bei dir wohnt, Geld leihst, so sollst du ihm gegenüber nicht zu einem Wucherer werden« (V. 24 a).

»Falls du wirklich den Mantel deines Nächsten als Pfand nimmst, so sollst du ihn bis zum Sonnenuntergang wieder zurückgeben« (V. 25).

Beide Verse beginnen, wie es dem kasuistischen Stil entspricht, mit einem Konditionalsatz (im Hebräischen hier allerdings nicht mit *kī*, sondern mit *'im* eingeleitet). Aber die Anrede an ein »du« sprengt bereits die kasuistische Stilform. Das tut ebenfalls der Nachsatz, der aus einem Prohibitiv (dazu unten S. 175 ff.) besteht. *F. Horst* hat diesen Stil, in dem zwei so verschiedenartige Stilformen zusammengeflossen sind, einen »Mischstil« genannt (RGG I, 1525), während *W. Richter* für diese spezielle Stilform die Bezeichnung »eingekleideter Prohibitiv« geprägt hat, Recht und Ethos (1966) 85.

Doch kehren wir zu den reinen kasuistischen Rechtssätzen zurück! Wie ist die Intention dieser Rechtssätze zu beschreiben und welches ist ihr *Sitz im Leben*? Die Frage nach dem *Sitz im Leben* ist die Grundfrage der gattungs- bzw. formgeschichtlichen Arbeit, so wie sie von *H. Gunkel*, dem Altmeister der alttestamentlichen Gattungsforschung, definiert worden ist. *Sitz im Leben* einer literarischen Gattung meint den Lebensbereich, in dem eine Gattung ursprünglich beheimatet ist, in dem sie ihre charakteristische sprachliche Ausbildung erfahren hat. Das ist in aller Regel vor der Literaturwerdung auf der Ebene mündlicher Gestaltung geschehen.

Alt hat die Frage nach dem Sitz dieser Rechtssätze mit den folgenden Sätzen beantwortet, und diese Antwort ist unbestritten: »das kann offenbar nur im Betätigungsbereich der normalen Gerichtsbarkeit gewesen sein; ihr geben die Beschreibungen und Abgrenzungen der Rechtsfälle in den Vordersätzen die Richtlinien für die Untersuchung, die Bestimmungen der Rechtsfolgen in den Nachsätzen die Maßstäbe für die Urteilsfindung an die Hand, wenn immer sie mit ganz oder annähernd entsprechenden Klagen befaßt wird. In der Tat ist denn auch unter den echt kasuistisch formulierten Rechtssätzen innerhalb und außerhalb des Bundesbuches, soviel ich sehe, kein einziger, den man sich nicht ohne weiteres im Rahmen der normalen Judikatur angewandt, also auch für ihre unmittelbaren praktischen Bedürfnisse geschaffen denken könnte, und der Umfang der im kasuistischen Recht behandelten Gebiete entspricht aufs beste dem Charakter der normalen israelitischen Gerichtsbarkeit« (213 f.).

Ist als *Sitz im Leben* dieser Rechtsform die normale Gerichtsbarkeit festgestellt, so bleibt die Frage nach der Entstehung dieser Rechtssätze noch offen. Das kasuistische Recht, das uns im Alten Testament jetzt schriftlich formuliert vorliegt, entstammt nicht juristischer Gelehrsamkeit. Es ist nicht das Produkt juristischer Schreibtischarbeit, sondern es wurzelt in den Vorgängen des Rechtsverfahrens. Keimzelle dieser Rechtssätze sind die Urteilsformulierungen geschehener Rechtsverfahren. *G. Liedke* hat diese These, die auch schon früher geäußert worden ist (vgl. *E. Gerstenberger*, Wesen und Herkunft des »apodiktischen Rechts«, 1965, 24 Anm. 2 und die dort notierte Literatur) präzisiert. Er beschreibt den Vorgang so (53–59): Der kasuistische Rechtssatz ist ursprünglich eine Erzählung von einem Rechtsstreit und seiner Schlichtung. Das heißt, »der Weg zum kasuistischen Rechtssatz beginnt . . . mit der (schriftlichen oder mündlichen) Bewahrung und Tradierung eines Urteils« (55 f.), und das geschieht zu dem Zweck, in ähnlich gelagerter Situation dann auch ähnlich entscheiden zu können. Bis aus der Erzählung von einem Rechtsstreit ein kasuistischer Rechtssatz wird, hat sie einen radikalen Abstraktionsprozeß durchgemacht. Namen, besondere Umstände und Gegebenheiten werden ausgeschieden. Schließlich bleibt nur der Fall mit seiner Entscheidung übrig, der nicht zuletzt durch die konditionale Formulierung zu allgemeiner Gültigkeit erhoben wird. »Die so entstandenen kasuistischen Rechtssätze sind also ihrer Herkunft nach nicht gesetztes Recht; ihre Autorität beruht auf Herkommen und Sitte; sie sind Gewohnheitsrecht« (56).

Diese Überlegungen betreffen die Entstehung kasuistisch formulierter Rechtssätze allgemein, sie sagen noch nichts darüber aus, woher speziell das alttestamentliche kasuistische Recht stammt. Seitdem das altorientalische Keilschriftrecht entdeckt worden ist, ist die Herkunft des alttestamentlichen Rechts ein immer wieder neu aufgegriffenes, aber bis heute nicht wirklich gelöstes Problem. Wie nicht anders zu erwarten, überwog bei den ersten, sehr bald nach der Auffindung des Codex Hammurabi herausgegebenen Stellungnahmen die Betonung der Übereinstimmung zwischen dem babylonischen und biblischen Recht. Über die ältere Literatur informiert ausführlich *C. H. W. Johns*, The Relations between the Laws of Babylonia and the Laws of the Hebrew Peoples, ²1917, 65–91. Später setzte sich dann eine mehr zurückhaltende, die Dinge differenzierter sehende Beurteilung durch. Einige Sätze von *P. Koschaker* charakterisieren die veränderte Situation: »Die Zeiten, da man aus inhaltlicher Übereinstimmung von Rechtssätzen in zwei verschiedenen Rechten ohne weiteres auf Entlehnung aus dem älteren Recht schloß, . . . sind vorüber, oder besser gesagt, sollten vorüber sein. Die Anwendung der komparativen Methode in der Rechtsgeschichte hat uns gelehrt, daß wir in weitem Umfange mit unabhängiger Parallelentwicklung rechnen müssen, ja daß diese sogar die zunächstliegende Erklärung für Übereinstimmungen in verschiedenen Rechten gibt und Rezeptionen und sonstige Beeinflussungen nur angenommen werden dürfen, wenn sie bewiesen oder wenigstens wahrscheinlich gemacht werden können . . . Jedenfalls wäre es eine primitive Vorstellung zu glauben, daß

man Rechtssätze importiert, wie eine ausländische Ware« (Keilschriftrecht: ZDMG 89, 1935, 31 f.). Gleichartig erscheinende Rechtssätze sind also keineswegs immer direkt voneinander abhängig, vielmehr ist die Übereinstimmung in vielen Fällen die Folge einer »spontanen Gleichartigkeit der Denkform« (*J. G. Lautner*, ZVR 47, 1933, 38).
Heute rechnet niemand mehr mit einer direkten Abhängigkeit des Bundesbuches vom Codex Hammurabi. *Alts* Feststellung, daß sich »bei aller Ähnlichkeit in der Form und teilweise auch im Inhalt doch zu viele Abweichungen zeigen«, als daß man mit einer direkten Übernahme der uns bekanntgewordenen altorientalischen Rechtsformulierungen rechnen könnte (220), wird heute weitgehend anerkannt. Die folgenden Sätze des Juristen W. *Preiser* beschreiben die z. Z. gültige Diskussionslage: »Eine unmittelbare literarische Abhängigkeit von dem ›Gesetz‹ des Hammurabi oder einer anderen der uns inzwischen bekanntgewordenen vorderasiatischen Rechtssammlungen des zweiten vorchristlichen Jahrtausends ist nicht zu erweisen; sie ist, bei dem außerordentlichen zeitlichen und örtlichen Abstand . . ., auch alles andere als wahrscheinlich. Die immer neu unternommenen Versuche, einzelne Regelungen des israelitischen Rechts auf bestimmte Vorbilder aus der Rechtswelt des Alten Vorderen Orients zurückzuführen, jedenfalls sind durchweg erfolglos geblieben. Daß in nicht wenigen Fällen – in bezug auf die zu regelnde Materie wie auf die Regelung selbst – erhebliche Ähnlichkeiten bestehen, wird damit nicht bestritten« (Vergeltung und Sühne im altisraelitischen Strafrecht, 1961 = *Koch*, Vergeltung, 243 f.).
Die Antwort auf die Frage nach den gegenseitigen Beziehungen oder Abhängigkeiten ist schwieriger geworden. Der Hinweis auf eine den Alten Orient allgemein bestimmende Rechtskultur liegt nahe und ist grundsätzlich richtig. Es bleibt aber zu fragen, ob man nicht doch noch etwas mehr über die Herkunft speziell des alttestamentlichen kasuistischen Rechts sagen kann. *Alt* hat angenommen, daß das kasuistische Recht im Zuge der Seßhaftwerdung, und das heißt also im Zuge einer Veränderung der Sozialstruktur von den Israeliten aus dem kanaanäischen Raum übernommen worden ist. So erklärt sich für ihn am besten die Tatsache, daß das kasuistische Recht einen so völlig profanen Eindruck macht, daß seine Grundhaltung »eher mit polytheistischem als mit monotheistischem Denken« vereinbar ist (221). Die Schwierigkeit dieser These liegt darin, daß bis heute keinerlei Originalquellen für das angenommene kanaanäische Recht gefunden worden sind. Aber das ist auch gar nicht verwunderlich. Wenn nämlich hier von kanaanäischer Rechtskultur die Rede ist, so ist nicht an das Recht zu denken, das in den kanaanäischen Stadtstaaten praktiziert wurde, von dem man dann möglicherweise auch schriftliche Dokumente hätte finden können, sondern es ist gedacht an das Recht, das in den dünnbesiedelten Wald- und Gebirgsgebieten zu Hause war, in denen die einwandernden Israeliten sich zunächst festsetzten. Hier aber hat man sicher auf lange Zeit mit einer

nur mündlichen Rechtstradition zu rechnen. Für nähere Begründung und Ausführung dieser Überlegung sei auf *Liedkes* Arbeit (56 ff.) verwiesen.

3. Beispiele kasuistisch formulierten Rechts aus dem Bundesbuch

Die kasuistisch formulierten Rechtssätze des Bundesbuches beginnen mit einem Sklavengesetz. Das ist auffallend und hat in den anderen altorientalischen Gesetzeswerken keine Parallele. Eine überzeugende Begründung für diese Tatsache ist bisher noch nicht vorgelegt worden. Erwähnt sei aber die Erwägung von *S. M. Paul*, der das Sklavengesetz als Einleitungsabschnitt (introductory section) des Bundesbuches interpretiert, strukturell vergleichbar mit der Einleitung des Dekalogs (Ex 20,2). *Paul* hebt dabei darauf ab, daß es in beiden Texten um eine Befreiung aus dem Sklavendasein geht (Studies in the Book of the Covenant, 1970, 106 f.). Auf der anderen Seite ist gelegentlich erwogen worden, Ex 21,2–11 als eine späte Hinzufügung vom ursprünglichen Bundesbuch abzutrennen (*J. van der Ploeg*, CBQ 13, 1951, 28 f.). Aber das ist doch unwahrscheinlich, vgl. dazu auch *N. P. Lemche*, VT 25 (1975) 129–144. Daß das Sklavengesetz einen anderen Charakter hat als die anderen kasuistischen Rechtssätze des Bundesbuches, die in der Tatbestandsdefinition ein Delikt nennen und in der Rechtsfolgebestimmung eine Strafe, darauf ist häufig hingewiesen worden, vgl. *H. Cazelles*, Etudes sur le Code de l'Alliance (1946) 117; *G. Liedke*, Gestalt und Bezeichnung alttestamentlicher Rechtssätze (1971) 51 f. und oben S. 131. Das ist aber kein ausreichender Grund, das Sklavengesetz dem Bundesbuch abzusprechen, auch nicht, einen verloren gegangenen anderen Anfang des Bundesbuchs zu postulieren (so *F. Horst*, GR, 94, Anm. 208).
Im Alten Orient war die Sklaverei seit den ältesten Zeiten bekannt und wurde überall praktiziert. Die altorientalische Wirtschafts- und Sozialordnung ist ohne die Existenz von Sklaven nicht vorstellbar. Israel hat an dieser allgemein geltenden Sozialordnung teilgehabt. Allerdings sind im Bereich des Alten Testaments einige bemerkenswerte Besonderheiten und nach vorn weisende Impulse festzustellen. Wichtig ist auch – und das sollte hier wenigstens erwähnt werden –, daß die Sklaverei, wie sie in Israel und dem übrigen Alten Orient praktiziert wurde, eine durchaus andere Form von Sklaverei darstellte, als sie aus der griechischen und römischen Antike bekannt ist. Dort wurden die Sklaven mit einer Brutalität und Unmenschlichkeit behandelt, die es im Alten Orient insgesamt so nicht gegeben hat. Man mag sich das an dem oft zitierten Wort des römischen Schriftstellers *M. T. Varro* verdeutlichen, der den Sklaven ein *instrumenti genus vocale* (eine Art Werkzeug, das sprechen kann) genannt hat. Entsprechend war die Behandlung der Sklaven.

Lit.: *P. Heinisch*, Das Sklavenrecht in Israel und im Alten Orient: StC 11 (1934/35) 201–218, 276–290; *N. P. Lemche*, The »Hebrew Slave«. Comments on the Slave Law Ex. XXI 2–11: VT 25 (1975) 129–144; *I. Mendelsohn*, Slavery in the Ancient Near East (1949); *E. Meyer*, Die Sklaverei im Altertum: Kleine Schriften zur Geschichtstheorie und zur wirtschaftlichen und politischen Geschichte des Altertums (1900) 169–212; *J. P. M. van der Ploeg*, Slavery in the Old Testament: VTSuppl 22 (1972) 72–87; *S. Schulz*, Gott ist kein Sklavenhalter (1972); *de Vaux*, Lebensordnungen I, 132–148; *Wolff*, Anthropologie, 289–297.

Der größte Teil der Sklaven rekrutierte sich aus dem Kreis der Kriegsgefangenen. Natürlich kam es auch vor, daß einer bereits als Sklave geboren wurde. Schließlich gab es die Möglichkeit der Selbstversklavung, wenn die wirtschaftliche Situation keinen anderen Ausweg mehr ließ. Einen solchen Sklaven hat das Sklavengesetz des Bundesbuchs im Blick:

»Wenn du einen hebräischen Sklaven kaufst, soll er sechs Jahre lang Sklave sein, im siebten Jahre aber soll er ohne Entgeld als Freigelassener ausziehen. (3) Falls er allein gekommen ist, soll er allein ausziehen. Falls er Besitzer einer Frau war, soll seine Frau mit ihm ausziehen. (4) Falls sein Herr ihm eine Frau gegeben und sie ihm Söhne und Töchter geboren hat, sollen die Frau und ihre Kinder bei ihrem Herrn bleiben, und er soll allein ausziehen. (5) Falls der Sklave ausdrücklich versichert: ich liebe meinen Herrn, meine Frau und meine Kinder, ich will nicht als ein Freigelassener ausziehen, (6) so soll sein Herr ihn zu Gott heranbringen und ihn zur Tür oder zum Türpfosten heranbringen, und sein Herr soll sein Ohr mit einer Pfrieme durchstechen, und er soll sein Sklave sein für immer« (Ex 21,2–6).

Abgesehen von dem stilfremden »du« in V. 2, das sekundär aus 20,24 ff. hier eingedrungen sein wird, ist das ein stilreiner kasuistischer Rechtssatz. In V. 2 steht der Hauptfall, in der Übersetzung mit »wenn« eingeleitet, dem in V. 3–5 mehrere Unterfälle, eingeleitet mit »falls«, angeschlossen sind. Für das Verständnis des V. 2 ist die Bedeutung des Wortes »hebräisch« wichtig.

Lit.: *A. Alt*, Erwägungen über die Landnahme der Israeliten in Palästina (1925) = Grundfragen, 136–185, bes. 178–182; *ders.*, Die Ursprünge des israelitischen Rechts (1934) = Grundfragen, 203–257, bes. 215–219; *J. Bottéro*, Artikel Ḥabiru: RLA IV/1 (1972) 14–27; *K. Koch*, Die Hebräer vom Auszug aus Ägypten bis zum Großreich Davids: VT 19 (1969) 37–81; *M. Weippert*, Die Landnahme der israelitischen Stämme in der neueren wissenschaftlichen Diskussion (1967) bes. 66–102.

Was ist ein »hebräischer« Sklave? In späterer Zeit bezeichnet das so übersetzte Wort (ᶜibrī) die Volkszugehörigkeit. So ist uns das Wort Hebräer bzw. hebräisch geläufig. Hebräisch ist dann ein Synonym für israelitisch. Dieser in späterer Zeit normale Sprachgebrauch ist für das Bundesbuch aber noch nicht anzunehmen.
Seit in altorientalischen Texten (zuerst in den Amarnabriefen) der Terminus ḥabiru bzw. ᶜapiru aufgetaucht ist, hat sich eine ausgedehnte wissenschaftliche Diskussion um das Verständnis dieses Begriffs entwickelt, die hier natürlich nicht nachvollzogen werden kann. Ausgehen kann man von der Annahme eines Zusammenhangs zwischen ᶜapiru und ᶜibrīm. Wie ist eine auf diese Weise bezeichnete Bevölkerungsgruppe zu definieren? Großes Ge-

wicht hat nach wie vor die These, daß weder der eine noch der andere Terminus ursprünglich eine Nationalitäts- oder Volksbezeichnung ist, wenn auch gerade das in jüngeren Veröffentlichungen wieder vertreten wird, vgl. z. B. den Aufsatz von K. *Koch*. Vielmehr handelt es sich um einen soziologischen Terminus. Als ⁽apiru werden Leute bezeichnet, die wirtschaftlich, gesellschaftlich und rechtlich eine Bevölkerungsgruppe für sich bilden. »Immer sind es Entwurzelte, ›Habenichtse‹ und Aufbegehrer‹«, sagt A. *Alt* (180). M. *Weippert* hat deshalb den englischen Begriff »outlaw« als beste Übersetzung für ⁽apiru vorgeschlagen, den er so definiert: Es handelt sich um »eine Person, die aus irgendwelchen Gründen außerhalb der anerkannten Gesellschaftsordnung steht und damit des Rechtsschutzes entbehrt, den die Gemeinschaft allen ihren Gliedern gewährt« (69).

Wenn in Ex 21,2 also von einem »hebräischen« Sklaven die Rede ist, dann ist kein besonderes Privileg israelitischer Sklaven gemeint. Die im Hauptfall ausgesprochene Regelung soll jedem Schuldsklaven in Israel zugute kommen. Im siebten Jahr ist er freizulassen, und zwar ohne daß er dafür eine weitere Gegenleistung zu erbringen hat. Die sechsjährige Arbeitsleistung wird als ausreichender wirtschaftlicher Ersatz für die Schulden des Sklaven angesehen. So ist diese Rechtsbestimmung einerseits durchaus an einem billigen Ausgleich zwischen den beiden Rechtspartnern interessiert, andererseits aber wird deutlich, daß die Freiheit eines in Unfreiheit geratenen Menschen doch das vornehmlich von dieser Rechtsbestimmung geschützte Rechtsgut ist.

Im Codex Hammurabi findet sich eine vergleichbare Bestimmung. Sie ist insofern anders, als es sich um den Verkauf bzw. die Verpfändung von Familienangehörigen handelt. In diesem Fall verlangt der Codex Hammurabi bereits im vierten Jahr die Freilassung der in Schuldknechtschaft gegebenen Person. Die babylonische Regelung ist hier milder als die alttestamentliche.

»Wenn einen Mann eine Schuldverpflichtung getroffen hat, und er (deshalb) seine Frau, seinen Sohn oder seine Tochter verkauft oder in Schuldknechtschaft gegeben hat, so sollen sie drei Jahre lang im Haus ihres Käufers oder ihres Pfandherren arbeiten. Im vierten Jahr wird ihre Freilassung durchgeführt« (CH § 117).

In der alttestamentlichen Rechtsbestimmung folgen dem Hauptfall mehrere Unterfälle, die im Codex Hammurabi keine Parallele haben. Wegen der anderen Gegebenheiten wären derartige Unterfälle zu CH § 117 auch nicht möglich. Den hier wirksamen Rechtsgrundsatz kann man so bestimmen: Alles, was ein Sklave in sein Sklavenverhältnis mit eingebracht hat, das nimmt er als Freigelassener mit hinaus; was er während dieser Zeit erworben hat, das bleibt Eigentum des Herren. Da der Schuldsklave keine Vermögenswerte besaß, bezieht sich diese Anordnung auf die Familienverhältnisse. Daß auch die Frau, die der Sklave während der Zeit seiner Unfreiheit geheiratet hat, bei seiner Entlassung im Hause des Herrn zurückbleibt, wirkt zunächst sehr befremdlich. Es ist aber so, daß der Sklave im Vollsinn des Wortes gar keine Ehe schlie-

ßen kann. Lediglich der Herr des Sklaven kann zwischen zwei ihm un-
terworfenen Personen ein eheähnliches Verhältnis stiften als Akt seiner
dominica potestas. Im römischen Rechtsbereich redet man in diesem Fall
von einem *contubernium*, der einzigen Eheform, die unter Sklaven
möglich war. Kommt es zu einer solchen Verbindung, dann dürfte es
sich bei der Frau ebenfalls um eine Sklavin desselben Herren handeln.
Der oben formulierte Rechtsgrundsatz wird auch auf die Kinder ausgedehnt. Das Sklavenrecht erweist sich hier als stärker als das normale
Eherecht. Nach diesem gehören die Kinder zunächst dem Vater.
Auf den in V. 5–6 behandelten letzten Unterfall sei noch besonders hingewiesen. Es konnte Gründe dafür geben, daß ein Schuldsklave auf die
ihm zustehende Freilassung verzichtete. Das war ein schwerwiegender
Entschluß, denn er band endgültig. Diese endgültige Bindung des Sklaven an den Herren und sein Haus wurde durch einen symbolischen
Rechtsakt besiegelt, vgl. dazu Z. W. *Falk*, VT 9 (1959) 86–88. Das Ohr
als für den Sklaven besonders typisches Organ ist uns schon im Codex
Hammurabi begegnet (oben S. 113 f.). M. *Noth* sagt zu Ex 21,5–6: »Das
durchbohrte Ohr ist Sklavenzeichen, vielleicht, weil das Ohr als Organ
der ›Hörigkeit‹ galt und die Durchbohrung als Beseitigung der Integrität
und damit der ursprünglichen Freiheit des Hörens verstanden wurde«
(ATD 5, 1959, 144).
Dem Sklavengesetz folgt ein Sklavinnengesetz. Die Sonderbestimmung
ist nötig, da mit der Schuldsklavin grundsätzlich anders verfahren wird
als mit dem Schuldsklaven.

»Wenn ein Mann seine Tochter als Sklavin verkauft, so soll sie nicht (frei) ausziehen, wie
die Sklaven ausziehen. (8) Falls sie ihrem Herrn mißfällt, nachdem er sie für sich bestimmt
hat, so soll er sie loskaufen lassen. Er ist nicht befugt dazu, sie an Ausländer zu verkaufen,
weil er treulos an ihr gehandelt hat. (9) Falls er sie für seinen Sohn bestimmt, soll er mit ihr
nach dem Recht der Töchter verfahren. (10) Falls er sich (noch) eine andere nimmt, so darf
er ihre Fleischnahrung, ihre Kleidung und ihren sexuellen Verkehr nicht verkürzen. (11)
Falls er ihr diese drei Pflichten nicht leistet, soll sie umsonst ohne Lösegeld ausziehen« (Ex
21,7–11).

Dieser Rechtsbestimmung sollte man nicht entnehmen, daß die Sklavin
grundsätzlich schlechter gestellt ist als der Sklave. Wenn der Sklavin die
Freilassung nach sechs Jahren nicht gewährt wird wie dem Schuldsklaven – das ist die Bestimmung des Hauptfalls –, so drückt sich darin nicht
einfach die antike Benachteiligung der Frau gegenüber dem Mann aus.
Die Rechtsstellung der Sklavin ist eine andere, und von daher ergibt sich
die Andersartigkeit ihrer Behandlung. Die Freilassung der Sklavin wird
deshalb nicht vorgesehen, weil sie in aller Regel von dem Käufer als Nebenfrau für sich, seinen Sohn oder einen Sklaven gekauft und von ihrem
Vater in dieser Abzweckung verkauft worden ist. Das zeigen auch die in
den Unterfällen ausgesprochenen Schutzbestimmungen für eine derartige Frau, die alle das Interesse der Sklavin gegenüber ihrem Herren

wahren. Sie darf nicht einfach wie eine Sache behandelt und beliebig weiterverkauft werden. Das ausdrückliche Verbot, sie an einen Ausländer zu verkaufen, dürfte darin begründet sein, daß dann die Einhaltung der der israelitischen Frau zustehenden Schutzvorschriften nicht mehr gewährleistet ist. Die beiden letzten Bestimmungen in V. 10 und 11 sind noch besonders zu beachten. Hier geht es darum, daß die Grundbedürfnisse der Sklavin nicht beeinträchtigt werden dürfen, auch wenn sich ihr Herr eine weitere Nebenfrau nimmt. Drei Dinge werden genannt: Fleischnahrung – das ist die Speise des Festes und der Freude! – Kleidung und schließlich der sexuelle Verkehr. Besonders das letztere verdient Beachtung. Aufs ganze gesehen denkt das Alte Testament im Bereich der Sexualität sehr stark vom Mann her. Das ist hier anders. Hier wird die sexuelle Befriedigung der Sklavin als ein ihr zustehendes Grundrecht genannt. Wird ihm nicht entsprochen, so darf die Sklavin ihren Herren ohne weitere Lösezahlung verlassen.

Das Bundesbuch spricht noch in anderen Zusammenhängen vom Sklaven bzw. der Sklavin. Wir kommen damit in den Sachbereich der Körperverletzung, speziell der Sklavenverletzung.

»Wenn ein Mann seinen Sklaven – oder seine Sklavin – mit einem Stock schlägt, so daß er ihm unter der Hand stirbt, so soll er unbedingt gerächt werden. (21) Falls er jedoch einen oder zwei Tage am Leben bleibt, so soll er nicht gerächt werden, denn er ist sein Geld« (Ex 21,20–21).

»Wenn ein Mann ein Auge seines Sklaven – oder seiner Sklavin – schlägt und es zerstört, so soll er ihn für sein Auge als Freigelassenen entlassen. (27) Falls er einen Zahn seines Sklaven – oder seiner Sklavin – ausschlägt, so soll er ihn für seinen Zahn als Freigelassenen entlassen« (Ex 21,26–27).

Diese Rechtsbestimmungen werfen eine Reihe von Fragen auf, die nicht alle mit letzter Sicherheit zu beantworten sind. Besonders auffallend erscheint im vorliegenden Textzusammenhang der Begründungssatz am Ende von V. 21 »denn er ist sein Geld«. Wenn man diesen Satz beim Wort nähme, so wären die übrigen Rechtsbestimmungen nicht nur überflüssig, sondern direkt unverständlich. Wenn der Sklave lediglich als Vermögenswert seines Besitzers angesehen würde ohne Eigenrecht, wie es dieser Begründungssatz ja tut, dann könnte der Herr mit seinem Sklaven machen, was er will. Das ist so nicht einmal im Codex Hammurabi vorgesehen, obwohl dort sehr viel stärker als im alttestamentlichen Recht der Sklave als Vermögenswert behandelt wird (vgl. oben S. 107 und S. 113 f.). A. *Jepsen* hat deshalb vorgeschlagen, die Begründung am Ende von V. 21 als einen späteren Zusatz anzusehen (32 f.). Man kann sich auch vorstellen, wie es zu einem derartigen Zusatz, der im kasuistischen Rechtsstil ohnehin sehr auffällig ist, gekommen ist. Die beiden in V. 20 und V. 21 unterschiedenen Rechtsfälle sind offenbar nicht mit der gewünschten und sonst vom kasuistischen Recht auch erreichten Klar-

heit voneinander abgesetzt. Warum wird die geschilderte Tat so unterschiedlich beurteilt, je nachdem ob der Sklave sofort stirbt oder ob er die
Mißhandlung für kurze Zeit überlebt? Diese nicht mehr befriedigend be-
antwortbare Frage mag dazu geführt haben, dem zweiten Fall die genannte Begründung beizufügen. Die Frage, warum es zu der unterschiedlichen Behandlung kommt, bleibt natürlich bestehen. Meist wird
so argumentiert: die Bestrafung wird im zweiten Fall deswegen ausgesetzt, weil der direkte Zusammenhang zwischen Mißhandlung und Tod
nicht mehr zweifelsfrei gesichert erschien. Wahrscheinlicher aber ist,
daß sich hier die Unterscheidung zwischen beabsichtigter und nicht beabsichtigter Tötung auswirkt (*Noth*, 146). Die Rechtsfolgebestimmung
»er soll unbedingt gerächt werden« bzw. »er soll nicht gerächt werden«
wird häufig als Hinweis auf die Blutrache interpretiert, die entweder gefordert oder verwehrt wird (so z. B. *H. Cazelles*, 54; *F. Horst*, GR,
274 f.; *Noth*, 146). Es erhebt sich dann aber sogleich die Frage, wer zugunsten eines getöteten Sklaven die Blutrache ausüben sollte. Konnte
das die Familie des Getöteten? Oder trat in diesem Fall die Rechtsgemeinde für die Familie ein (*Noth*, vgl. auch die diese These modifizie-
renden Überlegungen von *G. Liedke*, 48 f.)? Wegen der unverkennba-
ren Schwierigkeiten sind im Laufe der Zeit zahlreiche Lösungen erwogen
worden bis hin zu der Annahme, daß im Text von Ex 21,20 und 21 ursprünglich ein anderes Wort gestanden hat, das in irgendeiner Weise die
Tatsache einer Bestrafung ausdrückte (*J. M. P. van der Ploeg*, 80). Das
Problem der exakten Beschreibung der geforderten bzw. ausgesetzten
Bestrafung mag auf sich beruhen, wichtig ist, daß überhaupt eine Bestrafung vorgesehen ist. Bleibt man bei der wahrscheinlichsten Lösung,
daß hier eine wie auch immer funktionierende Blutrache gemeint ist,
dann ergibt sich die erstaunliche Tatsache, daß in diesem Fall das Leben
eines Sklaven dem Leben eines freien Israeliten gleichgestellt wird.
Auch zu diesem kasuistischen Rechtssatz kann man eine vergleichbare
Rechtsbestimmung aus dem Codex Hammurabi anführen. Es handelt
sich um § 116, der allerdings nicht nur und nicht vornehmlich an eine
akute Mißhandlung denkt, sondern an die Möglichkeit, daß ein Schuldsklave infolge schlechter Behandlung während seiner Dienstzeit zu Tode
kommt. Bei der Festsetzung der Rechtsfolge wird – und das ist ein gra-
vierender Unterschied gegenüber dem Alten Testament – nach der sozia-
len Stellung des Umgekommenen differenziert. War er der Sohn eines
Freien, verlangt das Gesetz nach dem Talionsgrundsatz die Tötung des
Sohnes des Sklavenhalters, war er Sklave von Geburt an, genügte eine
Geldzahlung.
Für Ex 21,26–27 gibt es im Codex Hammurabi keine Entsprechung. Die
Verletzung des eigenen Sklaven durch den Herrn des Sklaven wird auch
in keinem der anderen altorientalischen Codices zum Gegenstand einer
Rechtsbestimmung gemacht. Der Sklave wird dort eben wesentlich als
Vermögenswert des Sklavenhalters angesehen, der sich durch Verlet-

zung eines Sklaven selbst schädigt. Für die alttestamentliche Rechtsbestimmung bleibt die Frage offen, ob es bei dem hier genannten Sklaven wie in Ex 21,2–11 um einen Schuldsklaven geht, oder ob auch alle anderen Sklaven gemeint sind. Da eine ausdrückliche Bezugnahme auf den Schuldsklaven fehlt, spricht alles dafür, daß es sich (ebenso in Ex 21,20–21) allgemein um den Sklaven handelt. Damit liegt hier eine im altorientalischen Kontext gesehen sehr weitgehende Bestimmung vor. Hier ist praktisch nichts mehr davon spürbar, daß der Sklave einen Vermögenswert seines Besitzers darstellt. Der Sklave hat sein eigenes Recht, vor allem das Recht auf körperliche Unversehrtheit.

Im Sachzusammenhang der Rechtsbestimmungen über Körperverletzungen wird im Bundesbuch die Tötung durch ein stößiges Rind behandelt. Dieser Abschnitt hat seit langem das besondere Interesse der Interpreten gefunden.

Lit.: *R. Haase*, Die Behandlung von Tierschäden in den Keilschriftrechten: RIDA, 3. série, 14 (1967) 11–65; *B. S. Jackson*, The Goring Ox: Essays in Jewish and Comparative Legal History (1975) 108–152; *A. van Selms*, The Goring Ox in Babylonian and Biblical Law: ArOr 18/4 (1950) 321–330; *R. Yaron*, The Goring Ox in Near Eastern Laws, in: *H. H. Cohn*, Jewish Law in Ancient and Modern Israel. Selected Essays (1971) 50–60.

Der genannte Rechtsfall wird in ähnlicher Weise nicht nur im Codex Hammurabi §§ 250–252, sondern auch in den Gesetzen von Eschnunna §§ 54–55 zur Sprache gebracht. Deshalb ist gerade diese Rechtsbestimmung oft dazu benutzt worden, um entweder ihre Verwandtschaft oder sogar die Abhängigkeit des Bundesbuchs vom Codex Hammurabi zu erweisen oder gerade umgekehrt auf Grund der auch hier bestehenden Unterschiede die Selbständigkeit der beiden Rechtsgestaltungen darzutun. Seit der Entdeckung der Gesetze von Eschnunna müssen auch sie in den Vergleich mit einbezogen werden. In CE §§ 56–57 wird über das Alte Testament und den Codex Hammurabi hinaus auch die tödliche Verletzung durch einen bissigen Hund geregelt. Die Strafe entspricht der, die beim »stößigen Rind« angeordnet ist. Wenn dieser Unterfall im Alten Testament und im Codex Hammurabi fehlt, so wohl deshalb, weil auch in diesem Fall und in ähnlichen Fällen nach den jeweils genannten Grundsätzen verfahren werden sollte. Hier der Text des Bundesbuches:

»Wenn ein Rind einen Mann – oder eine Frau – stößt, so daß er zu Tode kommt, so soll das Rind unbedingt gesteinigt werden. Sein Fleisch darf nicht gegessen werden. Der Besitzer des Rindes aber bleibt straffrei. (29) Falls es sich um ein Rind handelt, das schon vorher stößig war, und sein Besitzer ist gewarnt worden, er hat es aber trotzdem nicht bewacht, und es tötet einen Mann – oder eine Frau – so soll das Rind gesteinigt, aber auch sein Besitzer getötet werden. (30) Falls ihm eine Sühnezahlung auferlegt wird, so soll er, soviel als ihm auferlegt wird, als Lösegeld für sein Leben zahlen. (31) Stößt (das Rind) einen Knaben oder ein Mädchen, so soll mit ihm nach diesem Rechtssatz verfahren werden. (32) Falls das Rind

einen Sklaven – oder eine Sklavin – stößt, so soll er seinem Besitzer 30 Schekel Silber zahlen, und das Rind soll gesteinigt werden« (Ex 21,28–32).

Wir schließen ein Zitat der entsprechenden Rechtsbestimmungen des
Codex von Eschnunna an, für den Codex Hammurabi sei verwiesen auf
S. 113.

»Wenn ein Rind stößig ist, und das ›Tor‹ hat es seinem Besitzer angezeigt, dieser aber sein
Rind nicht bewacht (?) und es einen *avīlum* stößt und ihn tötet, so gibt der Besitzer des Rindes eine zweidrittel Mine Silber« (§ 54).

»Wenn es einen Sklaven stößt und ihn tötet, gibt er 15 Schekel Silber« (§ 55).

Unter den Assyriologen ist umstritten, welche Maßnahme der Besitzer des Rindes nach der
Rechtsbestimmung § 54 angesichts der Gefährlichkeit des Tieres hätte ergreifen müssen.
R. *Haase* (18 f.) schließt sich *W. v. Soden* an, der das in Frage stehende Wort mit »neigen,
beugen« übersetzt und so kommentiert: »Der Kopf des stößigen Rindes muß also beim Pas-
sieren der Straße durch einen Strick in herabgebeugter Stellung gehalten werden, damit es
niemand stoßen kann« (ArOr 17,1949, 373).

Ohne Frage sind bemerkenswerte Übereinstimmungen zwischen dem
babylonischen und dem alttestamentlichen Rechtstext festzustellen.
Eschnunnarecht, Codex Hammurabi und Bundesbuch stimmen darin
überein, daß sie die Tatsache rechtlich bewerten, ob die Gefährlichkeit
des Rindes seinem Besitzer bekannt war oder nicht. Das Prinzip der reinen Erfolgshaftung ist an diesem Punkt in den drei Rechtsgestaltungen
verlassen. Fahrlässigkeit – dieser moderne Rechtsbegriff ist hier wohl
anzuwenden – liegt erst dann vor, wenn ein Viehbesitzer keine entsprechenden Konsequenzen aus der ihm bekannt gemachten Gefährlichkeit
des Tieres gezogen hat. Weiterhin stimmen die drei Rechte darin überein, daß sie für die Tötung eines Sklaven eine Geldzahlung an den Sklavenbesitzer vorsehen. Damit aber ist die Übereinstimmung zu Ende.
Alle weiteren Einzelheiten sind unterschiedlich geregelt. In der alttestamentlichen Bestimmung fällt vor allem die dreifach erwähnte »Tier-
strafe« auf, für die es im Eschnunnarecht und im Codex Hammurabi
keine Entsprechung gibt. *Haase* stellt allerdings fest, daß man aus dem
Fehlen einer Anordnung in einem altorientalischen Codex keine allzu
weitreichenden Schlußfolgerungen ziehen darf. Er rechnet mit der Möglichkeit, daß der Codex Hammurabi stillschweigend voraussetzt, daß das
gefährliche Tier verkauft werden mußte, während in früheren Zeiten
möglicherweise wie im Bundesbuch die Tötung des Tieres üblich gewesen war (39–42). Das ist eine Vermutung, über deren Wahrscheinlichkeit man streiten kann. *B. S. Jackson* bemerkt jedenfalls zutreffend zu
dieser Differenz zwischen dem babylonischen und dem alttestamentlichen Recht: »The fact that in practice the Babylonian owner would pro-
bably kill the beast eventually does little to remove this difference«

(109). Für das Alte Testament aber gilt, daß das Rind, das einen Menschen – anders als der Codex Hammurabi nennt das Bundesbuch Mann oder Frau – getötet hat, ebenfalls getötet werden muß, und zwar nicht nur und nicht in erster Linie deshalb, weil es sich damit als ein gefährliches Tier erwiesen hat. Die Tötung eines Menschen versetzt den Täter in eine Fluchsphäre. Unter diesem Fluch steht auch das Tier, dessen Fleisch deshalb nicht gegessen werden darf. Die Frage subjektiver Verantwortlichkeit wird nicht gestellt, kann ja bei einem Tier auch nicht gestellt werden. Es ist vordergründig, diese Rechtsvorstellung gegenüber der babylonischen Praxis als »primitiv« abzuqualifizieren, wie es oft geschehen ist. Sicher ist, daß hier noch Vorstellungen über den objektiv sich auswirkenden Schuldcharakter von Bluttaten vorliegen, allerdings sind sie nicht mehr ungebrochen (vgl. dazu *F. Horst*, GR, 271; eine völlig andere Auffassung vertritt *Jackson*, 108–121). Die Schuldrealität, die auf dem Tier liegt, überträgt sich nicht automatisch auf seinen Besitzer. Er bleibt straffrei, sofern er nicht fahrlässig gewesen ist.

In der Bestrafung des fahrlässigen Tierbesitzers liegt der zweite wesentliche Unterschied zum babylonischen Recht. Während dort eine verhältnismäßig milde Geldstrafe vorgesehen ist, verlangt das alttestamentliche Recht die Todesstrafe für denjenigen, der durch sein Verhalten den Tod eines Menschen zumindest nicht verhindert hat. Grundsätzlich hält an dieser Wertung auch die Bestimmung des V. 30 fest, wo die Möglichkeit vorgesehen ist, durch eine Sühnezahlung das verwirkte Menschenleben einzulösen. Wer über diese Möglichkeit befindet und die Höhe des Lösegelds festsetzt, ist nicht gesagt. Man kann entweder an die Familie des Getöteten oder an die Rechtsgemeinde denken.

Der Fall, daß ein Rind nicht einen Menschen, sondern ein anderes Rind zu Tode stößt, ist im Codex Hammurabi nicht behandelt, wohl aber im Alten Testament und im Codex von Eschnunna.

»Wenn jemandes Rind das Rind eines anderen stößt, so daß es zu Tode kommt, so soll man das lebende Rind verkaufen und den dafür erzielten Erlös teilen und auch das tote Tier soll man teilen. (36) War es jedoch bekannt, daß es sich um ein Rind handelt, das schon vorher stößig war, aber sein Besitzer hat es nicht bewacht, so soll er vollen Ersatz leisten: Rind für Rind. Aber das tote Rind soll ihm gehören« (Ex 21,35–36).

Wenn die Gefährlichkeit des Tieres nicht bekannt war, wird auch in diesem Fall dem Eigentümer das Verhalten des Tieres nicht angelastet (V. 35), anderenfalls aber muß der Besitzer des Tieres für den Schaden aufkommen (V. 36). Der erste Fall findet im Eschnunnarecht eine schlagende Parallele:

»Wenn ein Rind ein anderes Rind stößt und es (dadurch) tötet, so teilen die Besitzer der beiden Rinder den Preis des lebenden Rindes und den Preis des getöteten Rindes untereinander« (§ 53).

Es ist häufig festgestellt worden, daß CE § 53 und Ex 21,35 als die beiden
nächstverwandten Rechtsbestimmungen des babylonischen und biblischen Rechts angesehen werden können. So ist auch gerade an diesem
Einzelfall die Frage der gegenseitigen Abhängigkeit gestellt und verhandelt worden. *Jackson* z. B. zeigt sich überzeugt davon, daß eine Beziehung zwischen CE § 53 und Ex 21,35 besteht (140 f.). Aber ist die Annahme einer direkten Verbindung dieser beiden Einzelbestimmungen
wirklich zwingend? Ist die Anordnung nicht in sich so einleuchtend, daß
man auch hier mit einer Parallelentwicklung rechnen kann (gegen *Jackson*, 140)? Ganz unwahrscheinlich ist jedenfalls die Annahme einer literarischen Tradition. Sie müßte sich stärker bemerkbar machen und nicht
nur so punktuell sichtbar werden. Wenn *R. Yaron* dagegen als gemeinsamen Herkunftsort an »Oriental legal practice« (52) denkt, so ist das
zwar ein sehr unbestimmter Ausdruck, aber gerade als solcher mag er
doch das Richtige treffen.

Zwischen den beiden Rechtsbestimmungen, die mit dem stößigen Rind
befaßt sind, steht im Bundesbuch ein anderer Rechtssatz, der es ebenfalls
mit dem Phänomen der Fahrlässigkeit zu tun hat. Das mag zu der Textanordnung geführt haben.

»Wenn jemand eine Zisterne offen läßt, oder wenn jemand eine Zisterne gräbt und sie
nicht zudeckt, und es fällt ein Rind oder ein Esel hinein, (34) so soll der Besitzer der Zisterne Ersatz leisten; er soll seinem (des Tieres) Besitzer Geld erstatten, aber das tote Stück
Vieh soll ihm gehören« (Ex 21,33–34).

Der Rechtsgrundsatz ist klar: Durch Fahrlässigkeit entstandener Schade
ist durch den Verursacher auszugleichen. Die Rechtsfolgebestimmung
wirkt überladen. Es mag sein, daß sich in ihr noch eine Entwicklung der
Erstattungspraxis erkennen läßt. Früher wird die Ersatzleistung durch
Naturalersatz erfolgt sein, später ergab sich dann die Möglichkeit der Erstattung durch Geldzahlung.

Mit Ex 21,37 beginnt im Bundesbuch ein neuer Sachzusammenhang. Es
geht bis einschließlich Ex 22,14 um Eigentumsvergehen verschiedener
Art. Bestimmungen über Viehdiebstahl stehen am Anfang.

Lit.: *A. Alt*, Das Verbot des Diebstahls im Dekalog: Kleine Schriften I (1953) 333–340;
F. Horst, Der Diebstahl im Alten Testament (1935) = GR, 167–175; *B. S. Jackson*, Theft
in Early Jewish Law (1972).

»Wenn jemand ein Rind oder ein Stück Kleinvieh stiehlt und es schlachtet oder verkauft, so
soll er fünf Rinder geben als Ersatz für das Rind bzw. vier Stück Kleinvieh für das Stück
Kleinvieh. (22,3) Falls das Gestohlene noch lebend in seiner Hand vorgefunden wird, sei es
Rind, Esel oder ein Stück Kleinvieh, so soll er doppelten Ersatz leisten« (Ex 21,37; 22,3).

Es war oben (S. 73) bereits darauf hingewiesen, daß die Erwähnung des Diebstahldelikts in den alttestamentlichen Gesetzen verglichen mit dem Codex Hammurabi stark zurücktritt. Noch auffallender aber ist der Unterschied in der Strafnorm, der zwischen dem Bundesbuch und dem altbabylonischen Recht besteht. Im babylonischen Recht war Diebstahl ursprünglich mit der Todesstrafe bedroht. Erst allmählich hat sich eine Milderung durchgesetzt, wobei es in der Regel immer noch bei horrend hohen Strafsätzen geblieben ist, vgl. oben S. 71 ff. Von da aus stellt sich die Frage, ob im israelitischen Bereich ebenfalls mit einer derartigen Entwicklung gerechnet werden muß. *Horst* hat gezeigt, daß das nicht der Fall ist. Todesstrafe für Diebstahl sieht das Alte Testament nur in den Fällen vor, wo das Eigentum Gottes angegriffen wird. Unter diesen Rechtsgrundsatz fällt auch der Menschendiebstahl (Ex 21,16; Dt 24,7). A. *Alt* hat überdies nachgewiesen, daß das Diebstahlverbot des Dekalog (Ex 20,15; Dt 5,19) ebenfalls nicht den normalen Diebstahl, sondern den Menschendiebstahl meint. Während Menschendiebstahl mit dem Tode bedroht wurde, war in anderen Fällen die Diebstahlstrafe grundsätzlich Vermögensstrafe. Dabei wurden Bußleistungen von viel geringerer Höhe als in den altorientalischen Gesetzen festgesetzt, so daß man nicht zu Unrecht von einer »eigenartigen Milde in der Beurteilung« des Diebstahls im Alten Testament gesprochen hat (*J. Hempel*, Das Ethos des Alten Testaments, [2]1964, 126). Auf der Suche nach einer Erklärung für diese Tatsache denkt *Hempel* daran, daß es sich beim Diebstahl um das Vergehen handelt, »welches als das typische ›Verbrechen‹ des hungernden Armen gelten kann« (126), daß hier also einmal mehr der soziale Grundzug des alttestamentlichen Rechts zu Tage tritt. Diese Erwägung hat sicherlich ihre Berechtigung, zumal wenn man sie im Zusammenhang mit Dt 23,25 f. sieht, wo der straffreie Mundraub rechtlich festgelegt wird, bedarf aber wohl doch noch der Ergänzung. Die alttestamentliche Bewertung des Diebstahls ist nicht unabhängig von der alttestamentlichen Einschätzung des Eigentums zu verstehen. Es zeigt sich hier – anders als etwa im Codex Hammurabi –, daß die alttestamentlichen Rechtsbestimmungen noch erheblich vom nomadischen Eigentumsverständnis geprägt sind, das darin seine Besonderheit hat, daß es mehr gruppenbezogen als individualistisch ausgerichtet ist und deshalb dem Eigentum des einzelnen weniger Aufmerksamkeit entgegenbringt.

In der Regel besteht die alttestamentliche Diebstahlstrafe in der doppelten Ersatzleistung des Gestohlenen (vgl. Ex 22,3.6.8), d. h. der Dieb hat das gestohlene Gut selbst zurückzugeben und etwas Gleichwertiges hinzuzufügen. Höhere Strafen sind bei Viehdiebstahl vorgesehen, allerdings nur dann, wenn besondere Bedingungen erfüllt sind. Das gestohlene Tier muß bereits geschlachtet und verkauft worden sein (Ex 21,37). Diese Rechtsbestimmung hat in der Auslegungstradition mancherlei Erklärungsversuche herausgefordert, aber die Deutung braucht wohl gar nicht allzu komplizierte Wege einzuschlagen. Die Erhöhung der Ersatzleistung bei Viehdiebstahl erklärt sich am einfachsten aus der Tatsache, daß das Vieh den eigentlichen Vermögensbesitz darstellte (*F. Horst*, 170, vgl. auch oben S. 72). Schnell durchgeführte Schlachtung bzw. Verkauf des gestohlenen Tieres aber läßt planvolles Vorgehen des Diebes erkennen und hat deshalb die härtere Bestrafung zur Folge (*Noth*, ATD 5, 148).

Natürlich konnte es vorkommen, daß ein Dieb auch die vergleichsweise geringe Ersatzleistung nicht beibringen konnte. Auch dann wurde er nicht, wie es das altbabylonische Recht vorschreibt, mit dem Tode bestraft, er wurde vielmehr in die Schuldknechtschaft verkauft:

»Er soll vollen Ersatz leisten. Falls er nichts besitzt, soll er für das Gestohlene verkauft werden« (Ex 22,2 b).

Einige Rechtsbestimmungen des Bundesbuches sind mit Angelegenheiten anvertrauten Gutes befaßt, dem sogenannten Obligationenrecht. Dieses Rechtsgebiet wird auch im Codex Hammurabi (siehe dazu oben S. 85 f.) und in den Gesetzen von Eschnunna behandelt.

»Wenn jemand einem anderen Geld oder Geräte zur Aufbewahrung übergibt, und es wird aus dem Hause dieses Mannes gestohlen, falls dann der Dieb ausfindig gemacht wird, so leistet er doppelten Ersatz. (7) Falls der Dieb nicht ausfindig gemacht wird, so soll der Besitzer des Hauses zu Gott herantreten (und schwören), daß er seine Hand nicht nach dem Eigentum des anderen ausgestreckt hat« (Ex 22,6–7).

Nach dieser Rechtsbestimmung ist der Verwahrer für das ihm anvertraute Gut verantwortlich, aber nur bis zu einem gewissen Grade. Wird er das Opfer eines Diebstahls, so muß er das Depositum dem Eigentümer nicht ersetzen. Das kasuistische Recht unterscheidet dann zwei Unterfälle. Wird er dingfest gemacht, so muß der Dieb nach der üblichen Diebstahlstrafe den Schaden doppelt ersetzen. Wird der Dieb nicht ermittelt, so kann sich der Verwahrer durch einen Reinigungseid von dem Verdacht befreien, daß er sich selbst an dem fremden Eigentum vergriffen hat. Die im Codex Hammurabi vorliegende Fassung des entsprechenden Gesetzes ist für den Verwahrer entschieden ungünstiger, für den Eigentümer aber vorteilhafter, denn der Verwahrer muß den Schaden auf jeden Fall ersetzen. Seine Verantwortlichkeit für das ihm anvertraute Gut wird auch nicht durch besondere Umstände aufgehoben. Auch aus dieser Rechtsbestimmung ergibt sich, daß der Schutz des Eigentums im Codex Hammurabi viel stärker ausgeprägt ist als im alttestamentlichen Recht. In den Eschnunnagesetzen gibt es entsprechende Bestimmungen.

»Wenn jemand sein Eigentum einem auswärtigen Gastfreund (vgl. zu dieser Übersetzung *W. v. Soden*, ArOr 17, 1949, 371 f.) zur Verwahrung übergibt und in das Haus nicht eingebrochen worden ist, der Türpfosten nicht umgestürzt, das Fenster nicht zerstört worden ist – (der Verwahrer) aber trotzdem das Eigentum, das er ihm übergeben hat, verloren gehen läßt –, so muß er (ihm) sein Eigentum ersetzen« (CE § 36).

»Wenn in das Haus des Mannes eingebrochen worden ist oder es eingestürzt ist und zusammen mit dem Eigentum, das er ihm übergeben hat, ein Verlust für den Eigentümer des Hauses entsteht, so schwört der Eigentümer des Hauses im Tempel des Tischpak: ›Zusammen mit deinem Eigentum ist auch mein Eigentum verloren gegangen. Ich habe keine Verschwörung gemacht und keinen Betrug begangen.‹ Wenn er so schwört, hat (der Geschädigte) gegen ihn keinen Rechtsanspruch« (§ 37).

Auch hier zeigt sich, wie eng die Zusammengehörigkeit der altorientalischen Rechtsformulierungen in manchen Fällen ist, wenn es auch kein Beispiel für wörtliche Übereinstimmung gibt. Wie das Bundesbuch sieht auch das Eschnunnarecht die Einschaltung der Gottheit als Rechtshilfeinstanz vor. Durch einen Schwur, der im Tempel erfolgen muß, kann sich der Verwahrer von dem Verdacht der Veruntreuung reinigen. Tut er das, so hat der Eigentümer des verloren gegangenen Guts keinerlei Rechtsanspruch mehr. In dieser Hinsicht ist interessanterweise die Übereinstimmung mit dem alttestamentlichen Recht größer als mit dem Codex Hammurabi. A. *Goetze* hat die alttestamentliche Rechtsbestimmung als die urtümlichste der drei genannten bezeichnet, wogegen allerdings auch Bedenken geäußert worden sind, vgl. R. *Yaron*, The Laws of Eshnunna (1969) 167.
Das Obligationenrecht wird im Bundesbuch noch in einer weiteren Bestimmung aufgegriffen.

»Wenn jemand einem anderen einen Esel oder ein Rind oder ein Stück Kleinvieh oder irgend ein anderes Tier zur Aufbewahrung übergibt und es kommt zu Tode oder bricht sich ein Glied oder es wird weggetrieben, ohne daß ein Augenzeuge dabei war, (10) so soll ein Eid bei Jahwe zwischen den beiden entscheiden, ob er nicht seine Hand nach dem Gut des anderen ausgestreckt hat. Sein Besitzer soll es dann hinnehmen, und (der Aufbewahrer) braucht keinen Ersatz zu leisten. (11) Falls es ihm gestohlen worden ist, soll er seinem Besitzer Ersatz leisten. (12) Falls es zerrissen worden ist, soll er es als Beweis beibringen. Das Zerrissene braucht er nicht zu ersetzen« (Ex 22,9–12).

Diese Rechtsbestimmung geht im Hauptfall (V. 9–10) grundsätzlich parallel mit der in V. 6–7 dargelegten Bestimmung des Depositenrechts. Nur daß es hier nicht um tote Gegenstände, sondern um die Aufbewahrung von lebenden Tieren geht, womit naturgemäß sehr viel mehr Möglichkeiten von Verlust und Beschädigung gegeben sind. Deshalb und weil auch im Kulturland für die Israeliten die Tierhaltung immer noch ein wesentlicher Faktor des Wirtschaftslebens war, wird die Tieraufbewahrung besonders behandelt. Der Aufbewahrer haftet für das ihm anvertraute Tier. Bei höherer Gewalt, die bei Bedarf durch einen Reinigungseid nachgewiesen wird, ist er auch in diesem Fall seiner Verantwortung ledig. Die Frage ist nur, wie die höhere Gewalt zu definieren ist.

Während bei der Aufbewahrung von Sachen ein Diebstahl dem Aufbewahrer nicht zur Last gelegt wird, ist das bei der Aufbewahrung von Tieren anders. Vieh muß eben im Unterschied zu leblosen Gegenständen grundsätzlich bewacht und damit vor Entlaufen und Diebstahl geschützt werden. Wird ein anvertrautes Tier gestohlen, hat der Aufbewahrer auf jeden Fall fahrlässig gehandelt und muß Ersatz leisten (V. 11). Anders ist zu verfahren, wenn das anvertraute Tier durch wilde Tiere gerissen worden ist. Wenn der Verwahrer das gerissene Tier als Beweisstück beibringt, ist er von jeglicher Ersatzleistung entbunden (V. 12). Aus Am 3,12 kann man entnehmen, daß es genügt hat, wenn der Hirt nur einige Überreste des von einem Raubtier zerrissenen Tieres als Beweis vorlegen konnte. Nach Lage der Dinge wird das der übliche Vorgang gewesen sein. Die hier vorgetragene Deutung geht davon aus, daß die Worte »oder es wird weggetrieben« in V. 9 sich nicht auf den normalen Diebstahl beziehen, von dem in V. 11 die Rede ist. In V. 9 dürfte an Wegtreiben des Viehs durch Räuber gedacht sein. Das fällt anders als der normale Viehdiebstahl unter die Kategorie höhere Gewalt. Vergleichbare Rechtsbestimmungen bringt der Codex Hammurabi in den §§ 263–267, siehe dazu oben S. 113.

Zwischen die beiden kasuistischen Rechtssätze, die bestimmte Fälle des Obligationenrechts behandeln, ist im Text des Bundesbuchs ein Satz eingeschoben, der sich schon von seiner stilistischen Gestaltung her vom Textzusammenhang abhebt, Ex 22,8. Es handelt sich um eine allgemein formulierte Rechtsanordnung für den ganzen Bereich der Eigentumsdelikte. V. 8 greift also über den Sachbereich des Obligationenrechts hinaus, vgl. zu dieser Stelle die gründliche Untersuchung von *R. Knierim*, Die Hauptbegriffe für Sünde im Alten Testament (1965) 143–184.

»In jedem Fall eines Eigentumsdeliktes, gehe es um ein Rind, um einen Esel, um ein Stück Kleinvieh, überhaupt um irgend etwas, was verloren gegangen ist, und (der Verlierer) sagt ›dieser ist es‹, so soll die Angelegenheit der beiden vor die Götter kommen. Wen die Götter schuldig sprechen, der soll dem anderen doppelten Ersatz leisten« (Ex 22,8).

Diese Rechtsbestimmung führt in die Situation von Rechtsauseinandersetzungen, die vor dem Forum der israelitischen Ortsgerichtsbarkeit stattfinden. Es ist etwas abhanden gekommen, und von dem geschädigten Eigentümer wird ein anderer beschuldigt, das Verlorene an sich genommen zu haben. Beweise hat der Eigentümer des verloren gegangenen Gutes nicht in der Hand, und Zeugen sind auch nicht da. Deshalb macht er vor dem Forum der Ortsgerichtsbarkeit einen Urteilsvorschlag: »Dieser ist es.« Aber das bestreitet der Beschuldigte. So steht Aussage gegen Aussage. Da andere Beweismittel offenbar fehlen, bleibt nur die Einschaltung der Gottheit, die durch ein Gottesurteil (Ordal) den Schuldspruch ausspricht. Nicht ganz eindeutig ist der Text hinsichtlich der Frage, ob der Schuldspruch des Gottesurteils gegebenenfalls auch den Beschuldiger treffen kann, wenn sich eine Beschuldigung als haltlos erweist. *Knierim* hat gute Argumente dafür vorgebracht, daß in einem Rechtsfall, wie er von Ex 22,8 vorausgesetzt wird, das nicht anzunehmen ist, die Frage »schuldig« oder »nicht schuldig« also nur im Blick auf den Beschuldigten gestellt wird (154 f.).

Im Bundesbuch folgen Rechtsbestimmungen, die verschiedene Aspekte der Tiermiete zum Inhalt haben.

»Wenn jemand von einem anderen (ein Tier) leiht und es bricht sich ein Glied oder kommt zu Tode, ohne daß sein Besitzer anwesend ist, so soll er vollen Ersatz leisten. (14) Falls sein Besitzer anwesend ist, braucht er keinen Ersatz zu leisten. Falls er ein Lohnarbeiter ist, geht (der Schaden) zu Lasten seines Lohnes« (Ex 22,13–14).

Diese Rechtssätze dürften in erster Linie gemietete Arbeitstiere (Esel oder Rind) im Auge haben. Das Risiko einer Schädigung des geliehenen Tieres geht weitgehend zu Lasten des Mieters. Der Eigentümer wird aus naheliegenden Gründen stärker geschützt, als es bei der in V. 9–12 behandelten Aufbewahrung des Tieres der Fall ist. Nur wenn der Eigentümer bei dem Unfall anwesend war, entfällt für den Mieter die Verpflichtung zur Ersatzleistung. Es wird vorausgesetzt, daß er zugunsten seines Tieres hätte eingreifen können. Als zweiten Unterfall zum Hauptfall V. 13 bringt V. 14 b eine Sonderbestimmung im Blick auf einen Lohnarbeiter, der von seinem Arbeitgeber ein Tier zur Ausführung der ihm übertragenen Arbeit ausgeliehen bekommen hat. Kommt das Tier zu Schaden, so ist der Lohnarbeiter dafür voll verantwortlich. Die Schadensregulierung erfolgt durch Verrechnung mit seinem Arbeitslohn. Im Codex Hammurabi wird die Tiermiete in den §§ 241–249 behandelt, siehe dazu oben S. 112.

Exkurs 6
Zur alttestamentlichen Talionsformel

Lit.: A. *Alt*, Zur Talionsformel (1934) = Kleine Schriften I (1953) 341–344; *D. Daube*, Studies in Biblical Law (1947) bes. 102–153; *A. S. Diamond*, An Eye for an Eye: Iraq 19 (1957) 151–155; *B. S. Jackson*, The Problem of Exod. XXI 22–5 (*ius talionis*): VT 23 (1973) 273–304 = Essays in Jewish and Comparative Legal History (1975) 75–107; *V. Wagner*, Rechtssätze in gebundener Sprache und Rechtssatzreihen im israelitischen Recht (1972) bes. 3–15; *J. Weismann*, Talion und öffentliche Strafe im Mosaischen Rechte (1913) = *Koch*, Vergeltung, 325–406.

Nach einer weit verbreiteten Meinung macht der Talionsgrundsatz, d. h. »der Grundsatz streng gleicher Ersatzforderung für angerichteten

Schaden« (*A. Alt*, 341) das Wesen des alttestamentlichen Rechts aus. Ja
mehr noch, der sich in dem viel zitierten »Auge um Auge, Zahn um
Zahn« aussprechende Rechtsgrundsatz gilt vielen als das entscheidende
Prinzip nicht nur des alttestamentlichen Rechts, sondern der alttestamentlichen Religion, die damit als eine Religion der Vergeltung verstanden wird. Die folgenden Darlegungen wollen durch einige Überlegungen
zur alttestamentlichen Talionsformel zeigen, wie unzutreffend derartige
Schlußfolgerungen sind.

Zunächst ist festzustellen, daß der Talionsgrundsatz keineswegs spezifisch alttestamentlich ist. Hier sei nur an den Codex Hammurabi erinnert. Für den Codex Hammurabi hat das Talionsprinzip auf weite Strek-
ken hin eine normsetzende Bedeutung, die weit über den Bereich der
Körperverletzung hinausreicht.

Wenn das Talionsprinzip auch nicht spezifisch alttestamentlich ist, so
könnte es trotzdem für das alttestamentliche Recht die Qualität eines
Grundprinzips haben. Aber auch das trifft in keiner Weise zu. Die sogenannte Talionsformel kommt innerhalb der ausgedehnten alttestamentlichen Rechtsliteratur nur an drei Stellen vor, wobei die dritte bereits
eine sprachliche Abwandlung erfahren hat und auch aus anderen Gründen nur am Rande zu erwähnen ist. Die drei Stellen sind: Ex 21,23–25;
Lev 24,18.20 und mit Einschränkungen Dt 19,21. Aber auch über die
Formel hinaus ist der Talionsgrundsatz für das alttestamentliche Recht
nicht allgemein bestimmend. Nur gelegentlich wird er wirksam, so z. B.
in Ex 21,36 im Zusammenhang der Rechtssätze über das stößige Rind,
vgl. dazu oben S. 143.

Wenden wir uns nunmehr der Talionsformel selbst zu! Wir wählen dazu
die Belegstelle aus dem Bundesbuch, Ex 21,23–25. Die Talionsformel
steht dort in einem Textzusammenhang, der mit V. 22 stilrein kasuistisch beginnt, ab V. 23 b dann aber in den völlig anderen Stil der Ta-
lionsformulierung übergeht.

»Wenn Männer miteinander raufen und dabei eine schwangere Frau stoßen, so daß ihr
Kind abgeht, aber sonst kein Schaden entsteht, so soll eine Geldbuße auferlegt werden, so
wie der Mann der Frau sie ihm (dem Täter) auferlegt; und er soll sie vor Schiedsrichtern bezahlen. (23) Falls aber ein Schaden entsteht, dann sollst du geben

    Leben für Leben
(24) Auge für Auge
    Zahn für Zahn
    Hand für Hand
    Fuß für Fuß
(25) Brandmal für Brandmal
    Wunde für Wunde
    Strieme für Strieme« (Ex 21,22–25).

Der mit V. 23 b eintretende Stilbruch ist unverkennbar. Er wird bereits durch das im kasuistischen Zusammenhang stilfremde »du« kenntlich gemacht. Die Verbform »du sollst geben« ist in V. 23 b aber nur eine Überleitung zu der dann folgenden Talionsformel, die sich auch inhaltlich im Zusammenhang als ein Fremdkörper erweist, denn allenfalls das erste Glied der Reihe kann sinnvollerweise mit dem vorher beschriebenen Rechtsfall in Verbindung gebracht werden. Daraus ergibt sich die Konsequenz, daß die Talionsformel eine Größe eigener Art ist und als solche interpretiert werden muß.

Zwei kleinere exegetische Bemerkungen seien an den Anfang gestellt. Es ist zu beachten, daß sich nach den ersten fünf Gliedern der Reihe ein sachlicher Bruch ergibt (vgl. *V. Wagner*, 4): Während nach dem überschriftartigen ersten Glied in den folgenden vier Gliedern verwundete Körperteile aufgezählt werden, folgt mit den Gliedern sechs bis acht eine Aufzählung von Verletzungen. Das hat in den altorientalischen Parallelen keine Entsprechung (vgl. *Wagner*, 7–9), und deshalb liegt die Vermutung nahe, daß es sich hier um eine spezifisch alttestamentliche Erweiterung handelt. Die zweite Vorbemerkung betrifft die Reihenfolge der Glieder eins bis fünf. An den Anfang ist die umfassendste Aussage gestellt: Leben für Leben. Das hebräische Wort, das an dieser Stelle steht (*näpäš*) hat die Grundbedeutung »Kehle«, dürfte hier aber in der allgemeinen Bedeutung »Leben« gebraucht sein. So bildet das erste Glied eine generalisierende Überschrift über die folgende Reihe. Die Reihenfolge der nächsten vier Glieder soll keine Wertung der genannten Körperteile ausdrücken, es handelt sich vielmehr – und auch das ist altorientalisches Erbe – um eine anatomisch orientierte Reihenfolge: Die Aufzählung geht von oben nach unten am menschlichen Körper entlang; Näheres dazu bei *Wagner*, 7 f.

Es soll nunmehr nach der Herkunft und der ursprünglichen Bedeutung der alttestamentlichen Talionsformel gefragt werden. Dazu hat *Alt* eine These entwickelt, die weitgehende Zustimmung erfahren hat. *Alt* hat die alttestamentliche Talionsformel mit einer entsprechenden Formel verglichen, die man im Zusammenhang lateinischer Inschriften in Nordafrika, im Gebiet des heutigen Algerien gefunden hat. Diese Inschriften stammen etwa aus dem Jahre 200 n. Chr. Dabei handelt es sich um kultische Texte. Es ist von einem Lammopfer die Rede, das für eine andere Opferleistung eintritt, die die Gottheit eigentlich gefordert hat, nämlich das Opfer des erstgeborenen Kindes. In diesem Zusammenhang taucht nun die folgende Formel auf: *anima pro anima, sanguis pro sanguine, vita pro vita*. Der zweifelos frappierende Gleichklang mit der alttestamentlichen Talionsformel hat *Alt* dazu veranlaßt, auch die alttestamentliche Talionsformel aus dem kultischen Bereich zu erklären. Auch bei dieser Formel geht es nach *Alt* ursprünglich um eine Ersatzleistung an die Gottheit, allerdings nicht um eine gnädig gestattete, wie bei den punischen Texten, sondern um eine streng geforderte, »wenn durch Tötung oder Körperverletzung eines Menschen die Gottheit geschädigt ist, die ihm Leben und Körper gegeben und darum den ersten Besitzanspruch auf beides hat« (*Alt*, 343).

Die Bedenken, die sich gegen diese traditionsgeschichtliche Ableitung der alttestamentlichen Talionsformel richten, basieren nicht in erster Linie auf der erheblichen Zeit- und Raumdifferenz, die zwischen den beiden von *Alt* verglichenen Texten besteht. Grundsätzlich ist es sicher möglich, auch weit entfernt lokalisierte Kulttexte als Verstehenshilfe heranzuziehen. Was in diesem Fall aber unüberwindliche Schwierigkeiten macht, ist die Formel selbst. Da sind so erhebliche Unterschiede festzustellen, daß der Vergleich unmöglich wird. Der Text der algerischen Votivstelen nimmt mit allen Teilen das Opfertier als ganzes in den Blick. *anima, sanguis, vita* sind nicht Körperteile, eröffnen auch nicht den Weg dazu, einzelne Körperteile zu nennen. Hier geht es um das Leben als ganzes, das durch ein Tieropfer abgelöst wird. In der alttestamentlichen Formulierung ist das anders. Nur das erste Glied der Reihe zielt auf die Ganzheit des Lebens. Dann aber folgt sogleich die Nennung einzelner Körperteile und schließlich sogar bestimmter Verwundungen. Wenn man das beachtet und darüber hinaus bedenkt, daß es keinen alttestamentlichen Text gibt, der eine Ersatzleistung an die Gottheit als Inhalt des *ius talionis* nahelegt, wie *Wagner*, 12, richtig feststellt, dann verliert die *Alt*sche Deutung alle Wahrscheinlichkeit. Die Talionsformel dürfte vielmehr von Anfang an zu dem Sachbereich gehört haben, dem sie im Text des Bundesbuches auch heute noch zugeordnet ist, dem Bereich des Schadensausgleichs, und das ist kein kultischer, sondern ein juristischer Bereich.

Wie ist der Rechtswille zu beschreiben, der in der Talionsnorm wirksam ist? Es geht diesem Recht darum – und das ist eine entscheidende Intention des Rechts überhaupt –, das gegenseitige Verhältnis der Menschen im Gleichgewicht zu halten. Mit guten Gründen kann man davon ausgehen, daß die Talionsformel aus der nomadischen Gerichtsbarkeit stammt. »Wir werden es hier mit einer Rechtsnorm zu tun haben, die zwischen den einzelnen Gemeinschaften gegolten hat, das heißt einem Intergentalrecht« (*Wagner*, 14). Hier, wo nicht ein personbezogenes, sondern viel stärker ein gruppenbezogenes Rechtsdenken vorliegt, spielt der genannte Rechtsgrundsatz eine hervorragende Rolle. Ist einem Mitglied der einen Gruppe ein Schaden zugefügt worden, so ist damit die Kraft der Gruppe geschädigt; ein Ausgleich kann nur so gefunden werden, daß auch die andere Gruppe entsprechend geschädigt wird. Die Intention der Talionsformel ist dabei aber nicht auf die Schädigung als solche gerichtet – so klingt sie in unseren Ohren –, sondern sie zielt auf die Begrenzung der Schädigung. Es geht darum, den durch die Schädigung ausgelösten Blutrachemechanismus auf ein Maß zu begrenzen, das das Überleben der betroffenen Gruppen ermöglicht. Auf der anderen Seite kann zur Illustration für ein ungezügeltes Rachehandeln ein Text wie Gen 4,23 f. dienen, das sogenannte Lamechlied:

»Lamech sprach zu seinen Frauen:
Ada und Zilla, hört meine Rede,
ihr Frauen Lamechs, vernehmt meinen Spruch:
Einen Mann habe ich erschlagen für meine Wunde
und einen Jüngling für meine Strieme.
Wird Kain siebenmal gerächt
so Lamech siebenundsiebzigmal.«

Die Eskalation der Vergeltung, die das Lamechlied so plastisch beschreibt, soll durch die Anwendung der Talion verhindert werden. Man
kann die Talionsformel deshalb paraphrasierend so wiedergeben: Nur
ein Leben für ein Leben, nur *ein* Auge für ein Auge, nur *einen* Zahn für
einen Zahn usw.

Die Talionsformel ist weitertradiert worden, auch nachdem die Nomadensituation vergangen war. Sie blieb aber bezogen auf den Rechtsfall
der Körperverletzung, hat sich also keineswegs zu *dem* Prinzip des alttestamentlichen Rechtsdenkens entwickelt. Sie wurde – wohlgemerkt: bezogen auf diesen Rechtsfall – zu einem Rechtsgrundsatz, nach dem sich
die richterliche Entscheidung ausrichten soll. Und weil die Formel mit so
vielen Mißverständnissen belastet ist, sei auch dies noch gesagt: Der Talionsgrundsatz ist keineswegs ein Grundsatz für das zwischenmenschli-
che Verhalten, er entspricht deshalb nicht unserem »Wie du mir, so ich
dir«. Er gilt für die Rechtssprechung der Rechtsgemeinde.

Kapitel VI

Das Deuteronomium und das Heiligkeitsgesetz

Nach dem Bundesbuch als der ältesten und für unseren Zusammenhang wichtigsten alttestamentlichen Rechtssammlung sind noch die beiden anderen zu erwähnen, das Deuteronomium und das Heiligkeitsgesetz. Wir tun es in historischer Reihenfolge und stellen das Deuteronomium an den Anfang.

1. Das Deuteronomium

Lit.: *A. Alt*, Die Heimat des Deuteronomiums (1953) = Grundfragen, 392–417; *C. M. Carmichael*, The Laws of Deuteronomy (1974); *S. Herrmann*, Die konstruktive Restauration. Das Deuteronomium als Mitte biblischer Theologie: Probleme biblischer Theologie, Festschr *G. v. Rad* (1971) 155–170; *F. Horst*, Das Privilegrecht Jahwes. Rechtsgeschichtliche Untersuchungen zum Deuteronomium (1930) = GR, 17–154; *S. Loersch*, Das Deuteronomium und seine Deutungen (1967); *R. P. Merendino*, Das deuteronomische Gesetz (1969); *G. Nebeling*, Die Schichten des deuteronomischen Gesetzeskorpus, Diss Münster 1970; *G. v. Rad*, Das Gottesvolk im Deuteronomium (1929) = Gesammelte Studien zum Alten Testament II (1973) 9–108; *ders.*, Deuteronomium-Studien (1947) = Gesammelte Studien zum Alten Testament II (1973) 109–153.

Das Deuteronomium gehört zu den biblischen Büchern, denen im besonderen Maße die Aufmerksamkeit der alttestamentlichen Forschung zuteil geworden ist. Das geschah aus vielfältigem Anlaß, ist aber vor allem darin begründet, daß man in diesem Buch direkter als irgendwo sonst zum Zentrum alttestamentlicher Theologie vorstößt. *S. Herrmann* kann sagen, »daß im Deuteronomium die Grundfragen alttestamentlicher Theologie in nuce konzentriert sind, und wahrhaftig eine Theologie des Alten Testaments dort ihr Zentrum zu haben hat« (156). Die vielfältigen Probleme des Deuteronomiums, vor allem die wechselnden Fragestellungen, die für die jeweilige Forschungssituation charakteristisch sind, ließen sich am besten in der Form eines Forschungsberichtes darstellen. Das kann hier nicht unternommen werden, ist aber auch nicht notwendig, da diese Aufgabe in den diversen »Einleitungen in das Alte Testament« aufgegriffen und zudem monographisch von *S. Loersch* durchgeführt worden ist.

In unserem Zusammenhang stellt sich die Frage, ob das Deuteronomium überhaupt als ein Rechtsbuch in einer Reihe mit dem Bundesbuch genannt werden kann. Dagegen kann man viele Einwände vorbringen. Das Deuteronomium zeigt gegenüber dem älteren Bundesbuch erhebliche Veränderungen, die in der Tat zu einer neuen Form des Rechtsbuches führen. Das muß noch näher begründet werden.

Doch zuvor müssen einige Grundprobleme der Deuteronomiumforschung erwähnt werden. Wenn hier vom »Deuteronomium« als der umfangreichsten alttestamentlichen Rechtssammlung die Rede ist, so deckt sich dieser Sprachgebrauch nicht mit dem Terminus »Deuteronomium« für das fünfte Buch des Pentateuch. Das deuteronomische Gesetzeskorpus umfaßt nur die Kapitel Dt 12–26; hinzu kommen die ausgedehnten Einleitungsstücke Dt 4,44–11,32 und die Ausleitungsabschnitte Dt 27,1–30,20. Die übrigen Texte des Buches Deuteronomium (Dt 1,1 – 4,43 und Dt 31–34) sind anderen literarischen Zusammenhängen zuzurechnen; auf sie ist hier nicht näher einzugehen. Wie es zu der Verbindung der sogenannten Rahmenkapitel mit dem deuteronomischen Gesetzeskorpus gekommen ist, ist eine viel verhandelte Frage. *J. Wellhausen* hatte die Kapitel Dt 12–26 als eigenständige Größe angesprochen, der er den Namen Urdeuteronomium beilegte. Nach *Wellhausens* Meinung ist das so abgegrenzte Urdeuteronomium mit dem Josiagesetz gleichzusetzen, von dem in 2. Kön 22–23 die Rede ist (Die Composition des Hexateuchs, [4]1963, 189–193). Damit greift *Wellhausen* die These *W. M. L. de Wettes* auf, nach der das Deuteronomium von den übrigen Büchern des Pentateuch abzutrennen und mit der josianischen Reform in Verbindung zu bringen ist. Diese These hat sich trotz gelegentlicher Bestreitungen im ganzen bis heute bewährt. Damit ist allerdings nicht gesagt, daß das Urdeuteronomium direkt auf den König Josia zurückgeht, sozusagen die Programmschrift für die kultpolitischen Aktionen dieses Jerusalemer Königs gewesen ist. Letzteres ist sicher nicht zutreffend. Josias Kultreform war in bestimmten historischen Konstellationen seiner Zeit begründet. Sie verfolgte das Ziel, den Staat Juda von dem zusehends schwächer werdenden Assyrerreich zu lösen. Sie dürfte von Josia ohne Bezug auf das Deuteronomium eingeleitet worden sein, erhielt dann aber durch das Bekanntwerden dieses Rechtsbuches neue Impulse. So bleibt also die Frage nach der Herkunft oder wie *A. Alt* gesagt hat nach der »Heimat des Deuteronomiums« noch offen. Es spricht viel dafür, daß das Deuteronomium nicht aus Jerusalem und auch nicht aus dem Südreich stammt, vielmehr ein Rechtsdokument des Nordens ist, so besonders *Alt*. Hier sind zahlreiche Traditionen aufgenommen, die gerade nicht Jerusalemer Eigenart an sich tragen, und der im Deuteronomium ja nie mit Namen genannte eine Kultort mag möglicherweise ursprünglich gar nicht mit Jerusalem identisch gewesen sein.

Umstritten bleibt der Umfang des Urdeuteronomiums und die Entwicklung vom Urdeuteronomium zum heutigen Textbestand. Was die erste

Frage anbetrifft, so sind gute Argumente dafür vorgebracht worden, daß das Urdeuteronomium nicht nur aus dem Gesetzeskorpus bestanden hat, sondern bereits mehr oder weniger umfangreiche Abschnitte der Rahmenkapitel enthalten hat, vgl. dazu *Loersch*, 36 f. Bei der Behandlung der zweiten Frage ist die Antwort auf zwei verschiedenen Wegen gesucht worden. Ein Teil der Exegeten suchte die Lösung durch die Annahme einer Ergänzungshypothese. Danach wäre das Deuteronomium durch sukzessive Ergänzungen des josianischen Gesetzbuches entstanden. Andere bevorzugen eine Urkundenhypothese. Danach wäre das Deuteronomium durch Zusammenfügung zweier oder mehrerer Ausgaben des Urdeuteronomiums zustande gekommen. Man wird nicht sagen können, daß die literarkritischen Probleme, die das Deuteronomium aufwirft, schon befriedigend gelöst wären. Es wird neuer Bemühungen, vielleicht auch neuer Fragestellungen bedürfen, um in dieser Sache zu allseits überzeugenden Lösungen zu kommen.

Bei aller Unsicherheit im einzelnen hat die literarkritische Arbeit am Deuteronomium aber doch einige unverlierbare Ergebnisse gezeigt. Dazu gehört die Erkenntnis, daß das Deuteronomium eine Entstehungsgeschichte gehabt hat und aus mancherlei Einzelteilen zusammengefügt worden ist; das betrifft nicht nur die Rahmenstücke, sondern auch das deuteronomische Gesetzeskorpus selbst. Diese Einzelstücke aber sind im Deuteronomium zu einer neuen Einheit zusammengewachsen, und gerade das macht das Besondere dieses Buches und des in ihm enthaltenen Rechtskorpus aus. Damit stehen wir nun erneut vor der Frage der Vergleichbarkeit von Bundesbuch und deuteronomischem Gesetzbuch.

Eine zunächst rein formale Feststellung kann an den Anfang gestellt werden. Das Deuteronomium ist als eine große Rede des Mose stilisiert. Während bei den anderen alttestamentlichen Gesetzessammlungen Jahwe der Redende und Mose der erste Empfänger der göttlichen Anordnungen ist, redet im Deuteronomium Mose zum Volk. Das Deuteronomium stellt sich formal dar als »Gottesauftrag aus zweiter Hand an die Laiengemeinde« (*G. v. Rad*, Deuteronomium-Studien, 110). Mit dieser Besonderheit gegenüber den anderen Rechtssammlungen hängt direkt die auffallendste Eigenart des deuteronomischen Gesetzes zusammen. Sie besteht darin, daß die Gesetze im Deuteronomium immer wieder durch Gesetzesinterpretationen in der Form persönlicher Anrede ergänzt sind. *G. v. Rad* hat in diesem Zusammenhang oft von einer Art deuteronomischer Predigt gesprochen und gerade darin einen wesentlichen Unterschied zum älteren Bundesbuch gesehen. »Wir sehen es heute erst, wie richtig Klostermann die Dinge schon vor langen Jahren beurteilte, wenn er Dt. 12 ff. nicht für ein ›Gesetzbuch‹, sondern für ›eine Sammlung von Materialien für den öffentlichen Gesetzesvortrag‹ erklärte. So gilt es also noch entschlossener auch die Gesetze des Dt. unter dem Gesichtspunkt des Rhetorischen und Homiletischen zu betrachten, was ja die paränetische Form, in der auch das sog. Gesetzeskorpus von 12–26 vorliegt, besonders nahelegt. Denn das ist ja doch der elementarste Unterschied zwischen dem Bundesbuch und dem Dt., der gerade durch die weithinnige Gemeinsamkeit der Materialien hier und dort besonders in die Augen fällt: das Dt. ist nicht kodifiziertes Gottesrecht, sondern hier wird über die Gebote gepredigt« (Deuteronomium-Studien, 111 f.).

Im Blick auf das Verhältnis des deuteronomischen Gesetzes zum Bundesbuch sind in der Tat die beiden in diesem Zitat von *v. Rad* genannten Aspekte zu berücksichtigen: einmal eine zweifellos vorliegende »Gemeinsamkeit der Materialien«, die allerdings noch genauer definiert werden muß, zum anderen die unübersehbare Unterschiedenheit der Form. Beginnen wir mit dem erstgenannten Sachverhalt. Etwa die Hälfte der in der Letztgestalt des Bundesbuchs aufgezeichneten Rechtssätze hat im Deuteronomium eine Entsprechung, vgl. die Liste bei *G. Fohrer*, Einleitung in das Alte Testament ([11]1969) 187. Zum Teil geht die Übereinstimmung sehr weit, so daß sich die Annahme einer literarischen Verbindung durchaus nahelegen kann. Allerdings steht der einen Hälfte der Rechtssätze natürlich die andere Hälfte gegenüber, die im Deuteronomium nicht erscheint. Hinzu kommt ein umfangreiches deuteronomisches Sondergut. Schließlich ist zu bedenken, daß die Reihenfolge der in beiden Rechtsbüchern behandelten Rechtsmaterien nur selten übereinstimmt. So wird man am besten den Exegeten beipflichten, die eine direkte literarische Abhängigkeit des Deuteronomiums vom Bundesbuch nicht für wahrscheinlich halten (z.B. *R. P. Merendino*, *G. Nebeling*) und statt dessen damit rechnen, daß beide Rechtsbücher für bestimmte Bereiche auf eine gemeinsame Rechtsüberlieferung zurückgehen.

Zur Beurteilung der deuteronomischen Rechtssammlung ist die Beachtung der formalen Gestaltung aber noch wichtiger als die Berücksichtigung der vorliegenden Sachübereinstimmungen mit dem Bundesbuch. Wir sahen bereits, daß auch das Bundesbuch keineswegs nur reine Rechtssätze enthält, daß daneben verschieden strukturierte Texte nichtrechtlichen Charakters stehen, die *W. Beyerlin* unter dem Oberbegriff »paränetische Texte« zusammengefaßt hat. Im deuteronomischen Gesetzeskorpus nehmen diese nichtrechtlichen Textabschnitte an Zahl erheblich zu, so daß im Zusammenhang mit der Rahmung die oben zitierte Charakterisierung des deuteronomischen Gesetzes durch *v. Rad* sicher berechtigt ist. Die einzelnen Teile des Gesetzeskorpus sind allerdings in unterschiedlichem Ausmaß der paränetischen Durchformung unterworfen worden.

Man macht sich die Situation am besten durch einen Vergleich zweier Texte klar. Wir wählen dazu das oben auf S. 135 ff. behandelte Sklavengesetz des Bundesbuches, Ex 21,2–11, dem wir das deuteronomische Sklavengesetz an die Seite stellen.

»Wenn sich dir dein Bruder, ein Hebräer oder eine Hebräerin, verkauft, so soll er sechs Jahre lang dein Sklave sein, im siebten Jahr aber sollst du ihn als Freigelassenen entlassen. (13) Und wenn du ihn als einen Freigelassenen entläßt, sollst du ihn nicht mit leeren Händen entlassen. (14) Du sollst ihm Gaben mitgeben von deinem Kleinvieh, von deiner Tenne und von deiner Kelter, von dem, womit Jahwe, dein Gott, dich gesegnet hat, sollst du ihm geben. (15) Und du sollst daran denken, daß du Sklave gewesen bist im Lande Ägypten und daß dich Jahwe, dein Gott, losgekauft hat. Darum gebiete ich dir heute dieses. (16) Sollte er jedoch zu dir sagen: ich will nicht von dir ausziehen – weil er dich und deine Familie liebgewonnen hat, da es ihm bei dir gut ging –, (17) so sollst du einen Pfriemen nehmen und ihn durch sein Ohr in die Tür bohren; dann ist er dein Sklave für immer. Auch mit deiner Sklavin sollst du so verfahren. (18) Und es soll dich nicht hart ankommen, wenn du ihn als Freigelassenen entläßt, denn in Entsprechung zum Lohn eines Tagelöhners, so ist er sechs Jahre lang dein Sklave gewesen. Und Jahwe, dein Gott, wird dich segnen in allem, was du tust« (Dt 15,12–18).

Achten wir zunächst auf einige sachliche Unterschiede! Daß hier eine veränderte sozialgeschichtliche Situation vorausgesetzt ist, erkennt man daran, daß jetzt offensichtlich auch die Frau als grundbesitzfähig und damit rechtsfähig angesehen wird. Das Fehlen eines ausgesprochenen Sklavinnengesetzes (vgl. Ex 21,7–11) kann damit zusammenhängen, folgt aber nicht notwendig aus dieser veränderten Sachlage. Jedenfalls ist festzuhalten, daß für die deuteronomische Fassung des Sklavengesetzes die Möglichkeit, ein Mädchen in ein Konkubinat zu verkaufen, nicht ins Auge gefaßt ist. Das entscheidend Neue gegenüber dem Bundesbuch ist damit aber noch nicht genannt. Das grundsätzlich Neue deutet sich in der Verschiedenheit der Stilisierung an. Der deuteronomische Text ist durchgängig im Du-Stil abgefaßt; das ist keine sekundäre Störung, wie in Ex 21,2, sondern Ausdruck der Eigenart des deuteronomischen Rechts. An die Stelle der »prägnanten juristischen Formulierung der Ex.-Stelle« (*F. Horst*, 99) ist die persönliche Anrede getreten, die überzeugen, werben, gewinnen will. Die Umsetzung des kasuistischen Er-Stils in den deuteronomischen Du-Stil ist über das Sklavengesetz hinaus an vielen Beispielen zu belegen und erweist sich damit als ein wichtiges Charakteristikum des deuteronomischen Verständnisses des Rechts. Allerdings ist es nicht so, daß alle kasuistischen Rechtssätze, soweit sie ins Deuteronomium aufgenommen worden sind, diesen Umwandlungsprozeß durchlaufen haben. Besonders im zweiten Teil des Rechtskorpus häufen sich die Beispiele dafür, daß die rein kasuistische Formulierung beibehalten worden ist, vgl. z. B. Dt 21,15–17. 18–22; 22,13–29; 25,5–10.

Im deuteronomischen Sklavengesetz ist die Umgestaltung der rein juristischen Aussage nicht nur durch die Umsetzung der Form geschehen. Hand in Hand damit geht eine inhaltliche Weiterentwicklung, die ebenfalls den rein rechtlichen Charakter der Rechtsbestimmung aufhebt. Während der alte Rechtssatz lediglich feststellt, daß der Sklave zu entlassen ist, ohne daß er dafür eine Zahlung zu leisten hat – die sechsjährige

Arbeitsleistung gilt als Kompensation für seine Schulden –, wird der Sklavenbesitzer im Deuteronomium angewiesen, dem entlassenen Schuldsklaven eine offenbar nicht ganz gering gedachte Entlassungszahlung zu leisten. Dahinter steht die Erkenntnis, daß die formale Freilassung allein für den Entlassenen nicht genügt, damit er wieder zu einer freien Lebensmöglichkeit innerhalb der Volksgemeinde kommt. Er bedarf dazu eines Startkapitals, und das soll ihm der zur Verfügung stellen, der durch Jahre hindurch die Arbeitskraft des Sklaven für sich nutzen konnte. Man kann sich fragen, ob eine derartige Forderung praktikabel war. Wurde damit nicht das geltende Wirtschaftssystem in Frage gestellt? Der deuteronomische Text stellt diese Frage nicht. Aber die Forderung wird begründet, allerdings nicht mit wirtschaftlichen Erwägungen. Es wird erinnert bzw. es wird zur Erinnerung an die Tatsache aufgefordert, daß der betroffene Sklavenbesitzer selbst, insofern er ein Glied des Volkes Israel ist, in Ägypten Sklave gewesen ist, und von Jahwe aus dieser Sklaverei befreit wurde (V. 15). Das ist mehr als ein humanitärer Appell um Verständnis für die Notlage eines Menschen, der unter die Räder gekommen ist. Das ist der Hinweis auf den Ursprung und damit auf das Wesen des Volkes Israel. Israels Existenz als eines aus der Sklaverei befreiten Volkes verlangt eine andere Beurteilung der Sklavenfrage als sie sonst üblich war. So zeigt sich am Sklavengesetz des Deuteronomiums besonders deutlich, wie das Recht im Alten Testament zunehmend theologisch gedeutet und verstanden wurde. Was am Sklavengesetz beispielhaft gezeigt wurde, ließe sich auch an anderen Stellen vielfältig belegen. Die Theologisierung alter Rechtssätze ist ein wesentliches Charakteristikum des Deuteronomiums.

Das Sklavengesetz ist auch in anderer Hinsicht für das deuteronomische Rechtsbuch beispielhaft. Die in ihm sichtbar werdende humanitäre und soziale Ausrichtung ist auch sonst im Deuteronomium immer wieder zu beobachten. Damit führt das Deuteronomium eine Linie weiter, die längst vorher in Erscheinung getreten war, aber sie war doch nicht so ausgeprägt, wie sie sich im Deuteronomium darbietet. In diesen Zusammenhängen ist das Deuteronomium bestimmt vom Gedanken des Gottesvolks. Immer wieder ist vom »Bruder« die Rede, dem kein Unrecht geschehen darf. Aber auch der »Fremdling«, der im Lande Israels wohnt, soll in die Rechtsgemeinschaft Israels hineingenommen werden. Einige weitere Beispiele, die den humanitären und sozialen Grundzug des Deuteronomiums belegen können, sollen im folgenden erwähnt werden.

In Dt 24,10–13 wird das Pfandrecht geregelt, vgl. dazu auch Dt 24,6. Alle Einzelbestimmungen sind orientiert am Schutz des Schuldners.

»Wenn du deinem Nächsten etwas leihst, darfst du nicht in sein Haus gehen, um ein Pfand von ihm zu nehmen. (11) Draußen sollst du stehen bleiben, der Mann aber, dem du etwas geliehen hast, soll das Pfand zu dir nach draußen bringen. (12) Falls es ein armer Mann ist, darfst du dich nicht mit seinem Pfand schlafen legen. (13) Du sollst ihm das Pfand bei Sonnenuntergang zurückbringen, damit er sich in seinem Mantel schlafen legen kann und dich segne. Dir aber wird das vor Jahwe, deinem Gott, als Gerechtigkeit gelten« (Dt 24,10–13).

Die erste Bestimmung findet sich im Alten Testament nur an dieser Stelle. Der Gläubiger hat nicht das Recht, das Haus des Schuldners zu betreten, um sich ein Pfand auszusuchen. Die Auswahl des Pfandes soll der Schuldner selbst vornehmen. Die zweite Bestimmung hat im Bundesbuch, Ex 22,25 f., eine Parallele. Die Grundbedürfnisse des Lebens dürfen durch die Pfändung nicht angetastet werden. Deshalb muß der Mantel, der zugleich Bedeckung für die Nacht ist, vor Einbruch der Nacht zurückgegeben werden. Auf derselben Linie liegt es, wenn der apodiktisch formulierte Einzelsatz Dt 24,6 die Pfändung der Handmühle untersagt:

»Man darf nicht Mühle und Mühlstein pfänden, denn damit würde man das Leben pfänden.«

Auf die Pfandbestimmung folgt in Dt 24 eine Rechtsbestimmung über die Entlohnung des Tagelöhners. Grundlage ist in diesem Fall ein apodiktischer Rechtssatz. Viel stärker, als es im Bundesbuch zu beobachten ist, durchdringen sich im Deuteronomium die beiden Grundformen der alttestamentlichen Rechtsformulierung. Das geschieht nicht nur durch die Umsetzung des kasuistischen Stils in die Anredeform, sondern auch durch die Anordnung der einzelnen Rechtsbestimmungen.

»Du sollst einen armen und bedürftigen Tagelöhner nicht übervorteilen, mag er einer deiner Brüder oder einer deiner Fremdlinge sein, die in deinem Land, in einer deiner Ortschaften leben. (15) Am selben Tage, ehe die Sonne darüber untergeht, sollst du ihm den Lohn auszahlen, denn er ist arm und sein Begehren ist darauf gerichtet, – damit er nicht Jahwe deinetwegen anruft und über dich eine Verschuldung kommt« (Dt 24,14–15).

Der Tagelöhner gehört zu den wirtschaftlich besonders benachteiligten Personen. Er hat kein eigenes Land und muß deshalb seine Arbeitskraft verkaufen. Benachteiligungen ist er darum besonders leicht ausgesetzt. V. 15 konkretisiert die allgemeine Feststellung des V. 14. Das Zurückhalten des Lohnes ist gewiß nicht die einzig denkbare Benachteiligung, aber eine, die wohl nicht selten praktiziert wurde, und die den Tagelöhner hart traf.

Auf die deuteronomischen Erntebestimmungen, Dt 24,19–22, die voll von Anweisungen zugunsten wirtschaftlich benachteiligter Personen sind, war in anderem Zusammenhang schon hingewiesen, ebenso auf die Bestimmung zugunsten des flüchtigen Sklaven, Dt 23,16 f., und auf die Bestimmung über den Mundraub, Dt 23,25 f. Auch die Anordnung über die Begrenzung der Prügelstrafe, Dt 25,1–3, gehört in diesen Zusammenhang.

Wir haben die wichtigste Besonderheit des deuteronomischen Rechtsbuches noch nicht genannt. Sie liegt in den vielfältigen Bestimmungen des

Kultrechts und in der Art, wie in ihnen alte Bestimmungen aufgenommen und theologisch gedeutet werden. Dabei ist vor allem die antikanaanäische Ausrichtung des Kultrechts ein immer wieder zu beobachtendes Motiv. In diesem Zusammenhang ist vornehmlich das Kapitel Dt 12 zu nennen, in dem die berühmte deuteronomische Kultzentralisation angeordnet wird. Sachlich hängt mit Dt 12 die große Zahl derjenigen Einzelbestimmungen zusammen, die die Auswirkung der deuteronomischen Kultzentralisation für die verschiedenen Gebiete des Lebens regeln. Diese Rechtsbestimmungen sind an verschiedenen Stellen der Rechtssammlung eingestreut: Dt 14,22–29; 15,19–23; 16,1–22; 17,8–13; 18,1-8; 19,1–13. Diese Texte werden gern unter dem Namen Zentralisationsgesetze zusammengefaßt. In Dt 12 kann man bei aller sachlichen Verschiedenheit eine Parallele zum Altargesetz des Bundesbuches sehen.

Was von der deuteronomischen Gesetzessammlung im ganzen gilt, gilt in besonderem Maße von Dt 12: Dieses Kapitel ist keine ursprüngliche Einheit. In der Forschung ist auf die verschiedenste Art versucht worden, die Entstehung von Dt 12 zu erklären. Darauf kann hier wie auch hinsichtlich des Gesamtkorpus nicht eingegangen werden. Hingewiesen sei aber darauf, daß sich die Zentralisationsforderung im heutigen Text des Kapitels in dreifacher Gestalt darbietet. In den Kommentaren von *C. Steuernagel* und *G. v. Rad* wird die Abgrenzung der einzelnen Teile in derselben Weise vollzogen, nämlich so: V. 2–7. 8–12. 13–19 (28). Die einzelnen Fassungen bieten dieselbe Sache in je verschiedener Ausprägung und Zielrichtung dar. Man kann darüber streiten, welche der drei Fassungen die älteste ist. Wegen der singularischen Formulierung denkt *v. Rad* an die letzte. Die antikanaanäische Ausrichtung, die der eigentliche Sachgrund für die deuteronomische Zentralisationsforderung ist, wird jedenfalls in der ersten Formulierung, Dt 12,2–7, am schärfsten zum Ausdruck gebracht, und das dürfte der Grund dafür sein, daß sie schließlich an den Anfang gestellt wurde, denn damit ist der Grundton angeschlagen, der bei allen deuteronomischen Kultbestimmungen mitklingt.

»Zerstören sollt ihr all die Kultstätten, an denen die Völker, die ihr vertreiben werdet, ihre Götter verehrt haben, auf den hohen Bergen, auf den Hügeln und unter jedem grünen Baum. (3) Reißt ihre Altäre ein, zertrümmert ihre Malsteine, verbrennt ihre Kultpfähle im Feuer, zerhaut ihre Gottesbilder und tilgt ihren Namen aus von jenem Ort. (4) Solches dürft ihr Jahwe, eurem Gott, nicht antun! (5) Vielmehr dürft ihr nur den Ort aufsuchen, den Jahwe, euer Gott, aus allen euren Stämmen erwählen wird, um seinen Namen dort hinzulegen, daß er dort wohne. Dorthin sollst du kommen. (6) Dorthin sollt ihr bringen eure Brandopfer und eure Gemeinschaftsopfer, euren Zehnten, eure Hebegaben, eure Gelübdeopfer, eure freiwilligen Spenden und die Erstgeburten eurer Rinder und eures Kleinviehs. (7) Und ihr sollt dort vor Jahwe, eurem Gott, das Opfermahl halten und ihr und eure Familien sollt fröhlich sein über all eurer Hantierung, worin Jahwe, dein Gott, dich gesegnet hat« (Dt 12,2–7).

Wieviel schärfer ist damit die Frontstellung gegen die Religion des Ka-
naanäertums formuliert verglichen mit dem Altargesetz des Bundesbuches! Geschichtliche Erfahrung und theologische Durchdringung haben
zu dieser deuteronomischen Position geführt.

Die angesprochenen Besonderheiten der deuteronomischen Rechtssammlung machen hinlänglich deutlich, daß hier die juristischen Kate-
gorien weitgehend verlassen sind. Es handelt sich um ein Rechtsbuch eigener Art. Dabei sind fast alle Besonderheiten schon im Bundesbuch angelegt. Was dort aber nur ansatzweise in Erscheinung tritt, ist im deuteronomischen Gesetz zur vollen Ausprägung gelangt. Hier ist Recht in
den Zusammenhang von Anrede und Zuspruch gestellt, die theologische
Durchdringung des Rechts ist hier endgültig vollzogen.

2. Das Heiligkeitsgesetz

Lit.: *B. Baentsch*, Das Heiligkeits-Gesetz Lev. XVII – XXVI (1893); *C. Feucht*, Untersuchungen zum Heiligkeitsgesetz (1964); *R. Kilian*, Literarkritische und formgeschichtliche
Untersuchung des Heiligkeitsgesetzes (1963); *W. Kornfeld*, Studien zum Heiligkeitsgesetz (1952); *G. v. Rad*, Deuteronomium-Studien (1947) = Gesammelte Studien zum Alten
Testament II (1973) 109–153, bes. 118–126; *H. Graf Reventlow*, Das Heiligkeitsgesetz
formgeschichtlich untersucht (1961); *W. Thiel*, Erwägungen zum Alter des Heiligkeits-
setzes: ZAW 81 (1969) 40–73; *V. Wagner*, Zur Existenz des sogenannten »Heiligkeitsgesetzes«: ZAW 86 (1974) 307–316.

Dieses alttestamentliche Gesetzeskorpus erblickte 1877 das Licht der
Welt, als *A. Klostermann* in seiner Studie, Beiträge zur Entstehungsgeschichte des Pentateuchs: ZLThK 38 (1877) 401–445, erkannte, daß in
Lev 17–26 eine eigenständige literarische Größe vorliegt, der er den Namen »Heiligkeitsgesetz« (H) gab. Diese Bezeichnung hat sich im wissenschaftlichen Sprachgebrauch seitdem fest eingebürgert. Der Name war
glücklich gewählt. Er nimmt auf den Text selbst Bezug, nämlich auf die
Formel

»Ihr sollt heilig sein, denn ich, Jahwe, euer Gott, bin heilig« (Lev 19,2; 20,26).

Die Mehrzahl der Exegeten nimmt heute an, daß das Heiligkeitsgesetz
eine ursprünglich selbständige Größe war, die später in die sogenannte
Priesterschrift eingearbeitet worden ist. Die andere Ansicht besagt, daß
das hier vorliegende Rechtsmaterial von Anfang an in die Priesterschrift
eingefügt war, ohne daß es einmal eine Eigenständigkeit des Heiligkeitsgesetzes gegeben hat. So geschieht es in der ausführlichen Kommentierung des Buches Leviticus durch *K. Elliger*, Leviticus, HAT 4 (1966);
schließlich lehnt auch *V. Wagner* die Annahme der Existenz eines selbständigen Heiligkeitsgesetzes ab. Er versteht Lev 17–26 als Teil einer

größeren literarischen Einheit. Diese These ist aber weniger wahrscheinlich. Über die Abgrenzung des Heiligkeitsgesetzes herrscht weitgehende
Übereinstimmung. Lediglich im Blick auf Lev 17 ist die Forschung unsicher. So wird gelegentlich vermutet, daß Lev 17 noch nicht zum ursprünglich selbständigen Bestand des Heiligkeitsgesetzes gehört hat
(*C. Feucht, R. Kilian*), aber die stärkeren Argumente sprechen doch dafür, daß auch dieses Kapitel in seinem Grundbestand ein originärer Bestandteil des Heiligkeitsgesetzes gewesen ist. Kann man also den Beginn
des Heiligkeitsgesetzes verschieden bestimmen, so liegt der Abschluß
fest. Lev 26 gibt sich eindeutig als Abschluß dieses Gesetzeskorpus zu erkennen. Nur der letzte Vers, Lev 26, 46, hat ursprünglich nicht dazuge-
hört. Eine Analyse des Sprachgebrauchs dieses Verses

»Das sind die Satzungen und Rechtsentscheidungen und Weisungen, die Jahwe auf dem
Berge Sinai durch die Vermittlung Moses zwischen sich und den Israeliten gegeben hat«

weist ihn als späte Abschlußformel aus.
Aus welcher Zeit stammt dieses Gesetzeswerk? Da es in die Priesterschrift übernommen worden ist, muß es auf jeden Fall älter sein als diese. Andererseits zeigt ein Vergleich mit dem Deuteronomium, daß das
Heiligkeitsgesetz auf bestimmten deuteronomischen Voraussetzungen
aufbaut. So ist die Zeitspanne zwischen dem Deuteronomium und der
Priesterschrift der Bereich, in dem das Heiligkeitsgesetz entstanden sein
kann. Dem entspricht, was *B. Baentsch* bereits im Jahre 1893 geschrieben hatte: »Das H. ist geschichtlich nur zu begreifen als ein Mittelglied
zwischen Deut. und P.« (152). Nimmt man an, daß das deuteronomische
Gesetz in irgend einer Weise mit dem Josiagesetz zusammenhängt (vgl.
2. Kön 22,1 – 23,3) und daß die Priesterschrift aus dem fünften Jahrhundert v. Chr. stammt, so ergibt sich eine Zeitspanne von etwa 200 Jahren, die für die Entstehung des Heiligkeitsgesetzes zur Verfügung steht.
Aber das ist nicht das eigentliche Problem, das bei der Frage nach dem
Alter des Heiligkeitsgesetzes auftritt. Viel wichtiger ist es, eine Antwort
auf die Frage nach der ursprünglichen Gestalt des Heiligkeitsgesetzes zu
finden. Hier gibt es eine ganze Palette von verschiedenartigen Thesen. In
unserem Zusammenhang kann nur auf die wichtigsten kurz hingewiesen werden.
Auszugehen ist von zwei Beobachtungen, die ausgesprochen oder nicht
von den meisten Forschern vorausgesetzt werden. 1) Der jetzt vorliegende Text des Heiligkeitsgesetzes weist eine Reihe von Bearbeitungszu-
sätzen auf, die priesterlichen Geist erkennen lassen. Damit ist eine letzte
Bearbeitungsschicht namhaft gemacht, die entweder kurz vor oder bei
der Einarbeitung in die Priesterschrift anzusetzen ist. Letzteres ist vor allem für Lev 17 anzunehmen, woraus sich die Besonderheit dieses Kapitels gegenüber dem übrigen Text erklären könnte (*W. Thiel*). Für die
Beurteilung des Heiligkeitsgesetzes in seiner selbständigen Form kön-

nen diese Zusätze unberücksichtigt bleiben. 2) Das vom Heiligkeitsgesetz dargebotene Rechtsmaterial ist zum großen Teil sehr viel älter als die Gesetzessammlung selbst. Es ist schließlich nicht unwahrscheinlich, daß diese alten Rechtsmaterialien schon vor dem Heiligkeitsgesetz zu gewissen Einheiten verbunden waren.

Unter den genannten Voraussetzungen sind nun durchaus verschiedene Thesen über die Entstehung des Heiligkeitsgesetzes entwickelt worden. So führt *Kilian* seine Analyse zur Annahme eines Urheiligkeitsgesetzes, das den Grundbestand des Heiligkeitsgesetzes ausgemacht habe und in dem bereits die heutige Gestalt und Aussage der Rechtssätze des Heiligkeitsgesetzes wesentlich vorgegeben gewesen sei. In diesem Urheiligkeitsgesetz fanden sich aber noch »keinerlei historische Reminiszenzen oder sonstige historisierende Momente« (166), die für den jetzigen Text des Heiligkeitsgesetzes charakteristisch sind. Das Urheiligkeitsgesetz stammt nach *Kilian* aus der Zeit zwischen dem Deuteronomium und der Eroberung Jerusalems im Jahre 586 v. Chr. Dieses Urheiligkeitsgesetz ist dann durch eine spätere Redaktion zum eigentlichen Heiligkeitsgesetz erweitert worden, indem einerseits neue Gesetzesbestimmungen in das Gesetzbuch eingefügt wurden und andererseits der Text durch Zusätze paränetischen und historisierenden Charakters ergänzt wurde. Diese Redaktion, die das Heiligkeitsgesetz in seine letzte selbständige Form gebracht hat, gehört nach *Kilian* in die Exilszeit.

Anders sieht die Sache bei *Feucht* aus. Er rechnet mit zwei Teilsammlungen H 1 und H 2, die zusammengefaßt das endgültige Heiligkeitsgesetz ergeben. Die Frage nach dem Alter des Heiligkeitsgesetzes stellt sich damit zunächst als Frage nach dem Alter der Teilsammlungen. Die erste (H 1 = Lev 18–23*) wird von *Feucht* als vordeuteronomisch angesehen – ihre Abfassung wird in die ersten Jahrzehnte des 7. Jahrunderts verlegt –, während die zweite (H 2 = Lev 25–26) vom Deuteronomium abhängig ist und nach *Feucht* aus der Exilszeit stammt. Für die endgültige Fassung des Heiligkeitsgesetzes kommen wir also auch mit *Feucht* in die Exilszeit, und diese Ansetzung ist, wie auch immer das Zustandekommen des Heiligkeitsgesetzes im einzelnen erklärt werden mag, in der Tat die wahrscheinlichste (ebenso schon *Baentsch* und neuerdings *Thiel*).

Ein viel verhandeltes Problem ist die Frage nach dem Verhältnis des Heiligkeitsgesetzes zum Propheten Ezechiel. Daß zwischen diesen beiden literarischen Größen Beziehungen bestehen, ist nicht zu bezweifeln, die nähere Definition dieser Beziehung ist aber zu kompliziert, als daß sie mit der Annahme gegenseitiger Abhängigkeit ausreichend zu beschreiben wäre. Näheres dazu bei *W. Zimmerli*, Ezechiel, BK XIII/1, 70*–90*.

Das Heiligkeitsgesetz ist ein Spätwerk. Es stammt aus einer Zeit, in der Israel keine staatliche Größe mehr war. So fehlen ihm auch alle Bezugnahmen auf die Existenz des Staates. Im Heiligkeitsgesetz gibt es anders als im Deuteronomium kein Königsgesetz, vgl. Dt 17,14–20. Im Heiligkeitsgesetz wird das Leben der Gemeinde in vielfältiger Weise geregelt. Am Anfang steht wie im Bundesbuch und im deuteronomischen Gesetz in Lev 17 eine Opferbestimmung. Dann folgen rechtliche und kultische Bestimmungen neben- und durcheinander. Das Material, das aufgenommen ist, ist zum größten Teil sehr viel älter als das Gesetzeswerk selbst. Mit dem Deuteronomium gemeinsam hat das Heiligkeitsgesetz die paränetische Auflockerung überkommener Rechtssatzungen und in dieser Hinsicht kann man es mit G. v. *Rad* in nächster Nähe zum Deuteronomium sehen (126). In vielem anderen ist es vom Deuteronomium wesentlich unterschieden. Nicht bedeutungslos ist der formale Unterschied, der darin besteht, daß das Heiligkeitsgesetz in seiner Gesamtheit wieder als Gottesrede und nicht als Menschenrede stilisiert ist. Die paränetischen Abschnitte stehen dazu in einer gewissen Spannung. Obwohl die aufgenommenen Rechtsmaterialien sehr vielfältig sind und zum Teil auch ziemlich beziehungslos nebeneinander stehen, erweckt das Heiligkeitsgesetz doch den Eindruck von Einheitlichkeit und Geschlossenheit. Das hängt damit zusammen, daß die Heiligkeit Jahwes immer wieder als der Hintergrund für die an die Gemeinde gerichtete Heiligkeitsforderung genannt wird, die ebenso durch soziales Rechtverhalten wie durch kultische Bemühungen verwirklicht werden soll. So erscheinen die im Heiligkeitsgesetz ausgesprochenen Rechtsforderungen in ihrem Bezug auf den *heiligen* Gott und seinen *heiligen* Namen in einem nur für diese Rechtssammlung charakteristischen Begründungszusammenhang. Es ist damit weitergedacht und auf eine theologische Formel gebracht, was für das Recht des Alten Testaments grundsätzliche Gültigkeit hat.

Kapitel VII

Das apodiktische Recht

Lit.: *A. Alt*, Die Ursprünge des israelitischen Rechts (1934) = Grundfragen, 203–257; *J. Bright*, The Apodictic Prohibition: Some Observations: JBL 92 (1973) 185–204; *K. Elliger*, Das Gesetz Leviticus 18: ZAW 67 (1955) 1–25 = Kleine Schriften zum Alten Testament (1966) 232–259; *G. Fohrer*, Das sogenannte apodiktisch formulierte Recht und der Dekalog: KuD 11 (1965) 49–74 = Studien zur alttestamentlichen Theologie und Geschichte (1969) 120–148; *B. Gemser*; The Importance of the Motive Clause in Old Testament Law: VTSuppl 1 (1953) 50–66; *E. Gerstenberger*, Wesen und Herkunft des »apodiktischen Rechts« (1965); *H. Gese*, Beobachtungen zum Stil alttestamentlicher Rechtssätze: ThLZ 85 (1960) 147–150; *S. Gevirtz*, West-Semitic Curses and the Problem of the Origins of Hebrew Law: VT 11 (1961) 137–158; *R. Hentschke*, Erwägungen zur israelitischen Rechtsgeschichte: ThViat 10 (1966) 108–133; *S. Herrmann*, Das »apodiktische Recht«. Erwägungen zur Klärung dieses Begriffs: MIO 15 (1969) 249–261; *R. Kilian*, Apodiktisches und kasuistisches Recht im Licht ägyptischer Parallelen: BZ NF 7 (1963) 185–202; *G. Liedke*, Gestalt und Bezeichnung alttestamentlicher Rechtssätze (1971); *H. Graf Reventlow*, Kultisches Recht im Alten Testament: ZThK 60 (1963) 267–304; *W. Richter*, Recht und Ethos (1966); *W. Schottroff*, Der altisraelitische Fluchspruch (1969); *H. Schulz*, Das Todesrecht im Alten Testament (1969); *V. Wagner*, Rechtssätze in gebundener Sprache und Rechtssatzreihen im israelitischen Recht (1972); *M. Weinfeld*, The Origin of the Apodictic Law: VT 23 (1973) 63–75; *J. G. Williams*, Concerning One of the Apodictic Formulas: VT 14 (1964) 484–489; *ders.*, Addenda to »Concerning One of the Apodictic Formulas«: VT 15 (1965) 113–115.

Albrecht Alt hat in seiner grundlegenden Studie über die Ursprünge des israelitischen Rechts innerhalb des alttestamentlichen Rechts zwei Gruppen von Rechtssätzen unterschieden, und er hat diese Unterscheidung bereits in der Gliederung seines Aufsatzes deutlich gemacht. Neben das kasuistisch formulierte Recht stellte er das *apodiktisch formulierte Recht*, kurz *apodiktisches Recht* genannt. Während *Alts* Beschreibung der kasuistischen Rechtssätze weitgehende Zustimmung gefunden hat, hat sich an seinen Ausführungen zum apodiktischen Recht ein erheblicher Widerstand entzündet. Bis heute ist die Diskussion um diesen Bereich des alttestamentlichen Rechts nicht abgeschlossen.

Es sind vor allem zwei Einwände, die man gegenüber *Alts* Darlegungen erhoben hat. Man hat gegen *Alt* festgestellt, daß das von ihm herausgearbeitete apodiktische Recht keineswegs einheitlich ist, sondern durchaus verschiedene Satztypen umgreift. Die Einheitlichkeit der Formulierung, die für die kasuistischen Rechtssätze so überzeugend nachgewiesen worden war, sei hier in keiner Weise gegeben. Der zweite Einwand richtet sich gegen die Behauptung *Alts*, daß das apodiktische Recht als urtümlich israelitisch angesehen werden muß. Auf S. 248 seines Aufsatzes sind die folgenden Sätze zu lesen: »Auf kanaanäische Herkunft deutet ja auch nicht das Mindeste in den apodiktischen Satzreihen hin, weder die Anschauungen, die aus ihnen sprechen, noch auch nur die allgemeinen Kulturverhältnisse, die sie voraussetzen. Alles in ihnen ist vielmehr volksgebunden israelitisch und gottgebunden jahwistisch, auch wo das in dem knappen Wortlaut keinen unmittelbaren Ausdruck findet.« Der letztgenannte Satz dürfte der meistzitierte Satz des *Altschen* Aufsatzes, vielleicht sogar der meistzitierte Satz *Alts* überhaupt sein. Auf ihn haben sich die Exegeten immer wieder berufen, und zwar in durchaus verschiedener Intention. Auf der einen Seite ist dieser Satz ins Feld geführt worden, um die Einzigartigkeit des israelitischen Rechts zu belegen. Hier schien eine der wenigen Stellen vorzuliegen, an denen eben diese Einzigartigkeit Israels nachweisbar war. Hier schien man einmal direkt auf ein Urgestein zu stoßen, auf einen Edelstein im großen Steinbruch der altorientalischen Religions- und Rechtsgeschichte, den Edelstein der Einmaligkeit, der Analogielosigkeit, ja schließlich den Edelstein direkter Offenbarungsqualität. Aber eben diese gelegentlich fast enthusiastische Aufnahme der *Altschen* Ergebnisse hat dann gerade die Gegenreaktion heraufgeführt. Man wies darauf hin, daß damit Folgerungen aus dem *Altschen* Ansatz gezogen würden, die hier keineswegs angelegt seien. Man erkannte Nachwirkungen des *Barthschen* Offenbarungspositivismus, der von *Alt* weder gemeint noch gar von den tatsächlichen Gegebenheiten begründbar sei.

Aber worum geht es überhaupt, wenn vom apodiktischen Recht die Rede ist? Wir wollen uns zunächst einen Überblick über das in Frage stehende Textmaterial verschaffen und folgen dabei der von *Alt* gewählten Reihenfolge. An erster Stelle nennt er eine Aufzählung von Rechtssätzen todeswürdiger Verbrechen, die stereotyp mit der Festsetzung der Todesstrafe enden und die man deshalb in der alttestamentlichen Wissenschaft gern mit dem Terminus *mōt jūmat*-Reihe bezeichnet (*mōt jūmat* = er muß unbedingt getötet werden). Diese Reihe hat in Ex 21,12 ihr Musterbeispiel. Formal eng mit der Todesrechtsreihe verwandt ist die Rechtsreihe, die im sogenannten sichemitischen Dodekalog vorliegt, Dt 27,15–26. Wegen ihrer stereotypen Einleitung nennt man sie auch Fluchreihe oder *'ārūr*-Reihe (*'ārūr* = verflucht). An dritter Stelle erwähnt *Alt* eine elfgliedrige Aufzählung der Verwandtschaftsgrade, unter denen Geschlechtsverkehr verboten ist, Lev 18,7–17. Diese Aufzählung ist im Du-Stil gehalten und unterscheidet sich dadurch formal von den beiden zuerst genannten Reihen. Schließlich nennt *Alt* in diesem Zusammenhang den Dekalog, Ex 20,2–17; Dt 5,6–18(21).

Diese vier Gruppen von Rechtssätzen hat *Alt* unter dem Oberbegriff apodiktisches Recht zusammengefaßt. Er hat diesen einheitlichen Oberbegriff gewählt, obwohl er sich natürlich darüber klar war, daß hier im

einzelnen doch wesentliche formale Unterschiede vorliegen. An der
Stelle seiner Untersuchung, an der er von der Darstellung der zweiten
zur dritten Reihe übergeht, stellt *Alt* einen »bedeutsamen Wechsel der
Form« fest, und er übersieht keineswegs, daß dem »objektiven Stil« der
beiden zuerst genannten Reihen in den beiden anderen die »subjektive
›Du‹-Form direkter Anrede« gegenübersteht (240). Trotzdem seine Zusammenfassung! Wie ist sie zu verstehen? *Alt* sah als ein für ihn ganz
wesentliches Element die Reihenbildung an, die er überall feststellte.
Der »formale Gesichtspunkt durchgängiger Gleichgestaltung bestimmter Satzteile« (239 f.) erlaubte es ihm, die ansonsten durchaus verschiedenartigen Reihen unter einen Oberbegriff zusammenzufassen. Er kon-
statierte eine »Wucht des Ausdrucks« (233), die einerseits dem kasuistischen Stil völlig fremd ist, andererseits für alle diese Rechtsgestaltungen
zutrifft. Vom kasuistischen Recht herkommend mußte in der Tat der
Eindruck einer gewissen Einheitlichkeit entstehen, ein Eindruck, der allerdings einer Nachprüfung dann nicht mehr standhält, wenn man das
apodiktische Recht abgesehen von der Folie der kasuistischen Rechtsformulierung in den Blick nimmt. Das ist inzwischen vielfältig geschehen, und dabei hat sich mindestens eine Zweiteilung dessen ergeben,
was *Alt* unter dem Oberbegriff apodiktisch formuliertes Recht zusammengefaßt hatte. Diese Zweiteilung war ja auch von *Alt* selbst durchaus
schon gesehen und konstatiert worden. Auf der einen Seite stehen die in
direkter Anrede ausgesprochenen Ver- und Gebote, *Alts* Reihen drei
und vier. Auf der anderen Seite stehen Rechtssätze in objektiver Formulierung (3. Person), *Alts* Reihen eins und zwei. Sie beginnen im Hebräischen in der Regel mit einem Partizip. Dieses Partizip beschreibt z. B. in
der *mōt jūmat*-Reihe den vom Rechtssatz ins Auge gefaßten Täter und
seine Tat. An die Stelle des Partizips tritt gelegentlich bei ansonsten ähnlich aufgebauten Rechtssätzen ein Relativsatz. Die Relativsatzform ist
verhältnismäßig selten und dürfte sekundär sein. Man faßt die beiden
Gruppen in der Bezeichnung Partizipial- und Relativsatzformulierungen
zusammen. Mit dieser Ausprägung des apodiktischen Rechts wollen wir
uns zuerst beschäftigen.

1.   Apodiktische Rechtssätze in der Partizipial- und Relativsatzform

Die Überschrift dieses Abschnittes enthält bereits eine Vorentscheidung,
indem die zu besprechenden Rechtssätze als apodiktische Rechtssätze bezeichnet werden, was keineswegs von vornherein ausgemacht ist. Es
sind nämlich in kritischer Auseinandersetzung mit *Alts* Aufsatz gewichtige Stimmen laut geworden, die gerade das bestritten haben und die
auch in diesem Zusammenhang von kasuistischem Recht sprechen wollen. Und in der Tat gibt es einige Beobachtungen, die diese Schlußfolgerung nahelegen können.

Machen wir es uns an dem oben bereits angesprochenen Satz Ex 21,12 klar:

>Wer einen Menschen schlägt, so daß er stirbt, der muß unbedingt getötet werden.«

Hier wird wie im kasuistischen Recht Rechtsfall und Rechtsfolge definiert. Was im kasuistischen Recht in komplizierter Konditionalsatzformulierung vorliegt, ist hier konzentriert in eine Partizipialsatzkonstruktion gebracht. So hatte es bereits *H. Gese* gesehen, der den Sachverhalt wie folgt beschrieben hat: »Die komplizierte syntaktische Struktur der Sätze der mōt-jūmat-Reihe ist also nur als Mischform zu verstehen: kasuistische Rechtssätze werden in diesem besonderen Fall umgestaltet, indem sie poetischen bzw. liturgischen Formen angepaßt werden« (148 f.). Andere sind weitergegangen und subsummieren diese Rechtssätze eindeutig unter das kasuistische Recht (z.B. *R. Kilian*, 188), wobei die Entwicklung z.T. ganz anders als bei *Gese* beschrieben wird (z.B. *E. Gerstenberger*, 25), bis hin zu *G. Fohrer*, der den einprägsamen Satz geschrieben hat, es handle sich hier um »kasuistisches Recht in apodiktischer Formulierung« (146). Diese ganze Argumentation kann noch durch die Beobachtung gestützt werden, daß es im Alten Testament tatsächlich einen konditional formulierten Rechtssatz gibt, der inhaltlich etwa dem von Ex 21,12 entspricht, Lev 24,17:

>Wenn jemand irgend einen Menschen erschlägt, muß er unbedingt getötet werden.«

Ist mit dem allen nicht die Nähe, wenn nicht gar die sachliche Identität des mōt-jūmat-Satzes aus Ex 21,12 mit dem kasuistischen Recht erwiesen?
In der alttestamentlichen Forschung ist dieser Schluß keineswegs einhellig gezogen worden. Es gibt nach wie vor die Meinung, daß hier nicht eine Sonderform des kasuistischen Rechts vorliegt, sondern daß wir es hier mit einer vom kasuistischen Recht grundsätzlich unterschiedenen Rechtsform zu tun haben. Ich nenne die Autoren *S. Herrmann*, *G. Liedke*, *H. Schulz* und *V. Wagner*.
Bei der sachlichen Beurteilung dieses Rechts geht man am besten davon aus, daß diese Rechtssätze ursprünglich im Zusammenhang einer gleichgestalteten Reihe gestanden haben. An dieser Tatsache ist nicht zu zweifeln. Sie läßt sich aus Ex 21,12–17 eindeutig entnehmen. Hier taucht zum ersten Mal innerhalb des Bundesbuches im Kontext seiner kasuistischen Rechtssätze diese so anders gestaltete Rechtsform auf. Nur der erste Satz, V. 12, paßt an dieser Stelle sachlich in den Zusammenhang des Bundesbuches, wo es offensichtlich um die Rechtsmaterie Mord und Totschlag geht (vgl. *Alt*, 230–236), die drei anderen mōt jūmat-Sätze (V. 15–17) haben sachlich mit dieser Rechtsmaterie überhaupt nichts zu tun.

»Wer seinen Vater oder seine Mutter schlägt, der muß unbedingt getötet werden« (V. 15).

»Wer einen Menschen stiehlt und ihn verkauft . . ., der muß unbedingt getötet werden« (V. 16).

»Wer seinen Vater oder seine Mutter verflucht, der muß unbedingt getötet werden« (V. 17).

Diese drei Sätze sind nur deshalb an diese Stelle gesetzt worden, weil sie schon vorher mit dem Satz V. 12 eng verbunden waren, so daß sie, nachdem V. 12 aus sachlichem Anlaß an diese Stelle des Bundesbuches gestellt wurde, gleichsam »mitgerissen« wurden (*Alt*, 235). Damit sind vier Glieder einer Reihe von todeswürdigen Verbrechen genannt, die höchstwahrscheinlich einmal wesentlich umfangreicher gewesen ist. Wie groß ihr Umfang ursprünglich war, ob dieser Umfang überhaupt feststand und nicht vielleicht wechselte, das alles wird man mit Anspruch auf Sicherheit nicht sagen können. Der Versuch *V. Wagners*, aus dem verstreuten alttestamentlichen Material eine auf genau zehn Glieder begrenzte Reihe herauszuschälen, wirkt gekünstelt (16–31). *Alt* selbst ist an dieser Stelle zurückhaltender. Er vermutet ein »rundes Dutzend von Sätzen des Grundbestandes« (237). Sicher ist, das läßt sich aus Ex 21,12.15–17 schon entnehmen, daß in der Reihe sehr verschiedenartige Rechtsmaterien zur Sprache kommen. Das sei schließlich an dem anderen *mōt jūmat*-Satz verdeutlicht, der mit großer Wahrscheinlichkeit in diesen Sachzusammenhang hineingehört, Ex 22,18:

»Wer einem Tier beiwohnt, muß unbedingt getötet werden.«

Mit der Reihenbildung hängt zusammen, daß immer die gleiche Strafe verhängt wird, ein Vorgang, der ganz und gar nicht mit dem kasuistischen Rechtssystem zu verbinden ist. Und schließlich ist die formale Struktur des einzelnen Rechtssatzes zu beachten, die von *Alt* mit Recht betonte »Wucht des Ausdruckes«, die natürlich nur im hebräischen Original voll zu vernehmen ist. Jeder einzelne Satz ist ganz gleichmäßig aufgebaut, er besteht im Hebräischen aus fünf Wörtern.
Das alles zusammengenommen läßt kaum einen anderen Schluß zu, als daß hier doch ein anderes Rechtsverständnis vorliegt als in den kasuistischen Rechtssätzen. Während der kasuistische Rechtssatz ursprünglich auf einen geschehenen Rechtsfall zurückgeht, diesen rechtlich einordnet und beurteilt, ergehen die Sätze dieser Rechtsreihe völlig unabhängig vom Geschehen eines konkreten Rechtsfalls. Hier wird ein Rechtsfall allgemein und grundsätzlich beschrieben. All die vielfältigen Besonderheiten, die jedem konkreten Fall anhaften und auf die der kasuistische Satz nach Möglichkeit eingeht, bleiben hier unberücksichtigt. Diese Rechtssätze markieren eine Grenze, die man nicht überschreiten darf. Sie stecken einen Lebensraum ab. Es sind Grenzbestimmungen. Solche

Grenzbestimmungen setzen eine Autorität voraus, die sie erläßt, und damit sind wir bei der Frage nach der Herkunft einer derartigen Satzreihe. Dieser Frage ist z.B. *G. Liedke* nachgegangen. Er hat entsprechende Rechtssätze untersucht, die in erzählenden Texten vorkommen, und ist dabei zu dem Ergebnis gelangt, daß es jeweils die höchste Autorität eines Rechtskreises ist, die den apodiktischen Rechtssatz in Geltung setzt, z.B. der König oder der Heerführer. Im Blick auf die Beispiele des Bundesbuches kommt man damit aber nicht weiter. Hier hat *Liedke* den *pater familias* als die Autorität bezeichnet, die ursprünglich einmal hinter diesen Rechtssätzen gestanden hat, wobei Ex 22,18 anders zu beurteilen ist (130–135). Damit dürfte der Rechtsbereich namhaft gemacht sein, aus dem diese Rechtssätze ihrem Ursprung nach stammen. Es handelt sich um nomadische Rechtsgestaltung (vgl. *W. Schottroff,* 127; *V. Wagner,* 29). Wir haben hier also ein Recht vor uns, das zum ältesten Rechtsbestand Israels gehört und aus einer Zeit stammt, die vor der Zeit der Seßhaftwerdung liegt. Aber diese rechtshistorische und rechtssoziologische Feststellung ist für das alttestamentliche Verständnis dieser Rechtsform doch nur von vordergründiger Bedeutung. In dieser Rechtsform – und darin sind die anderen noch zu besprechenden Ausprägungen des apodiktischen Rechts eingeschlossen – mit ihrer Konzentration auf das Wesentliche erfuhr Israel den Gotteswillen. Hier empfand es sich in hervorragender Weise mit Jahwes Rechtsforderung konfrontiert. Den durch diese Art von Rechtssätzen abgesteckten Lebensraum erkannte Israel als den von Jahwe gewährten Lebensraum. Nicht was die Herkunft, wohl aber was das Verständnis dieses Rechts angeht, ist es gerechtfertigt, von ihm in qualifizierter Weise als vom »Gottesrecht« zu sprechen. Ob dann die Bezeichnung apodiktisches Recht im Gegensatz zum kasuistischen Recht glücklich gewählt ist, kann man gewiß fragen. Man kann in einer bestimmten Weise auch einen kasuistischen Rechtssatz apodiktisch nennen (*E. Gerstenberger,* 20), und man kann andererseits einen apodiktischen Rechtssatz der Partizipial- oder Relativsatzform kasuistisch auslegen. Entscheidend ist, daß mit dem Ausdruck »apodiktisch« eine gegenüber der »Kasuistik« ganz anders ausgerichtete Rechtsauffassung zusammenfassend in den Blick genommen wird, deren Ziel die »Formulierung eines Rechtsgrundsatzes« ist (*S. Herrmann,* 260). Man könnte deshalb mit *Herrmann* vielleicht besser von »normativem Recht« sprechen (261), aber bis heute ist der von *Alt* eingeführte Terminus so fest mit der Sache verbunden, daß er trotz aller gegen ihn vorgebrachten Kritik doch beibehalten werden sollte.

Mit den oben gemachten Aussagen zur *mōt jūmat*-Reihe ist in einem Streitpunkt innerhalb der gegenwärtigen Forschung in einer bestimmten Richtung entschieden. Er soll anmerkungsweise wenigstens noch genannt werden. Die Schlußformel, die der Reihe den Namen gegeben hat, *mōt jūmat*, ist von ihrem Ursprung her eine Strafformel, mit der die Todesstrafe ausgesprochen wird, die von Menschen vollzogen wird; es ist nicht richtig, sie als Fluchformel zu verstehen (anders *H. Graf Reventlow*, 288 ff.; *Kilian* 192 ff.). Im übrigen sei an dieser Stelle noch nachdrücklich auf die Arbeit von *H. Schulz* hingewiesen. *Schulz* hat die bisher eingehendste Untersuchung des in Frage stehenden Textmaterials vorgenommen. Ob er allerdings mit seiner Definition des Todesrechts als einer auf das Prohibitivrecht bezogenen eigenen Rechtsgestalt sich wird durchsetzen können, erscheint doch als fraglich. An dieser Stelle fehlt der Raum für eine ausführliche Darstellung und Kritik dieser auf jeden Fall gewichtigen These.

Schon von *Alt* und nach ihm von vielen anderen ist neben die *mōt jūmat*-Reihe die sogenannte Fluch- oder '*ārūr*-Reihe von Dt 27 gestellt worden. Anders als die *mōt jūmat*-Reihe, die ein wissenschaftliches Postulat ist, ist die '*ārūr*-Reihe im Alten Testament als kompakte Reihe erhalten. Allerdings ist es ursprünglich wohl nicht eine Zwölferreihe gewesen. Als solche liegt sie jetzt im alttestamentlichen Text vor. Formale und inhaltliche Gründe sprechen aber dafür, daß der erste und der letzte Satz (V. 15 und 26) ursprünglich nicht zur Reihe hinzugehört haben (vgl. zur Begründung *H. Gese*, ZThK 64, 1967, 129 und *W. Schottroff*, 57). Auch ist die Auffüllung der ursprünglichen Zehnerreihe zur Zwölferreihe aus dem Kontext von Dt 27 gut verständlich. Die Reihe steht in Dt 27 in einem Zusammenhang, der ein Kultzeremoniell der zwölf Stämme beschreibt. An dieser Stelle waren zwölf Fluchsätze sachlich nötig. Und nun ist anzunehmen, daß eine ursprünglich in einen ganz anderen Sachbereich gehörende Fluchreihe hier in einen kultisch-rituellen Kontext eingearbeitet worden ist (vgl. *Schottroff*, 220–224; *Wagner*, 32–39). Das bedeutet, daß alle auf den in Dt 27 beschriebenen Kultakt bezogenen Elemente auszuscheiden sind, wenn man die ursprüngliche Reihe in den Blick bekommen will. So müssen z.B. die den einzelnen Fluchsätzen angehängten Responsorien gestrichen werden. Was übrig bleibt, ist eine zehngliedrige Fluchreihe. Die Zehnzahl, die sich bei mehreren alttestamentlichen Rechtsreihen feststellen läßt – die bekannteste ist der Dekalog –, hatte ursprünglich wohl eine mnemotechnische Abzweckung: Das Abzählen der Reihe kann an den Fingern kontrolliert werden. Die Fluchreihe von Dt 27 ist in ihrer Grundform völlig gleichgestaltet. Auf das einleitende '*ārūr* (= verflucht) folgt eine partizipiale Täterbeschreibung. In der Grundform der Reihe hat der einzelne Satz im Hebräischen einen Umfang von vier Wörtern. Diese Grundform ist in den Versen 16, 17, 18, 23 und 24 ungestört erhalten. In den übrigen Versen sind im Laufe der Zeit kleinere Zusätze hinzugekommen, die als solche verhältnismäßig leicht zu erkennen sind. Ich gebe im folgenden den Text in der Form, wie er jetzt im Alten Testament vorliegt; einige ganz eindeutige Zusätze sind in Klammern gesetzt.

»Verflucht sei, wer seinen Vater oder seine Mutter verächtlich behandelt« (V. 16).

»Verflucht sei, wer die Grenze seines Nachbarn verrückt« (V. 17).

»Verflucht sei, wer einen Blinden auf dem Wege irreleitet« (V. 18).

»Verflucht sei, wer das Recht des Fremdlings, der Waise oder der Witwe beugt« (V. 19).

»Verflucht sei, wer mit der Frau seines Vaters geschlechtlichen Umgang hat (denn er hat den Gewandzipfel seines Vaters aufgedeckt)« (V. 20).

»Verflucht sei, wer mit irgendwelchem Vieh geschlechtlichen Umgang hat« (V. 21).

»Verflucht sei, wer mit seiner Schwester (der Tochter seines Vaters oder der Tochter seiner Mutter) geschlechtlichen Umgang hat« (V. 22).

»Verflucht sei, wer mit seiner Schwiegermutter geschlechtlichen Umgang hat« (V. 23).

»Verflucht sei, wer seinen Nächsten heimlich erschlägt« (V. 24).

»Verflucht sei, wer Bestechung annimmt, um einen Unschuldigen zu erschlagen« (V. 25).

In dieser Reihe werden inhaltlich sehr verschiedenartige Tatbestände angesprochen. Da geht es um bestimmte Sexualverbote (V. 20, 22, 23), für die die Parallelität zu Lev 18 unverkennbar ist; daneben stehen sozialethisch ausgerichtete Rechtssätze (V. 17, 18, 19, 25), und schließlich fällt eine dritte Gruppe von Sätzen dadurch auf, daß sich für sie in der *mōt jūmat*-Reihe Parallelen finden. Die Fluchreihe enthält keinen Satz, dessen Rechtsfall nicht auch sonst in der alttestamentlichen Rechtsüberlieferung belegt wäre. Was führt dann speziell diese Reihe zusammen? Das entscheidende Stichwort fällt in V. 24. Es ist das Wort »heimlich«. Es handelt sich hier durchgängig um Vergehen, die im Verborgenen geschehen und die sich deshalb der normalen Gerichtsbarkeit entziehen. Das gilt von der Grenzsteinverrückung ebenso wie von der Blindenirreführung, das gilt von der Rechtsbeugung und allen anderen in der Reihe genannten Verbrechen.

Wir stehen nunmehr vor der Frage nach dem *Sitz im Leben* dieser Reihe. Es ist naheliegend, daß die Verwendung der Fluchformel zunächst an den kultischen Bereich denken läßt. So ist die Reihe oft interpretiert worden, wobei die sekundäre Rahmung bei der Beurteilung natürlich auch mitgespielt hat. Aber auch diese Reihe stammt von ihrem Ursprung her nicht aus dem Kultus, sondern »aus einer außerordentlichen Situation des normalen Lebens« (*Schottroff*, 223). Man wird das um begrifflicher Klarheit willen so sagen können, auch wenn man natürlich in der Zeit, in die wir hier geführt werden, nicht von einer klaren Trennung des Kultus von den sonstigen Lebensbereichen reden darf. Denn auch diese Reihe hat ihre Ursprünge in der nomadischen Zeit. Es handelt sich um »eine Sammlung von Kapitaldelikten für die innergentale Gerichtsbarkeit im nomadischen Recht« (*Wagner*, 38). Diese Erkenntnis ist vor allem der Arbeit von *Schottroff* zu danken, der dem mit ʾ *ārūr* formulierter

Fluch eine eingehende Untersuchung gewidmet hat. Die ursprüngliche Bedeutung der Fluchformel ist wie folgt zu beschreiben (vgl. *Schottroff*, bes. 231 ff.): Mit ihr wird der wirksame Ausschluß aus dem Heilsbereich einer Gemeinschaft ausgesprochen – die Fluchformel hat exkommunikative Wirkung. Der auf diese Weise Ausgeschlossene wird damit zugleich der Sphäre des Unheils ausgeliefert. Es kann sich um die Gemeinschaft Familie, Sippe oder Stamm handeln. Das hängt davon ab, auf welche Größe das Clandenken jeweils bezogen ist. Sprecher des Fluches kann nicht jeder beliebige sein. Es ist der Sprecher der jeweiligen Gemeinschaft, der in ihr auch die entscheidende Rechtskompetenz innehat. Durch das Aussprechen der Fluchformel vollzieht er eine ungerichtliche Deliktsahndung in den Fällen, bei denen der Täter unbekannt ist und deshalb nicht direkt zur Verantwortung gezogen werden kann. Im Hintergrund steht die Vorstellung, daß ein ungesühntes Verbrechen eines Angehörigen einer Gemeinschaft diese selbst mit einer Schuldrealität belastet. Deshalb muß sich die Gemeinschaft von der auf ihr liegenden Schuld befreien. Im Alten Testament bietet Dt 21,1–9 einen wichtigen Beleg für diese Vorstellung. Eine von unbekannter Hand verübte Bluttat belastet die Angehörigen des Ortes, auf deren Gemarkung der Tote gefunden worden ist, mit Blutschuld. Im Deuteronomium wird ein kompliziertes Zeremoniell mitgeteilt, durch das diese Blutschuld beseitigt werden kann; in nomadischer Zeit könnte das durch das Aussprechen eines Fluchsatzes, wie er in Dt 27,24 formuliert ist, geschehen sein (*Schottroff*, 223).

Die aus nomadischer Zeit stammenden Fluchworte sind dann im Alten Testament einem neuen Sachbereich adaptiert worden. Man kann hier beispielhaft besonders gut beobachten, wie im Alten Testament alte Rechtsmaterialien und Rechtssätze in neue Zusammenhänge gebracht, vor allem, wie sie theologisch interpretiert werden. Bei der Fluchreihe ist das einmal durch die erwähnte Ausweitung der Reihe zur Zwölferreihe geschehen. Die Reihe wird nach dieser Ausweitung mit einem im engeren Sinn theologischen Satz sowohl begonnen wie beendet.

»Verflucht sei der Mensch, der sich ein Schnitzbild oder ein Gußbild anfertigt, ein Greuel für Jahwe, das Werk eines Handwerkers, und es heimlich aufstellt« (V. 15).

»Verflucht sei derjenige, der nicht die Worte dieser Weisung gelten läßt, indem er nach ihnen handelt« (V. 26).

Und ganz deutlich macht schließlich das um die Fluchreihe von Dt 27 gelegte Zeremoniell, daß jetzt das Gottesvolk Israel mit der Fluchreihe konfrontiert ist, nicht mehr die Familie, die Sippe oder der Stamm. Das Kultzeremoniell von Dt 27 dürfte als späte, nämlich deuteronomische Konstruktion zu bewerten sein, die Verarbeitung überkommenen Rechts zum Gottesrecht aber ist eine Erscheinung, die wesentlich älter

ist, ja die letztlich das Wesen des alttestamentlichen Rechts ausmacht.
Im Zusammenhang mit der Diskussion um das apodiktische Recht ist im
Anschluß an *Alts* oben (S. 167) zitierten Satz auch immer wieder die
Frage nach altorientalischen Parallelen aufgegriffen worden. Sie ist nicht
eindeutig zu beantworten. Auf der einen Seite sind die Rechtsmaterialien etwa der *mōt jūmat*-Reihe mehr oder weniger deutlich im altorientalischen Bereich nachweisbar. Man vergleiche etwa die Zusammenstellung, die *Wagner* vorgelegt hat (28–29). Auch kann man sicherlich apodiktischen Stil in der altorientalischen Umwelt Israels belegen, was immer damit gemeint ist (vgl. *R. Kilian, M. Weinfeld, Th.* und
D. Thompson, VT 18, 1968, 81 f.). Auf der anderen Seite aber sind bis
heute keine altorientalischen Rechtsreihen bekanntgeworden, die wie
die *mōt jūmat*-Reihe oder die ᵓ*ārūr*-Reihe allgemeine Rechts- und Verhaltensgrundsätze für eine Volksgemeinschaft normsetzend zusammengefaßt haben.

2. *Apodiktische Rechtssätze in der Prohibitivform*

In diesem Abschnitt sind die oben (S. 167) erwähnten Reihen drei und
vier zu behandeln. Das geschieht in einem eigenen Abschnitt. Damit
zeigt bereits die äußere Art der Darstellung an, daß der Abstand zu den
beiden zuerst besprochenen Reihen als größer angesehen wird als es *Alt*
getan hat. Andererseits soll die Verwendung der Überschriftworte
»Apodiktische Rechtssätze« in beiden Abschnitten andeuten, daß die Beziehung der beiden Grundformen des apodiktischen Rechts hier enger
gesehen wird, als es heute in der Regel geschieht. Ob man mehr die
Übereinstimmung der beiden Gruppen apodiktischer Rechtssätze betont
oder den Unterschied, das hängt an der Fragerichtung. Fragt man nach
der jeweiligen Herkunft, fällt mehr die Unterschiedenheit, fragt man
nach der im Alten Testament schließlich vorliegenden Form und Verwendung, fällt mehr die Verwandtschaft der Gesamtgröße des apodiktischen Rechts ins Auge.
Einer ersten Betrachtung drängt sich vor allem der Unterschied auf.
Nicht nur ist die Formulierung in der 2. Person etwas dem Vorherigen
völlig Neues, es fehlt auch jede Bezugnahme auf einen Rechtsfall. »In
den Verboten und Geboten geschieht also kein Rückblick auf begangenes
Unrecht, wie in den echten Rechtssätzen, sondern gleichsam eine Vorwarnung.« »Der Mensch wird als einer angesprochen, der in der Zukunft sein Leben zu gestalten hat« (*E. Gerstenberger*, 26). Es ist die Frage, ob man in diesem Zusammenhang überhaupt von »Recht« sprechen
kann. Man kann es gewiß nicht im Sinn von Rechtsfindung, von Richten, Urteilen oder Strafen; aber man kann es im Sinn von Rechtsgrundsatz oder Rechtskonstituierung.

Ich zitiere einen Ausschnitt aus der Reihe, die *Alt* in diesem Zusammenhang an erster Stelle nennt, aus Lev 18,7–17. Auch hierbei handelt es sich ursprünglich um eine Zehnerreihe (*K. Elliger*). In der Übersetzung sind deutlich erkennbare spätere Zusätze weggelassen.

»Die Scham deiner Mutter sollst du nicht aufdecken« (V. 7).

»Die Scham der Frau deines Vaters sollst du nicht aufdecken« (V. 8).

»Die Scham deiner Schwester, der Tochter deines Vaters oder der Tochter deiner Mutter, sollst du nicht aufdecken« (V. 9).

»Die Scham der Tochter deines Sohnes oder der Tochter deiner Tochter sollst du nicht aufdecken« (V. 10).

»Die Scham der Schwester deines Vaters sollst du nicht aufdecken« (V. 12).

»Die Scham deiner Schwiegertochter sollst du nicht aufdecken« (V. 15).

Elliger, dem wir eine exakte Analyse und traditionsgeschichtliche Untersuchung dieser Reihe verdanken, hat mit Recht festgestellt, daß es hier nicht darum geht, »ein allgemeines sittliches Ideal zu erfüllen, eine frei schwebende Idee der Keuschheit zu verwirklichen, die Blutschande, Verwandtenehe und ähnliches verwirft« (240). Diese Sätze wollen eine bestimmte soziale Gemeinschaft schützen. Es geht um das Zusammenleben in der Großfamilie. Dieses soll nicht in ein Durcheinander der Geschlechtsgemeinschaft ausarten. Man muß sich klarmachen, daß innerhalb einer nomadischen Großfamilie im Normalfall vier Generationen zusammenleben. Der Friede innerhalb der Wohn- und Wirtschaftsgemeinschaft soll an einem entscheidenden Punkt gesichert werden. Bei dem Verbot »Du sollst die Scham nicht aufdecken« ist nicht etwa an Heirat gedacht, sondern an geschlechtliche Betätigung überhaupt. Damit ist auch für diese Reihe die Nomadenzeit als die Zeit ihres Ursprungs ermittelt. Noch deutlicher als bei den anderen Reihen läßt sich in diesem Fall die nomadische Großfamilie als *Sitz im Leben* angeben (gegen *V. Wagner*, 40–46).

Auch die Reihe von Lev 18 ist weitertradiert worden und ist dabei in neue Zusammenhänge hineingewachsen. Man erkennt diese Weiterentwicklung vor allem an den zahlreichen Begründungen, die hinzugefügt worden sind, und der Auffüllung der Reihe zur Zwölferreihe, die in bestimmter Richtung erfolgte. Es geht jetzt nicht mehr um die Sicherung des Wohlergehens der Großfamilie, sondern, wie es in dem überschriftartigen V. 6 heißt, um Verwandtschaftsgrade, die dem Geschlechtsverkehr entzogen sind. Das heißt, die Reihe hat sich von ihrem ursprünglichen Haftpunkt gelöst und ist allgemeiner interpretiert worden. Sie gehört jetzt in den größeren Zusammenhang der alttestamentlichen Sexualgebote, die durch ihre antikanaanäische Ausrichtung ihr Gepräge haben. Die besondere Wachsamkeit des Alten Testaments auf dem Gebiet der Sexualität hat in dieser Frontstellung ihre theologische Wurzel. In der Grundform besteht die Reihe von Lev 18 aus einem höchst einfach formulierten Gebot: »Du sollst die Scham nicht aufdecken.« Wir begegnen damit einer Rechtsform, die keineswegs nur in der zitierten Reihe, und woran man natürlich zuerst denkt, im klassischen Dekalog zu finden ist. Es geht dabei, wie *Gerstenberger* definiert hat, um »nichtkonditionale, nichtrituelle, meist negativ und in direkter Anrede formulierte und für das tägliche Leben normative Gebote« (27). Seit *Gerstenbergers* Arbeit hat sich für diese Rechtsform die Bezeichnung *Prohibitive* durchgesetzt. Sie sind in den alttestamentlichen Rechtskorpora nicht selten. *Gerstenberger* hat das Material zusammengestellt (28–42).

Wir wollen hier noch einige Beispiele aus dem Bundesbuch erwähnen, zunächst Ex 23,1–3.6–9. Es ist umstritten, ob die Grundlage dieser Verse in einer ursprünglich zusammengehörenden Reihe bestanden hat, die *J. W. McKay* auf exakt zehn Sätze fixieren will (VT 21,1971, 311–325), oder ob man nicht besser mit zwei ursprünglich selbständigen Reihen rechnet, die durch ihr Thema (Verhalten im Gerichtswesen) miteinander in einer engen Verbindung stehen (*Gerstenberger,* 83–84). Letzteres erscheint aus formalen und inhaltlichen Gründen wahrscheinlicher. In V. 6 wird zu Beginn der zweiten Reihe in einer überschriftartigen Prohibitivformulierung die Grundtendenz der Reihe angesprochen, die auch für die erste Reihe gültig ist:

»Du sollst das Recht deines Armen in seinem Rechtsstreit nicht beugen.«

Es geht darum, daß im Rechtsverfahren kein Unrecht geschieht und niemand benachteiligt wird. Von dieser Gefahr ist vor allem der sozial Schwache bedroht. Neben dem Armen wird in unserem Zusammenhang der Fremdling genannt.

»Einen Fremdling sollst du nicht bedrängen« (V. 9).

Auch hier ist an Benachteiligung im Rechtsverfahren gedacht. »Fremdling« meint nicht den Ausländer, der sich nur kurz im fremden Land aufhält. »Fremdling« ist einer, der seine Heimat infolge politischer, wirtschaftlicher oder anderer Umstände verlassen hat und nun innerhalb eines anderen Gemeinwesens wohnt. Dort hat er keinen Landanteil und infolgedessen keine eigene Rechtsvertretung (vgl. THAT, 409 ff.). In V. 8 wird das Grundübel korrupter Rechtsprechung ins Auge gefaßt.

»Bestechungsgeld sollst du nicht annehmen.«

Ich zitiere noch einen weiteren Text aus dem Bundesbuch:

»Einen Fremdling sollst du nicht bedrücken und vergewaltigen, denn ihr seid selbst Fremdlinge im Lande Ägypten gewesen. (21) Keine Witwe oder Waise sollt ihr unterdrücken« (Ex
22,20–21).

Die hier genannten Personen (Fremdling, Witwe, Waise) sind neben
dem Armen für das Alte Testament die klassischen Beispiele für Bevöl-
kerungsgruppen, die wir heute unterprivilegiert nennen. Ihnen gilt die
besondere Fürsorge des alttestamentlichen Rechts, womit sich das Alte
Testament in Übereinstimmung mit der altorientalischen Auffassung
befindet, vgl. *F. C. Fensham*, JNES 21 (1962) 129–139 und *H. Wild-
berger*, BK X/1, 48. Die in den Prohibitiven verbotene Unterdrückung
wird vor allem in wirtschaftlicher Ausbeutung bestanden haben. Sie
wurde durch Rechtsbenachteiligung ermöglicht.
Wie aus V. 20 zu ersehen ist, sind den Prohibitiven gelegentlich Ergänzungen im Sinne von Rechtsbegründungen beigefügt worden. Dasselbe
ist bei dem oben zitierten Vers Ex 23,9 zu beobachten:

»Denn ihr wißt, wie es einem Fremdling zumute ist, da ihr selbst Fremdlinge im Lande
Ägypten gewesen seid.«

Diese Zusätze sind nicht das Werk eines literarischen Ergänzers. Vielmehr liegt hier ein Vorgang der lebendigen alttestamentlichen Rechtstradition vor, ein Vorgang, der für das alttestamentliche Recht charakteristisch ist und ein bezeichnendes Licht auf das alttestamentliche Verständnis des Rechts überhaupt wirft. Es ist zu beachten, daß sich derartige Zusätze im rein kasuistisch formulierten Teil des Bundesbuches
nicht finden. Dem entspricht die wichtige Beobachtung *B. Gemsers*,
daß in den altorientalischen Gesetzeskodices derartige Rechtsbegründungen nicht vorkommen. *Gemser* kommt deshalb zu der Schlußfolgerung: »The motive clause is clearly and definitely a peculiarity of Israel's
or Old Testament law« (52), vgl. zu diesem Sachbereich auch *W. Beyerlin*, Die Paränese im Bundesbuch und ihre Herkunft: Festschr *H.-W.
Hertzberg* (1965) 9–29 und *H. Rücker*, Die Begründungen der Weisungen Jahwes im Pentateuch (1973). In den beiden uns jetzt vorliegenden
Beispielen haben wir die wichtigsten Inhalte der alttestamentlichen
Rechtsbegründungen vor uns. Es ist die mahnende Erinnerung an die eigenen geschichtlichen Erfahrungen, und es ist eine allgemein sozial ausgerichtete Motivation. Besonders die erstgenannte Begründung ist natürlich bemerkenswert. Sie wird später für das Deuteronomium besonders charakteristisch. Wie das Bekenntnis von der Errettung aus Ägypten durch Jahwe als das geschichtliche Urbekenntnis Israels bezeichnet
werden kann, so ist die Erinnerung an die eigene Sklavensituation in
Ägypten für Israel immer wieder das Movens für soziales Verhalten, das
damit nicht einfach mit dem Gedanken einer allgemeinen Humanität begründet wird, sondern geschichtlich. Daß aber Rechtssätze überhaupt

begründet werden, ist ein Hinweis darauf, daß der in ihnen geforderte Gehorsam ein »verständiger Gehorsam« sein soll (*Beyerlin*, 11). Die Rechtsbegründung nimmt dem alttestamentlichen Gesetz den autoritären Zug, den Rechtssätze normalerweise haben.

Auf die wichtigste der hier zu nennenden Reihen, den klassischen Dekalog, kann hier nicht näher eingegangen werden. Die mit dem Dekalog verbundenen Probleme sind so vielfältiger Art, daß ihre Darstellung einer eigenen Untersuchung bedürfte. Zudem ist der Dekalog gerade in jüngerer Zeit in zahlreichen Arbeiten gründlich behandelt worden. Es mag deshalb an dieser Stelle genügen, die wichtigste neuere Literatur zum Dekalog zu nennen, soweit sie den Dekalog als ganzen betrifft und oben auf S. 166 noch nicht genannt ist.

Lit.: *G. J. Botterweck*, Form- und überlieferungsgeschichtliche Studie zum Dekalog: Concilium 1 (1965) 392–401; *H. Gese*, Der Dekalog als Ganzheit betrachtet: ZThK 64 (1967) 121–138; *E. Nielsen*, Die zehn Gebote (1965); *A. Philipps*, Ancient Israel's Criminal Law. A New Approach to the Decalogue (1970); *H. Graf Reventlow*, Gebot und Predigt im Dekalog (1962); *W. H. Schmidt*, Überlieferungsgeschichtliche Erwägungen zur Komposition des Dekalogs: VTSuppl 22 (1972) 201–220; *J. Schreiner*, Die zehn Gebote im Leben des Gottesvolkes (1966); *H. Schüngel-Straumann*, Der Dekalog – Gottes Gebote? (1973); *J. J. Stamm*, Dreißig Jahre Dekalogforschung: ThR 27 (1961) 189–239. 281–305; *ders.*, Der Dekalog im Lichte der neueren Forschung (²1962); *ders. – M. E. Andrew*, The Ten Commandments in Recent Research (1967); *E. Zenger*, Eine Wende in der Dekalogforschung? Ein Bericht: ThRv 64 (1968) 189–198.

Offen ist noch die Frage nach dem *Sitz im Leben* der Rechtssätze in der Prohibitivform. Ernüchternd schreibt *G. Fohrer* in diesem Zusammenhang: »Der apodiktische Stil – ›tu dies!‹ oder ›tu jenes nicht!‹ – ist so alt wie das erste von Menschen formulierte Gebot oder Verbot und gehört zu den Urformen menschlicher Redeweise, so daß es sinnlos ist, nach einem gemeinsamen geschichtlichen Ursprungsort für die Vorkommen apodiktischer Einzelsätze in den verschiedenen altorientalischen Literaturen zu suchen« (122 f.). Diese Feststellung ist prinzipiell sicher richtig. Sie kann und will bei *Fohrer* die Fragestellung nach dem Ursprungsort der apodiktischen Prohibitive nicht von vornherein als unsachgemäße Frage abtun. Hier ist nicht nur die reine Form, sondern die inhaltliche Aussage (vgl. *S. Herrmann*, 257, mit seinem Hinweis auf *Alt*) und auch die Zusammenstellung der Sätze zu beachten (*Fohrer*, 122 f.). Diese Rechtssätze formulieren »in knappester Form Grundsätze« (*Herrmann*, 257), und das ist doch etwas anderes als irgendein »Tu dies!« oder »Tu jenes nicht!«. Deshalb hat *Gerstenbergers* These große Beachtung gefunden, der die Prohibitive von ihrem Ursprung her als »autoritative Gebote des Sippen- oder Familienältesten« gedeutet hat (110). Als direkten Beleg für eine derartige Weisungsvollmacht des Sippenältesten in grundsätzlich wichtigen Angelegenheiten nennt er die Anordnungen Jonadabs, Jer 35, 6 f. (110–112). Derartige autoritative

Sippenunterweisung hat es natürlich nicht nur im Bereich Israels gegeben. Wenn die These zutrifft, dann müssen entsprechende Redeformen
in soziologisch ähnlich strukturierten Verbänden ebenfalls nachweisbar
sein. Es ist *Gerstenberger* gelungen, einiges, wenn auch verhältnismäßig spärliches altorientalisches Vergleichsmaterial beizubringen.

Unter der Voraussetzung der These *Gerstenbergers* ist die im Alten Testament fast durchgängig zu beobachtende negative Form der sogenannten Prohibitive ein besonderes Problem. Kann man sich Sippenunterweisung ausschließlich negativ formuliert vorstellen? Gehört dazu wesens-
gemäß nicht auch die positive Weisung? Derartige grundsätzliche Überlegungen stehen für *Gerstenberger* wohl im Hintergrund, wenn er versucht, in den alttestamentlichen Rechtsbestimmungen auch positive Ge-
botsformulierungen nachzuweisen (43–50). Der Versuch ist schwerlich
befriedigend gelungen. Aus dem Bundesbuch nennt *Gerstenberger* lediglich Ex 23,7 a:

»Von einer betrügerischen Angelegenheit halte dich fern.«

Rein formal gesehen ist das eine positive Formulierung. Es kommt keine
Negation in ihr vor. Aber sachlich ist es eben doch eine negative Aussage, die nur deshalb formal positiv ausgedrückt sein kann, weil das Ver-
bum »sich fernhalten« die Negation bereits in sich trägt. *Gerstenberger*
nennt dann noch positive Gebote ganz anderer Art. In Lev 19,9 f. und Dt
25,13–15 stehen positive Gebote am Ende von Prohibitivketten, und das
läßt an sekundären Charakter dieser abschließenden Gebote denken.
Wichtig sind weiterhin die beiden positiv formulierten Gebote des Dekalogs. *Gerstenberger* hält hier die positive Formulierung für die ursprüngliche Form, während man meist der nicht unbegründeten Meinung ist, daß auch das Sabbat- und das Elterngebot ursprünglich einmal
negativ formuliert waren. Mit diesen Feststellungen soll die Herkunft
der Prohibitive aus der Sippenunterweisung nicht bestritten werden. Sie
dürfte grundsätzlich zutreffen, aber der Abstand der alttestamentlichen
Prohibitive von diesem ursprünglichen Herkunftsort ist größer, als es
Gerstenberger annimmt. Gerade die durchgängig negative Form der alttestamentlichen Prohibitive macht ihre Eigenart aus und läßt ihren spezifischen Charakter erkennen (vgl. dazu *G. v. Rad*, Theologie des Alten
Testaments I, [6]1969, 208). Hier wird nicht positiv eine Ordnung geschaffen. Wer diesen Prohibitiven konfrontiert wird, wird jedenfalls
nicht dazu aufgefordert, eine derartige Ordnung zu gestalten. Sie ist
vorgegeben. Sie wird durch Verbote begrenzt und geschützt. An den
Rändern des Lebenskreises werden Zeichen aufgerichtet, die zu beachten
sind, solange man zu Israel, d. h. zu Jahwe gehört. Hier geht es nicht
darum, ein Ethos aufzurichten, Maximalforderungen aufzustellen, an
denen man sich hocharbeiten kann. Es geht darum, den von Gott gewährten Lebensraum zu bewahren, dem Menschen die Grenze zu zeigen, die diesen ihm gewährten heilvollen Lebensraum umschließt.

Abkürzungsverzeichnis

AASOR	The Annual of the American Schools of Oriental Research
AJA	The American Journal of Archaeology
Alt, Grundfragen	A. *Alt*, Grundfragen der Geschichte des Volkes Israel, herausgegeben von S. *Herrmann* (1970)
Alt, Kleine Schriften	A. *Alt*, Kleine Schriften zur Geschichte des Volkes Israel I (^{2}1959) II (^{2}1959) III (1959)
ANET	Ancient Near Eastern Texts Relating to the Old Testament, ed. by J. B. *Pritchard*, Third Edition with Supplement (1969)
AO	Der Alte Orient
AOT	H. *Greßmann*, Altorientalische Texte zum Alten Testament (^{2}1926)
ARM	Archives Royales de Mari
ArOr	Archiv Orientální
ATD	Das Alte Testament Deutsch
BASOR	Bulletin of the American Schools of Oriental Research
BBB	Bonner Biblische Beiträge
BHH	Biblisch-Historisches Handwörterbuch
BhTh	Beiträge zur historischen Theologie
BK	Biblischer Kommentar
Boecker, Redeformen	H. J. *Boecker*, Redeformen des Rechtslebens im Alten Testament (^{2}1970)
BWANT	Beiträge zur Wissenschaft vom Alten und Neuen Testament
BZ	Biblische Zeitschrift
BZAW	Beihefte zur Zeitschrift für die alttestamentliche Wissenschaft
CBQ	Catholic Biblical Quarterly
CE	Codex von Eschnunna
CH	Codex Hammurabi
CL	Codex Lipit-Ischtar
CU	Codex Ur-Nammu
Diss	Dissertation
Driver-Miles	G. R. *Driver* – J. *Miles*, The Babylonian Laws, Vol. I, Legal Commentary (1952), Vol. II, Transliterated Text – Translation – Philological Notes – Glossary (1955)
Festschr	Festschrift
Haase, Einführung	R. *Haase*, Einführung in das Studium keilschriftlicher Rechtsquellen (1965)

Haase, Rechtssammlungen	R. *Haase*, Die keilschriftlichen Rechtssammlungen in deutscher Übersetzung (1963)
HAT	Handbuch zum Alten Testament
HO	Handbuch der Orientalistik
Horst, GR	F. *Horst*, Gottes Recht. Gesammelte Studien zum Recht im Alten Testament, ThB 12 (1961)
HThR	Harvard Theological Review
HUCA	Hebrew Union College Annual
JCS	Journal of Cuneiform Studies
JJP	The Journal of Juristic Papyrology
JJS	The Journal of Jewish Studies
JNES	Journal of Near Eastern Studies
JSS	Journal of Semitic Studies
Koch, Vergeltung	Um das Prinzip der Vergeltung in Religion und Recht des Alten Testaments, herausgegeben von *K. Koch*, Wege der Forschung Band CXXV (1972)
Korošec, Keilschriftrecht	V. *Korošec*, Keilschriftrecht: HO 1. Abteilung, Ergänzungsband III (1964) 49–219
LrS	Leipziger rechtswissenschaftliche Studien
LSS	Leipziger Semitistische Studien
MAR	Mittelassyrische Rechtssammlung
MIO	Mitteilungen des Instituts für Orientforschung
NGU	A. *Falkenstein*, Die neusumerischen Gerichtsurkunden
Noth, WAT	M. *Noth*, Die Welt des Alten Testaments ([4]1962)
NS	nova series, Neue Serie
Or	Orientalia
OrAnt	Oriens Antiquus
Or NS	Orientalia, Nova Series
OTS	Oudtestamentische Studiën
RA	Revue d'Assyriologie et d'Archéologie Orientale
RGG	Die Religion in Geschichte und Gegenwart ([3]1957–1965)
RIDA	Revue Internationale des Droits de l'Antiquité
RLA	Reallexikon der Assyriologie
SBS	Stuttgarter Bibelstudien
StC	Studia Catholica
ThA	Theologische Arbeiten
THAT	Theologisches Handwörterbuch zum Alten Testament
ThB	Theologische Bücherei
ThLZ	Theologische Literaturzeitung
ThRv	Theologische Revue
ThSt	Theologische Studien
ThViat	Theologia Viatorum
ThW	Theologisches Wörterbuch zum Neuen Testament
ThZ	Theologische Zeitschrift
VAT	Vorderasiatische Tontafeln der königlichen Museen zu Berlin (Museumsnummern)
de Vaux, Lebensordnungen	R. *de Vaux*, Das Alte Testament und seine Lebensordnungen, Band I und II (1960)
VT	Vetus Testamentum
VTSuppl	Vetus Testamentum Supplements

WMANT	Wissenschaftliche Monographien zum Alten und Neuen Testament
WO	Die Welt des Orients
Wolff, Anthropologie	*H. W. Wolff*, Anthropologie des Alten Testaments (1973)
WuD	Wort und Dienst
ZA	Zeitschrift für Assyriologie und verwandte Gebiete
ZAW	Zeitschrift für die alttestamentliche Wissenschaft
ZDMG	Zeitschrift der Deutschen Morgenländischen Gesellschaft
ZLThK	Zeitschrift für die gesamte Lutherische Theologie und Kirche
ZSS	Zeitschrift der Savignystiftung für Rechtsgeschichte, Romanistische Abteilung
ZsTh	Zeitschrift für systematische Theologie
ZsThR	Zeitschrift für systematische Theologie und Religionsphilosophie
ZVR	Zeitschrift für vergleichende Rechtswissenschaft

Literaturverzeichnis

Albright, W. F., A Third Revision of the Early Chronology of Western Asia: BASOR 88 (1942) 28–36

Alt, A., Erwägungen über die Landnahme der Israeliten in Palästina (1925) = Grundfragen, 136–185

– Die Ursprünge des israelitischen Rechts (1934) = Grundfragen, 203–257

– Zur Talionsformel (1934) = Kleine Schriften I, 341–344

– Eine neue Provinz des Keilschriftrechts (1947) = Kleine Schriften III, 141–157

– Die Heimat des Deuteronomiums (1953) = Grundfragen, 392–417

– Das Verbot des Diebstahls im Dekalog: Kleine Schriften I, 333–340

– Der Stadtstaat Samaria (1954) = Kleine Schriften III, 258–302

– Der Anteil des Königtums an der sozialen Entwicklung in den Reichen Israel und Juda (1955) = Grundfragen, 367–391

Baentsch, B., Das Heiligkeits-Gesetz Lev. XVII-XXVI (1893)

Baltzer, K., Naboths Weinberg (1. Kön. 21). Der Konflikt zwischen israelitischem und kanaanäischem Bodenrecht: WuD NF 8 (1965) 73–88

Benzinger, I., Hebräische Archäologie ([3]1927)

Bernhardt, K. H., Gott und Bild, ThA 2 (1956)

Bertholet, A., Kulturgeschichte Israels (1919)

Beyerlin, W., Die Paränese im Bundesbuch und ihre Herkunft: Gottes Wort und Gottes Land, Festschr H.-W. Hertzberg (1965) 9–29

Blau, L., Die jüdische Ehescheidung und der jüdische Scheidebrief (1911, Neudruck 1970)

Boecker, H. J., Erwägungen zum Amt des Mazkir: ThZ 17 (1961) 212–216

– Redeformen des Rechtslebens im Alten Testament, WMANT 14 ([2]1970)

– Anmerkungen zur Adoption im Alten Testament: ZAW 86 (1974) 86–89

Bolle, W., Das israelitische Bodenrecht, Diss Berlin 1939

Bottéro, J., Artikel Ḫabiru: RLA IV/1, 14–27

Botterweck, G. J., Form- und überlieferungsgeschichtliche Studie zum Dekalog: Concilium 1 (1965) 392–401

Bracker, H.-D., Das Gesetz Israels verglichen mit den altorientalischen Gesetzen der Babylonier, der Hethiter und der Assyrer (1962)

Bright, J., The Apodictic Prohibition: Some Observations: JBL 92 (1973) 185–204

Burrows, M., The Basis of Israelite Marriage, American Oriental Series 15 (1938)

Carmichael, C. M., A Singular Method of Codification of Law in the Mishpatim: ZAW 84 (1972) 19–25

– The Laws of Deuteronomy (1974)

Caspari, W., Heimat und soziale Wirkung des alttestamentlichen Bundesbuchs: ZDMG 83 (1929) 97–120

Cazelles, H., Etudes sur le Code de l'Alliance (1946)

Conrad, D., Studien zum Altargesetz Ex 20: 24–26, Diss Marburg 1968

Daube, D., Studies in Biblical Law (1947)

David, M., Die Adoption im altbabylonischen Recht, LrS 23 (1927)
– Der Rechtshistoriker und seine Aufgabe (1937)
– The Codex Hammurabi and its Relation to the Provisions of Law in Exodus: OTS 7 (1950) 149–178
Delekat, L., Artikel Erbe: BHH I, 423–425
Diamond, A. S., An Eye for an Eye: Iraq 19 (1957) 151–155
Donner, H., Die soziale Botschaft der Propheten im Lichte der Gesellschaftsordnung in Israel: OrAnt 2 (1963) 229–245
– Adoption oder Legitimation? Erwägungen zur Adoption im Alten Testament auf dem Hintergrund der altorientalischen Rechte: OrAnt 8 (1969) 87–119
Driver, G. R. – Miles, J. C., The Babylonian Laws, Vol. I, Legal Commentary (1952), Vol. II, Transliterated Text – Translation – Philological Notes – Glossary (1955)
Ebeling, E., Artikel Erbe: RLA II, 458–462
Ebeling, E. – Korošec, V., Artikel Ehe: RLA II, 281–299
Edzard, D. O., Die »zweite Zwischenzeit« Babyloniens (1957)
Eilers, W., Die Gesetzesstele Chammurabis: AO 31, Heft 3/4 (1932)
Eißfeldt, O., Einleitung in das Alte Testament (³1964)
Elliger, K., Das Gesetz Leviticus 18 (1955) = Kleine Schriften zum Alten Testament, ThB 32 (1966) 232–259
Falk, Z. W., Exodus XXI 6: VT 9 (1959) 86–88
Falkenstein, A. – San Nicolò, M., Das Gesetzbuch Lipit-Ištars von Isin: Or NS 19 (1950) 103–118
Falkenstein, A., Die neusumerischen Gerichtsurkunden, Abhandlungen der Bayerischen Akademie der Wissenschaften. Philosophisch-historische Klasse, I, NF Heft 39 (1956) II, NF Heft 40 (1956) III, NF Heft 44 (1957)
Falkenstein, A. – Soden, W. v., Sumerische und akkadische Hymnen und Gebete (1953)
Fensham, F. C., Exodus XXI 18–19 in the Light of Hittite Law § 10: VT 10 (1960) 333–335
– Widow, Orphan and the Poor in Ancient Near Eastern Legal and Wisdom Literature: JNES 21 (1962) 129–139
Feucht, C., Untersuchungen zum Heiligkeitsgesetz, ThA 20 (1964)
Finet, A., Le Code de Hammurapi. Introduction, traduction et annotation (1973)
Finkelstein, J. J., Ammiṣaduqa's Edict and the Babylonian »Law Codes«: JCS 15 (1961) 91–104
– The Laws of Ur-Nammu: JCS 22 (1968/69) 66–82
Fohrer, G., Das sogenannte apodiktisch formulierte Recht und der Dekalog (1965) = Studien zur alttestamentlichen Theologie und Geschichte, BZAW 115 (1969) 120–148
– Einleitung in das Alte Testament (¹¹1969)
Gamper, A., Gott als Richter in Mesopotamien und im Alten Testament (1966)
Gemser, B., The Importance of the Motive Clause in Old Testament Law: VTSuppl 1 (1953) 50–66
Gerstenberger, E., Wesen und Herkunft des »apodiktischen Rechts«, WMANT 20 (1965)
Gese, H., Beobachtungen zum Stil alttestamentlicher Rechtssätze: ThLZ 85 (1960) 147–150
– Der Dekalog als Ganzheit betrachtet: ZThK 64 (1967) 121–138
Gevirtz, S., West-Semitic Curses and the Problem of the Origins of Hebrew Law: VT 11 (1961) 137–158
Goeden, R., Zur Stellung von Mann und Frau, Ehe und Sexualität im Hinblick auf Bibel und Alte Kirche, Diss Göttingen 1969
Goetze, A., The Laws of Eshnunna: AASOR 31 (1956)

Gräf, E., Das Rechtswesen der heutigen Beduinen, Beiträge zur Sprach- und Kulturgeschichte des Orients 5 (o. J.)

Greenberg, M., Some Postulates of Biblical Criminal Law: Festschr Y. *Kaufmann* (1960) 5–28

Haase, R., Die keilschriftlichen Rechtssammlungen in deutscher Übersetzung (1963)
– Körperliche Strafen in den altorientalischen Rechtssammlungen. Ein Beitrag zum altorientalischen Strafrecht: RIDA, 3. série, 10 (1963) 55–75
– Einführung in das Studium keilschriftlicher Rechtsquellen (1965)
– Die Behandlung von Tierschäden in den Keilschriftrechten: RIDA, 3. série, 14 (1967) 11–65

Halbe, J., Das Privilegrecht Jahwes Ex 34, 10–26, FRLANT 114 (1975)

Heinisch, P., Das Sklavenrecht in Israel und im Alten Orient: StC 11 (1934/35) 201–218, 276–290

Hempel, J., Gottesgedanke und Rechtsgestaltung in Altisrael: ZsTh 8 (1931) 377–395
– Das Ethos des Alten Testaments, BZAW 67 (²1964)
– Heilung als Symbol und Wirklichkeit im biblischen Schrifttum (²1965)

Hentig, H. v., Die Strafe I. Frühformen und kulturgeschichtliche Zusammenhänge (1954)
– Die Strafe II. Die modernen Erscheinungsformen (1955)

Hentschke, R., Erwägungen zur israelitischen Rechtsgeschichte: ThViat 10 (1966) 108–133

Herrmann, S., Das »apodiktische Recht«. Erwägungen zur Klärung dieses Begriffs: MIO 15 (1969) 249–261
– Die konstruktive Restauration. Das Deuteronomium als Mitte biblischer Theologie: Probleme biblischer Theologie, Festschr G. v. Rad (1971) 155–170
– Geschichte Israels in alttestamentlicher Zeit (1973)

Horst, F., Das Privilegrecht Jahwes. Rechtsgeschichtliche Untersuchungen zum Deuteronomium (1930) = GR, 17–154
– Der Diebstahl im Alten Testament (1935) = GR, 167–175
– Das Eigentum nach dem Alten Testament (1949) = GR, 203–221
– Recht und Religion im Bereich des Alten Testaments (1956) = GR, 260–291
– Der Eid im Alten Testament (1957) = GR, 292–314
– Artikel Bundesbuch: RGG I, 1523–1525
– Zwei Begriffe für Eigentum (Besitz): Verbannung und Heimkehr, Festschr W. *Rudolph* (1961) 135–156

Hossfeld, F.-L. – Meyer, I., Der Prophet vor dem Tribunal. Neuer Auslegungsversuch von Jer 26: ZAW 86 (1974) 30–50

Jackson, B. S., Theft in Early Jewish Law (1972)
– Principles and Cases: The Theft Laws of Hammurabi (1972) = Essays in Jewish and Comparative Legal History (1975) 64–74
– The Problem of Exod. XXI 22–5 (*ius talionis*) (1973) = Essays in Jewish and Comparative Legal History (1975) 75–107
– Reflections on Biblical Criminal Law (1973) = Essays in Jewish and Comparative Legal History (1975) 25–63
– The Goring Ox (1974) = Essays in Jewish and Comparative Legal History (1975) 108–152

Jepsen, A., Untersuchungen zum Bundesbuch, BWANT 41 (1927)

Jirku, A., Das weltliche Recht im Alten Testament (1927)

Johns, C. H. W., The Relations between the Laws of Babylonia and the Laws of the Hebrew Peoples (²1917)

Kaiser, O., Gerechtigkeit und Heil bei den israelitischen Propheten und griechischen Denkern des 8.–6. Jahrhunderts: ZsThR 11 (1969) 312–328

Kilian, R., Apodiktisches und kasuistisches Recht im Licht ägyptischer Parallelen: BZ NF 7 (1963) 185–202

– Literarkritische und formgeschichtliche Untersuchung des Heiligkeitsgesetzes, BBB 19 (1963)

Klíma, J., Untersuchungen zum altbabylonischen Erbrecht, Monographien des Archiv Orientální 8 (1940)

Klíma, J. – Petschow, H. – Cardascia, G. – Korošec, V., Artikel Gesetze: RLA III, 243–297

Knierim, R., Exodus 18 und die Neuordnung der mosaischen Gerichtsbarkeit: ZAW 73 (1961) 146–171

– Die Hauptbegriffe für Sünde im Alten Testament (1965)

Koch, K., Der Spruch »Sein Blut bleibe auf seinem Haupt« und die israelitische Auffassung vom vergossenen Blut (1962) = *Koch*, Vergeltung, 432–456

– Die Hebräer vom Auszug aus Ägypten bis zum Großreich Davids: VT 19 (1969) 37–81

Köhler, L., Die hebräische Rechtsgemeinde (1931) = Der hebräische Mensch (1953) 143–171

Kornfeld, W., Studien zum Heiligkeitsgesetz (1952)

Korošec, V., Über die Bedeutung der Gesetzbücher von Ešnunna und von Isin für die Rechtsentwicklung in Mesopotamien und Kleinasien: Proceedings of the 22nd Congress of Orientalists, Istanbul 15.–22. 9. 1951 (1953) 83–91

– Keilschriftrecht HO 1. Abteilung, Erg. Bd. III, Orientalisches Recht (1964) 49–219

Koschaker, P., Rechtsvergleichende Studien zur Gesetzgebung Hammurapis, Königs von Babylon (1917)

– Keilschriftrecht: ZDMG 89 (1935) 1–39

– Was vermag die vergleichende Rechtswissenschaft zur Indogermanenfrage beizusteuern?: Germanen und Indogermanen, Festschr *H. Hirt* I (1936) 145–153

– Eheschließung und Kauf nach alten Rechten, mit besonderer Berücksichtigung der älteren Keilschriftrechte: ArOr 18/3 (1950) 210–296

Kramer, S. N. – Falkenstein, A., Ur-Nammu Law Code: Or NS 23 (1954) 40–51

Kraus, F. R., Ein Edikt des Königs Ammi-Ṣaduqa von Babylon, Studia et documenta ad iura orientis antiqui pertinentia 5 (1958)

– Ein zentrales Problem des altmesopotamischen Rechtes: Was ist der Codex Hammu-Rabi?: Genava NS 8 (1960) 283–296

– Vom mesopotamischen Menschen der altbabylonischen Zeit und seiner Welt (1973)

Kuhl, C., Neue Dokumente zum Verständnis von Hosea 2,4–15: ZAW 52 (1934) 102–109

Landsberger, B., Die babylonischen termini für Gesetz und Recht: Festschr *P. Koschaker* (1939) 219–234

Lautner, J. G., Die richterliche Entscheidung und die Streitbeendigung im altbabylonischen Prozeßrechte, LrS 3 (1922)

– Die Methoden einer antik-rechtsgeschichtlichen Forschung: ZVR 47 (1933) 27–76

Lemche, N. P., The »Hebrew Slave«. Comments on the Slave Law Ex. XXI 2–11: VT 25 (1975) 129–144

Liagre Böhl, F. M. Th. de, King Hammurabi of Babylon in the Setting of his Time: Opera Minora (1953) 339–363

Liedke, G., Gestalt und Bezeichnung alttestamentlicher Rechtssätze, WMANT 39 (1971)

Loersch, S., Das Deuteronomium und seine Deutungen. Ein forschungsgeschichtlicher Überblick, SBS 22 (1967)

Mace, D. R., Hebrew Marriage. A Sociological Study (1953)

Macholz, G. Ch., Die Stellung des Königs in der israelitischen Gerichtsverfassung: ZAW 84 (1972) 157–182
– Zur Geschichte der Justizorganisation in Juda: ZAW 84 (1972) 314–340
McCarter, P. K., The River Ordeal in Israelite Literature: HThR 66 (1973) 403–412
McKay, J. W., Exodus XXIII, 1–3.6–8: A Decalogue for the Administration of Justice in the City Gate: VT 21 (1971) 311–325
McKenzie, D. A., Judicial Procedure at the Town Gate: VT 14 (1964) 100–104
Mendelsohn, I., Slavery in the Ancient Near East (1949)
Mendenhall, G. E., Recht und Bund in Israel und dem Alten Vorderen Orient, ThSt 64 (1960)
Menes, A., Die vorexilischen Gesetze Israels im Zusammenhang seiner kulturgeschichtlichen Entwicklung, BZAW 50 (1928)
Merendino, R. P., Das deuteronomische Gesetz, BBB 31 (1969)
Merz, E., Die Blutrache bei den Israeliten (1916)
Meyer, E., Die Sklaverei im Altertum: Kleine Schriften zur Geschichtstheorie und zur wirtschaftlichen und politischen Geschichte des Altertums (1900) 169–212
Moortgat, A., siehe *Scharf, A.*
Müller, D. H. v., Die Gesetze Hammurabis und ihr Verhältnis zur mosaischen Gesetzgebung sowie zu den XII Tafeln (1903, Neudruck 1975)
Nebeling, G., Die Schichten des deuteronomischen Gesetzeskorpus. Eine traditions- und redaktionsgeschichtliche Analyse von Dtn 12–26, Diss Münster 1970
Nembach, U., Ehescheidung nach alttestamentlichem und jüdischem Recht: ThZ 26 (1970) 161–171
Neufeld, E., Ancient Hebrew Marriage Laws (1944)
– The Emergence of a Royal-Urban Society in Ancient Israel: HUCA 31 (1960) 31–53
Nielsen, E., Die zehn Gebote (1965)
Nörr, D., Studien zum Strafrecht im Kodex Hammurabi, Diss München 1954
– Zum Schuldgedanken im altbabylonischen Strafrecht: ZSS 75 (1958) 1–31
– Die Auflösung der Ehe durch die Frau nach altbabylonischem Recht: Studi in onore di *Emilio Betti* III (1962) 505–526
Noth, M., Das Krongut der israelitischen Könige und seine Verwaltung (1927) = Aufsätze zur biblischen Landes- und Altertumskunde I (1971) 159–182
– Die Gesetze im Pentateuch. Ihre Voraussetzungen und ihr Sinn (1940) = Gesammelte Studien zum Alten Testament, ThB 6 (³1966) 9–141
– Überlieferungsgeschichte des Pentateuch (1948)
– Das Amt des »Richters Israels« (1950) = Gesammelte Studien zum Alten Testament II, ThB 39 (1969) 71–85
– Geschichte Israels (⁷1969)
Patrick, D., Casuistic Law Governing Primary Rights and Duties: JBL 92 (1973) 180–184
Paul, S. M., Studies in the Book of the Covenant in the Light of Cuneiform and Biblical Law, VTSuppl 18 (1970)
Perlitt, L., Bundestheologie im Alten Testament, WMANT 36 (1969)
Petschow, H., Zur Systematik und Gesetzestechnik im Codex Hammurabi: ZA NF 23 (1965) 146–172
– Zur »Systematik« in den Gesetzen von Eschnunna: Festschr *M. David* II (1968) 131–143
Phillips, A., Ancient Israel's Criminal Law. A New Approach to the Decalogue (1970)
– Some Aspects of Family Law in Pre-exilic Israel: VT 23 (1973) 349–361
Plautz, W., Die Frau in Familie und Ehe. Ein Beitrag zum Problem ihrer Stellung im Alten Testament, Diss Kiel 1959

– Monogamie und Polygynie im Alten Testament: ZAW 75 (1963) 3–27
– Die Form der Eheschließung im Alten Testament: ZAW 76 (1964) 298–318
Ploeg, J. P. M. van der, Studies in Hebrew Law I, The Terms: CBQ 12 (1950) 248–259
– Studies in Hebrew Law II, The Style: CBQ 12 (1950) 416–427
– Studies in Hebrew Law III, Systematic Analysis of the Contents of the Collections of
   Laws in the Pentateuch: CBQ 13 (1951) 28–43
– Studies in Hebrew Law IV, The Religious Character of the Legislation: CBQ 13 (1951)
   164–171
– Studies in Hebrew Law V, Varia. Conclusions: CBQ 13 (1951) 296–307
– Slavery in the Old Testament: VTSuppl 22 (1972) 72–87
Possoz, E., Die Begründung des Rechtes im Klan: Religiöse Bindungen in frühen und in
   orientalischen Rechten, herausgegeben von *K. Bünger* und *H. Trimborn* (1952) 18–23
Preiser, W., Vergeltung und Sühne im altisraelitischen Strafrecht (1961) = *Koch*, Vergel-
   tung, 236–277
Prenzel, G., Über die Pacht im antiken hebräischen Recht (1971)
Prévost, M.-H., Remarques sur l'Adoption dans la Bible: RIDA, 3. série, 14 (1967) 67–77
Quell, G., Artikel Der Rechtsgedanke im AT: ThW II (1935) 176–180
Rad, G. v., Das Gottesvolk im Deuteronomium (1929) = Gesammelte Studien zum Alten
   Testament II, ThB 48 (1973) 9–108
– Verheißenes Land und Jahwes Land im Hexateuch (1943) = Gesammelte Studien zum
   Alten Testament, ThB 8 (³1971) 87–100
– Deuteronomium-Studien (1947) = Gesammelte Studien zum Alten Testament II, ThB
   48 (1973) 109–153
– Aspekte alttestamentlichen Weltverständnisses (1964) = Gesammelte Studien zum Al-
   ten Testament, ThB 8 (³1971) 311–331
– Theologie des Alten Testaments I (⁶1969)
Renger, J., Untersuchungen zum Priestertum in der altbabylonischen Zeit: ZA NF 24
   (1967) 110–188
Reventlow, H. Graf, Das Amt des Mazkir: ThZ 15 (1959) 159–175
– Das Heiligkeitsgesetz formgeschichtlich untersucht, WMANT 6 (1961)
– Gebot und Predigt im Dekalog (1962)
– Kultisches Recht im Alten Testament: ZThK 60 (1963) 267–304
– Gattung und Überlieferung in der »Tempelrede Jeremias«, Jer 7 und 26: ZAW 81 (1969)
   315–352
Richter, W., Recht und Ethos. Versuch einer Ortung des weisheitlichen Mahnspruches,
   Studien zum Alten und Neuen Testament 15 (1966)
Ring, E., Israels Rechtsleben im Lichte der neuentdeckten assyrischen und hethitischen
   Gesetzesurkunden (1926)
Robertson, E., The Altar of Earth (Exodus XX, 24–26): JJS 1 (1948–1949) 12–21
Rost, L., Das Bundesbuch: ZAW 77 (1965) 255–259
– Gesetz und Propheten: Studien zum Alten Testament, BWANT 101 (1974) 9–38
Rücker, H., Die Begründungen der Weisungen Jahwes im Pentateuch, Erfurter Theologi-
   sche Studien 30 (1973)
San Nicolò, M., Beiträge zur Rechtsgeschichte der keilschriftlichen Rechtsquellen (1931)
– Rechtsgeschichtliches zum Gesetz des Bilalama von Ešnunna: Or NS 18 (1949) 258–262
Scharff, A. – Moortgat, A., Ägypten und Vorderasien im Altertum (1950)
Schmid, H. H., Gerechtigkeit als Weltordnung, BhTh 40 (1968)
Schmidt, W. H., Überlieferungsgeschichtliche Erwägungen zur Komposition des Deka-
   logs: VTSuppl 22 (1972) 201–220

– Alttestamentlicher Glaube in seiner Geschichte (1975)

Schmitt, G., Ex 21,18 f. und das rabbinische Recht: Festschr K. H. *Rengstorf*, Theokratia II (1973) 7–15

Schmökel, H., Hammurabi von Babylon. Die Errichtung eines Reiches (1971)

Schottroff, W., Der altisraelitische Fluchspruch, WMANT 30 (1969)

Schreiner, J., Die zehn Gebote im Leben des Gottesvolkes (1966)

Schüngel-Straumann, H., Der Dekalog – Gottes Gebote?, SBS 67 (1973)

Schüpphaus, J., Volk Gottes und Gesetz beim Elohisten: ThZ 31 (1975) 193–210

Schulz, H., Das Todesrecht im Alten Testament, BZAW 114 (1969)

Schulz, S., Gott ist kein Sklavenhalter (1972)

Seebass, H., Der Fall Naboth in 1 Reg. XXI: VT 24 (1974) 474–488

Seeligmann, I. L., Zur Terminologie für das Gerichtsverfahren im Wortschatz des biblischen Hebräisch: Festschr W. *Baumgartner*, VTSuppl 16 (1967) 251–278

Selms, A. van, The Goring Ox in Babylonian and Biblical Law: ArOr 18/4 (1950) 321–330

Soden, W. v., Kleine Beiträge zum Verständnis der Gesetze Hammurabis und Bilalamas: ArOr 17 (1949) 359–373

– Das altbabylonische Briefarchiv von Mari: WO 1 (1947–1952) 187–204

– Herrscher im Alten Orient (1954)

– *muškenum* und die Mawāli des frühen Islam: ZA NF 22 (1964) 133–141

Speiser, E. A., The *muškēnum*: Or NS 27 (1958) 19–28

Stamm, J. J., Zum Altargesetz im Bundesbuch: ThZ 1 (1945) 304–306

– Dreißig Jahre Dekalogforschung: ThR 27 (1961) 189–239, 281–305

– Der Dekalog im Lichte der neueren Forschung ([2]1962)

Stamm, J. J. – Andrew, M. E., The Ten Commandments in Recent Research (1967)

Steele, F. R., The Code of Lipit-Ishtar: AJA 52 (1948) 425–450

Szlechter, E., Le code de Lipit-Ištar (I): RA 51 (1957) 57–82

– Le code de Lipit-Ištar (II): RA 51 (1957) 177–196

Thiel, W., Erwägungen zum Alter des Heiligkeitsgesetzes: ZAW 81 (1969) 40–73

Thompson, Th. und D., Some Legal Problems in the Book of Ruth: VT 18 (1968) 79–99

Vaux, R. de, Das Alte Testament und seine Lebensordnungen I und II (1960)

– Histoire Ancienne d'Israel I (1971)

Wagner, V., Zur Systematik in dem Codex Ex 21,2–22,16: ZAW 81 (1969) 176–182

– Rechtssätze in gebundener Sprache und Rechtssatzreihen im israelitischen Recht, BZAW 127 (1972)

– Zur Existenz des sogenannten »Heiligkeitsgeseztes«: ZAW 86 (1974) 307–316

Waldow, H. E. v., Social Responsibility and Social Structure in Early Israel: CBQ 32 (1970) 182–204

Walther, A., Das altbabylonische Gerichtswesen, LSS VI/4–6 (1917)

Weber, M., Gesammelte Aufsätze zur Religionssoziologie III. Das antike Judentum ([4]1966)

Weinfeld, M., The Origin of the Apodictic Law: VT 23 (1973) 63–75

Weippert, M., Die Landnahme der israelitischen Stämme in der neueren wissenschaftlichen Diskussion, FRLANT 92 (1967)

Weismann, J., Talion und öffentliche Strafe im Mosaischen Rechte (1913) = *Koch*, Vergeltung, 325–406

Wellhausen, J., Die Composition des Hexateuchs und der historischen Bücher des Alten Testaments ([4]1963)

Westermann, C., Sinn und Grenze religionsgeschichtlicher Parallelen (1965) = Forschung am Alten Testament II, ThB 55 (1974) 84–95

Williams, J. G., Concerning One of the Apodictic Formulas: VT 14 (1964) 484–489

– Addenda to »Concerning One of the Apodictic Formulas«: VT 15 (1965) 113–115

Wiseman, D. J., The Laws of Hammurabi again: JSS 7 (1962) 161–172

Wolff, H. W., Anthropologie des Alten Testaments (1973)

Würthwein, E., Der Sinn des Gesetzes im Alten Testament (1958) = Wort und Existenz. Studien zum Alten Testament (1970) 39–54

Yaron, R., On Divorce in Old Testament Times: RIDA, 3. série, 4 (1957) 117–128

– Varia on Adoption: JJP 15 (1965) 171–183

– The Laws of Eshnunna (1969)

– The Goring Ox in Near Eastern Laws: Jewish Law in Ancient and Modern Israel. Selected Essays, herausgegeben von *H. H. Cohn* (1971) 50–60

Zenger, E., Eine Wende in der Dekalogforschung? Ein Bericht: ThRv 64 (1968) 189–198

Zimmerli, W., Das Gesetz im Alten Testament (1960) = Gottes Offenbarung. Gesammelte Aufsätze zum Alten Testament, ThB 19 (1963) 249–276

Register
der Namen, Sachen und Begriffe

Register
der biblischen und altorientalischen Stellen